DEDDF ADDYSG
GANOLRADDOL
CYMRU 1889:
Cloriannu Can Mlynedd

DEDDF ADDYSG GANOLRADDOL CYMRU 1889:
Cloriannu Can Mlynedd

Golygwyd gan

Owen E. Jones

Cyhoeddwyd gyntaf 1990

Ⓗ   Hawlfraint y goron

Manylion Catalogio y Llyfrgell Brydeinig
Deddf Addysg Ganolraddol 1889.
  1. Wales. Secondary education, history
  I. Webster, J. R.   II. Jones, Owen E.   III. Great Britain;
  Welsh Office
  373.429

  ISBN 0-7504-0069-2

Argraffwyd a rhwymyd yng Nghymru
ar ran y Swyddfa Gymreig

CYNNWYS

RHAGAIR

Ar 1 Tachwedd 1889 daeth Deddf Addysg Ganolraddol Cymru'n effeithiol. O dan y ddeddfwriaeth hon y darparwyd am y tro cyntaf yn Lloegr ac yng Nghymru gynhaliaeth wladwriaethol ar gyfer yr ysgolion uwchradd. O fewn ychydig flynyddoedd, yr oedd gan Gymru ei system uwchradd ei hun ac fe gyflawnwyd hynny sawl blwyddyn cyn i ddatblygiad tebyg ddigwydd yn Lloegr. Olrheinia llawer o'n hysgolion cyfun eu tarddiad yn yr ysgolion canolraddol a sefydlwyd wedi Deddf 1889.

Y mae'r flwyddyn bresennol yn dathlu canmlwyddiant y Ddeddf, ac y mae hefyd, eleni, yn ben-blwydd sefydlu Arolygiaeth EM gant a hanner o flynyddoedd yn ôl. Y mae'n dda gennyf fod AEM wedi dewis yr achlysur i gynnal Cynhadledd Addysgol yn ymwneud â nifer o themâu a berthyn i'r Ddeddf ac i hanes a datblygiad addysg uwchradd yng Nghymru dros y can mlynedd diwethaf. Y mae'r gyfrol hon yn cynnwys papurau gan addysgwyr arbennig a gomisiynwyd i'w llunio a'u cyflwyno yn y Gynhadledd. Cyhoeddir y gyfrol gan y Swyddfa Gymreig yn gyfraniad canmlwyddiant i'r astudiaeth o addysg uwchradd yng Nghymru 1889-1989.

SYR RICHARD LLOYD JONES KCB
YSGRIFENNYDD PARHAOL, Y SWYDDFA GYMREIG

7

Y CYFRANWYR

Mae'r ATHRO J. R. WEBSTER yn Athro Addysg ac yn Ddeon y Gyfadran Addysg yng Ngholeg Prifysgol Cymru, Aberystwyth.

Mae'r DR. DAVID ALLSOBROOK yn ddarlithydd mewn Addysg yng Ngholeg Prifysgol Cymru, Caerdydd.

Mae KEN HOPKINS yn gyn Gyfarwyddwr Addysg, Awdurdod Addysg Morgannwg Ganol.

Mae E. JOHN DAVIES yn gyn Brifathro Ysgol Gyfun Treorci, Treorci, Morgannwg Ganol.

Mae'r ATHRO P. H. J. H. GOSDEN yn Athro Addysg ac yn Gadeirydd yr Ysgol Addysg yn y Brifysgol, Leeds.

Mae'r DR. GWILYM ARTHUR JONES yn gyn Uwch Ddarlithydd mewn Cymraeg yn y Coleg Normal, Bangor.

Mae'r DR. W. GARETH EVANS yn ddarlithydd mewn Addysg yng Ngholeg Prifysgol Cymru, Aberystwyth.

Mae'r ATHRO IOLO W. WILLIAMS yn Athro Addysg ac yn Bennaeth yr Ysgol Addysg yng Ngholeg Prifysgol Gogledd Cymru, Bangor.

Mae'r DR. GARETH ELWYN JONES yn Ddarllenydd mewn Addysg Hanes yng Ngholeg y Brifysgol Abertawe.

RHAGYMADRODD

Papurau y bu i'w hawduron gael comisiwn i'w hysgrifennu a'u cyflwyno mewn Cynhadledd Addysg a gynhaliwyd yn Llandrindod, Powys, yn Hydref 1989 yw'r traethodau sydd yn y llyfr hwn. Trefnwyd y gynhadledd gan Arolygwyr Ei Mawrhydi i nodi canmlwyddiant Deddf Addysg Ganolraddol Cymru 1889. Enwebwyd aelodau'r gynhadledd gan awdurdodau addysg Cymru a phrif sefydliadau addysgol Cymru, ac yr oeddent yn cynrychioli ysgolion uwchradd a diddordebau'r sector uwchradd.

Y mae'r dewis o destunau yn adlewyrchu themâu allweddol penodol yn natblygiad addysg uwchradd Cymru a fu, yng ngolwg trefnyddion y gynhadledd, yn arbennig o arwyddocaol dros y can mlynedd diwethaf. Eiddo'r awduron yw'r dehongliadau o hanes a'r syniadau a fynegir yn y papurau. Ystyriaeth ganolog yw cyd-destun gwleidyddol ac addysgol Deddf 1889, ei chynnwys a'r ffordd y'i gweithredwyd. Rhoes y Ddeddf system o addysg uwchradd wladwriaethol i Gymru dipyn o flaen unrhyw beth tebyg yn Lloegr. Rhydd canfyddiadau newydd am ddylanwad datblygiadau yng Nghymru ar dwf addysg wladwriaethol yn Lloegr fwy o hygrededd i honiadau rhai haneswyr mai Deddf 1889 oedd un o gyflawniadau mwyaf cyfnod Victoria.

Y mae eisoes yn gydnabyddedig fod y blynyddoedd sydd yn rhychwantu troad y ganrif gyda'r cyfnod pwysicaf yn esblygiad strwythur a gweinyddiad addysg yng Nghymru. Y mae datblygu polisi, a pharhad a newid yng ngweithrediad polisi, yn enwedig mewn perthynas ag addysg uwchradd, yn cynnig elfennau allweddol testun arall. Y mae sefydlu'r system o ysgolion a'r newid y tu fewn iddi, a'r goblygiadau cymdeithasol yn rhoi thema hanfodol bellach.

Y mae'r pwyslais sydd yn Neddf 1889 ar yr addysg dechnegol a oedd i fod ar gael yn yr ysgolion, a'r datblygiadau a ddilynodd hynny yn yr addysgu o'r pynciau gwyddonol a thechnegol, yn cysylltu'n uniongyrchol â'r gofyn am addysgu technoleg a gwyddoniaeth yn elfennau craidd yn y Cwricwlwm Cenedlaethol, o dan amodau Deddf Diwygio Addysg 1988. Y mae'r pryderon cyfoes am gyfleoedd cyfartal, am ran y ferch a rhag-bennu ei rôl, yn tanlinellu pa mor bwysig yw astudiaeth o'r ddarpariaeth ar gyfer addysg merched yng Nghymru trwy'r ganrif.

Ni all unrhyw astudiaeth o'r Ddeddf Addysg Ganolraddol fod yn ystyrlon heb roi ystyriaeth briodol i achosion yn ymwneud â'r iaith Gymraeg— sefyllfa'r iaith yn y naw-degau; ymagweddau tuag at yr iaith mewn addysg heddiw; y statws a roddid i'r Gymraeg yng nghwricwlwm yr ysgolion newydd; ac agweddau ar ddatblygiad ac ar addysgu'r iaith yn bwnc ysgol ac yn gyfrwng hyfforddiant. Heddiw, y mae athrawon yn yr ysgolion yn gofyn cwestiynau am le'r iaith Gymraeg ac am y dimensiwn Cymreig ym mhynciau eraill y Cwricwlwm Cenedlaethol. Y mae'r achlysur hwn o ddathlu canmlwyddiant yn cynnig cyfle priodol i beth myfyrdod am ganfyddiadau ynghylch Cymreigrwydd addysg.

Y mae'r canmlwyddiant yn cyd-ddigwydd â dathliad arall. Gan mlynedd a hanner yn ôl sefydlwyd Arolygiaeth EM, ac i ryw raddau y mae'r gynhadledd yn coffáu'r darn hwnnw o hanes addysg. Y mae'n bleser gennyf gydnabod cefnogaeth a chyngor Mr Illtyd R Lloyd, Prif Arolygydd EM yng Nghymru, a chymorth Mr Alun Morgan AEM, wrth i mi gynllunio'r gynhadledd.

Y mae'r paratoadau ar gyfer y gynhadledd ynghyd â chyhoeddi'r llyfr hwn yn dra dyledus hefyd i gefnogaeth y cyfranwyr a fu mor barod i gydweithredu'n llawn yn y broses olygyddol.

OWEN E JONES AEM
CYFARWYDDWR Y GYNHADLEDD

DEDDF ADDYSG
GANOLRADDOL CYMRU 1889

J R WEBSTER

I

Yr oedd Deddf Addysg Ganolraddol Cymru yn orchest ryfeddol. Nid yn unig fe ddarparodd gymorth gwladol ar gyfer ysgolion uwchradd ond, yn fwy arwyddocaol, fe greodd gyfundrefn ysgol uwchradd a oedd, yn y rhan fwyaf o Gymru, mor gyfun ei hanfod nas cyrhaeddwyd yn Lloegr tan ar ôl 1944. Fodd bynnag, cyn inni fynd yn rhy siofinistaidd, fe ddylem gydnabod i Ddeddf 1889 ddod i fod, yn sicr oherwydd pwysau oddi fewn i Gymru, ond hefyd oherwydd y datblygiadau a oedd yn digwydd yn y Deyrnas Gyfunol drwyddi draw. Yr oedd arwyr yn Whitehall yn ogystal â Chymru; nid oedd ond ychydig, os o gwbl, o gnafon. Fy amcan yn y papur hwn fydd dadansoddi cyd-destun addysgol a politicaidd y Ddeddf, ei chynnwys a'r modd y'i cyflawnwyd.

Yn ethos *laissez faire* ddechrau'r bedwaredd ganrif ar bymtheg, mater i'r unigolyn oedd addysg. Yr oedd gwrthwynebiad enfawr i ymyrraeth wladol, hyd yn oed yn addysg y gweithwyr tlawd. I'r rhelyw o'r boblogaeth mater iddynt hwy eu hunain oedd addysg eu plant; yr oedd ysgolion breiniol, ysgolion gramadeg gwaddoledig, ysgolion perchenogol a phreifat ar gael i bawb a allai eu fforddio.

Bu llawer o ddiwygio ar yr ysgolion breiniol mawr yn hanner cyntaf y bedwaredd ganrif ar bymtheg, ond fe barhâi, fel y bu Matthew Arnold dro ar ôl tro yn esbonio, brinder ysgolion addas ar gyfer y dosbarthiadau canol. Y dosbarthiadau canol entrepreneuraidd a gipiodd rym y fonedd tiriog, ond a oeddent yn gymwys i lywodraethu? A feddent ar y weledigaeth, y *gravitas* ac (arswydus air) y diwylliant i fod yn arweinwyr doeth a deddfwyr? Yr oedd astudiaeth Arnold o ysgolion 'uwchradd' dosbarth—canol a dderbyniai gymorth gwladol, ar y cyfandir, wedi ei argyhoeddi bod angen ymyrraeth wladol i ddarparu addysg dosbarth canol ym Mhrydain hefyd—i gynhyrchu, nid y gwyddonwyr, y peirianwyr a'r gwŷr busnes yr oedd eu hangen ar y chwyldro diwydiannol ond dynion hyddysg yn y celfyddydau a'r dyniaethau a hyrwyddai 'sweetness and light'. Daeth 'organise your secondary education' yn gri daer ganddo. Nid llefaru mewn gwagle a wnâi Arnold. Yn yr 1860'au fe gaed newid canfyddadwy yn hinsawdd ddeallol Prydain o'r prif athroniaethau iwtilitaraidd ac unigolyddol ar ddechrau'r bedwaredd ganrif ar bymtheg i ddelfrydiaeth athronyddol a ysbrydolwyd gan syniadau Plato, ac a gyfieithwyd i destun Saesneg gan Benjamin Jowett a rhai Hegel, a ddehonglwyd gan T H Green. Daeth Rhydychen a Balliol Jowett yn arbennig, yn ganolfan y meddwl athronyddol a gwleidyddol newydd, er yng Nghymru yr oedd gennym ein delfrydwr ein hunan yn Syr Henry Jones. Yr haeriad o eiddo'r delfrydwyr a gafodd y canlyniadau cymdeithasol ac addysgol mwyaf, oedd bod perthynas organaidd rhwng budd yr unigolyn a lles y gymuned ac, ymhellach, bod y gymuned yn gyfystyr â'r wladwriaeth. Apologia dros ymyrraeth wladol oedd delfrydiaeth. Y wladwriaeth a ddylai fod yn gyfrifol am gyfundrefn addysgol gyfun a ddarparai ar gyfer ei dinasyddion ym mhob cyfnod o'u bywydau.[1]

Hydreiddiodd ysbryd y ddelfrydiaeth newydd waith Comisiwn Taunton, a sefydlwyd yn 1864 i ymchwilio i amrediad eang o ysgolion rhwng yr ysgolion breiniol mawr a'r ysgolion elfennol. Wedi'r cyfan yr oedd Matthew Arnold, T H Green a James Bryce, cyfaill Green o ddyddiau rhagradd Rhydychen, i gyd yn gomisiynwyr cynorthwyol. Bryce a adroddodd ar y mwyafrif o ysgolion Cymreig. Prif gasgliad y Comisiwn oedd, bod yr ysgolion gramadeg gwaddoledig yn ystod hanner cyntaf y bedwaredd ganrif ar bymtheg, y mwyafrif wedi eu sefydlu i roi addysg rad i fechgyn lleol anghenus, wedi newid i adlewyrchu strwythur dosbarth newydd cymdeithas oes Victoria. Er enghraifft, yr oedd Rugby, cyn ysgol ramadeg leol a oedd wedi ei lleoli'n gyfleus ar gyffordd rheilffordd, wedi gallu denu nifer o fyrddwyr talu-ffi dosbarth canol fel Tom, mab Yswain Brown di-deitl, ac, yn unol â'i statws newydd, yr oedd Thomas Arnold ei phrifathro carismataidd ond didostur wedi cael gwared o'r bechgyn lleol 'rhad' y telid amdanynt gan y gwaddoliad. Yr oedd nifer gwasgaredig o ysgolion cyffelyb drwy Brydain; yr oedd rhai hyd yn oed yng Nghymru. Yna yr oedd ysgolion gydag ychydig o fyrddwyr a wasanaethai anghenion masnach leol, gwŷr proffesiynol ac amaethwyr da eu byd. Mewn trefi gwledig y lleolid hwy. Ac eto yr oedd ysgolion eraill, fel arfer mewn ardaloedd mwy diarffordd, a oedd wedi dirywio i ddim amgen nag ysgolion elfennol.

Derbyniodd y Comisiwn y sefyllfa hon a'i defnyddio fel sail ar gyfer cynllun cenedlaethol. Awgrymasant y dylid rhannu ysgolion 'uwchradd' (a hwy oedd y corff swyddogol cyntaf i ddefnyddio'r ymadrodd) i dair gradd. Yr oedd ysgolion gradd gyntaf ar gyfer y dosbarthiadau canol uwch a darperid disgyblion ar gyfer Rhydychen a Chaergrawnt. Eu hoed gadael ysgol, felly, oedd 18 ac ar y clasuron y seiliwyd y cwricwla ond wedi eu lledu i gynnwys mathemateg, ieithoedd modern a gwyddoniaeth. Yr oedd disgyblion ysgolion yr ail radd wedi eu bwriadu ar gyfer masnach a galwedigaethau fel y fyddin neu feddygaeth nad oedd yn galw am addysg brifysgol ac felly eu hoed gadael oedd 16, yr oedd Lladin i'w gadw ond nid Groeg, a darperid nifer o bynciau defnyddiol mewn busnes. Tua 14 oedd oed gadael meibion deiliaid ffermwyr bychain, masnachwyr ac 'uwch artisaniaid', yn yr ysgolion trydedd radd. Yn arwyddocaol, yr oedd cwricwla hyd yn oed yr ysgolion hyn i fod yn gyffredinol yn hytrach na galwedigaethol. Ar ôl rhesymoli'r gyfundrefn ar linellau dosbarth yr oedd y Comisiynwyr yn awyddus, '*that the old glory of the grammar schools should be not entirely lost*' ac felly

---

1. Am drafodaeth gyflawn o fudiad idealaeth yn addysg Prydain gweler Peter Gordon a John White, *Philosophers as Educational Reformers* (1979)

fe sefydlwyd cyfundrefn ysgoloriaeth gyfyngedig a rwyddhaodd y ffordd i ddisgyblion teilwng symud i fyny'r graddfeydd. Dyma'r rheswm y bu raid cynnwys Lladin yng nghwricwla ysgolion y drydedd radd hyd yn oed. Treiddiodd y cysyniad hwn o raddoli y meddwl Fictoraidd am addysg uwchradd ac, fel y gobeithiaf ddangos, cafodd ddylanwad dwfn ar gyflawni Deddf 1889. Yn wir fe ellid dadlau iddo effeithio ar ein syniad o addysg uwchradd ymhell i'r ganrif bresennol.

Er mwyn creu cyfundrefn unedig byddai'n angenrheidiol cael peirianwaith gweinyddol lleol a chenedlaethol. Yn ganolog, fe gymeradwyodd Adroddiad Taunton, sefydlu Bwrdd Gweinyddol i adrefnu gwaddoliadau a phenodi arolygwyr ar ysgolion gwaddoledig. Yn lleol, fe ddylai fod ym mhob rhanbarth Gofrestrydd Cyffredinol 'awdurdod taleithiol' gyda chomisiynydd a fyddai'n arolygu pob ysgol o leiaf unwaith bob tair blynedd. Fe arholid y disgyblion hefyd gan banel o arholwyr a byddai'r arholiadau wedi eu safoni gan Gyngor Arholiadau gydag aelodau wedi eu henwebu gan brifysgolion Rhydychen, Caergrawnt a Llundain yn ogystal â'r Goron. Y syndod mwyaf efallai oedd y byddai raid cofrestru athrawon ysgolion gwaddoledig.

Dyma ymyrraeth wladol ddialgar. Pan gyhoeddwyd yr Adroddiad yn 1868 yr oedd penaethiaid ysgolion gwaddoledig, yn arbennig y rhai gyda hawliau ysgolion breiniol, wedi synnu a dyna fynd ati i ffurfio carfan annog, y Gynhadledd Prifathrawon, i amddiffyn eu hawliau. Cafodd hyn effaith yn syth; amcanion cyfyngedig iawn a oedd gan y Ddeddf Ysgolion Gwaddoledig a gyflwynwyd yn 1869. Nid oedd awdurdod canolog na lleol i fod, dim cofrestru athrawon, dim byrddau arholi. Yn eu lle byddai penodi tri Chomisiynydd Ysgolion Gwaddoledig i lunio cynlluniau i wneud gwell defnydd o waddoliadau unigol a, phan fyddai'n bosibl, ymestyn eu bendithion ar gyfer addysg i enethod.

Eto, o fewn y cyfyngiadau hyn, fe feddai Comisiynwyr yr Ysgolion Gwaddoledig reddf ar gyfer cynllun mawreddog. Y Comisiynydd y bu a wnelo fwyaf â Chymru oedd Canon H G Robinson, gŵr o swydd Efrog a fu ar un adeg yn Brifathro Coleg Hyfforddi Esgobaethol Caerefrog. Buasai hefyd yn diwtor ar William, ail fab Arglwydd Aberdâr, ac ystyriai Arglwydd Aberdâr ef yn un o'r gwŷr galluocaf a gyfarfu erioed.[2] Darparodd Robinson gynlluniau a rannai ogledd Cymru yn ddwy gyda phob rhanbarth â chorff llywodraethol cyffredin ac un ysgol o bwys: Rhuthun yn y dwyrain a naill ai Biwmares neu Fangor yn y gorllewin. Amheuai a allai'r ysgolion pwysig hyn, hyd yn oed, fod o'r radd gyntaf; byddai'r holl ysgolion eraill yn sicr o'r ail neu'r drydedd radd. Achosodd y cynllun hwn gryn ddadlau, gyda phob corff llywodraethol yn ymdrechu i wella neu, o leiaf, gynnal statws ei ysgol. Digwyddai cyffro cyffelyb bob tro y ceisiai'r Comisiynwyr gyflwyno cynllun.

---

2. B B Thomas, *The Establishment of the "Aberdare" Departmental Committeee 1880. Some Letters and Notes*, Bull. Board of Celtic Studies 1962 tud 325.

Yn wir, bu eu gwaith mor ddadleugar fel yn 1874, pan ddychwelodd Disraeli i rym, chwalwyd y Comisiwn a dychwelyd ei bwerau i'r Comisiynwyr Elusen a oedd yn ddiarhebol o araf-deg. Canon Robinson oedd yr unig gomisiynydd a drosglwyddodd i'r Comisiwn Elusen.

Ar gyfer ysgolion yr ail radd yr oedd y mwyafrif o'r cynlluniau Cymreig a ddaeth i fod yn yr ugain mlynedd rhwng 1869 a 1889. Yr oedd enghreifftiau ar chwâl drwy'r wlad: yn y Bala, Rhiwabon, Dinbych, Llanrwst, Llanandras, Hwlffordd a Brynbuga. Dim ond dau gynllun oedd ar gyfer ysgolion o'r drydedd radd: yn arwyddocaol rhai ar gyfer yr unig ysgolion merched a grewyd sef Ysgol Dr Williams, Dolgellau ac Ysgol Lewis, Pengam yn nyffryn glofaol Rhymni. Yr ysgolion anhawsaf y bu'n rhaid i'r Comisiynwyr ymdrin â hwy oedd rhai fel Bangor, Aberhonddu a Chaerfyrddin, a ddyheai am raddfa gyntaf. Ym mhob achos, wedi cryn dipyn o gynyrfiadau lleol, fe gyfaddawdodd y Comisiynwyr drwy greu adran iau gydag oed gadael o 15 i ddiwallu anghenion y mwyafrif mawr o fechgyn lleol, ac adran hŷn gydag oed gadael o 18 neu 19 ac a gynhwysai Roeg yn ei chwricwlwm, ar gyfer byrddwyr a ymawyddai am fynediad i Rydychen a Chaergrawnt. Dyma, yn ddios, ddechreuadau dwyochredd.

Cynhwysai pob cynllun ddarpariaeth ysgoloriaethau i ddisgyblion o ysgolion elfennol hyd at 10 y cant o dderbynnedd yr ysgolion. Darperid nifer amrywiol o ysgoloriaethau i gynorthwyo disgyblion i symud i ysgol o raddfa uwch neu i brifysgol. Yr oedd yng Nghynllun Ysgol Lewis, Pengam ddarpariaeth ar gyfer lwfansau cynhaliaeth hyd yn oed. Yn arwyddocaol hefyd awgrymai Cynllun Pengam y dylai'r cwricwlwm 'be adjusted with special regard to industrial and technical training'; dylai gynnwys geometreg, gwyddoniaeth ymarferol ac arbrofol, dylunio (gyda chyfeiriad arbennig at fecaneg a pheirianneg) yn ogystal â hanes, daearyddiaeth, dewis o Ffrangeg neu Ladin a cherddoriaeth leisiol. Yr oedd y newid hwn o daerineb Taunton am addysg gyffredinol yn ysgolion y drydedd radd yn adlewyrchu'r pryder cynyddol yn y saithdegau a'r wythdegau ynglŷn â'r modd yr oedd masnach Prydain yn llusgo ar ôl y cyfandir mewn ymchwil a datblygiad, mewn cynllunio a masnachu.

Ateb y llywodraeth i'r broblem oedd creu Adran Wyddoniaeth a Chelfyddyd er mwyn impio addysg dechnegol a chynllunio ar y gyfundrefn a oedd mewn bod, drwy ddarparu'n debyg i'r hyn a wna'r Comisiwn Hyfforddi heddiw, gymhellion arian i unrhyw sefydliad neu unigolyn y bu eu myfyrwyr yn llwyddiannus yn ei arholiadau. Dyma, nid yn unig ddechrau ein cyfundrefn addysg dechnegol a chelfyddyd a chynllunio, ond hefyd ddull o alluogi ysgolion elfennol i ychwanegu at y grantiau a dderbyniasant o dan y Cod Diwygiedig i ddatblygu gwaith mwy anodd. Ysgolion Gwyddoniaeth a Drefnwyd gan yr Adran Wyddoniaeth a Chelfyddydau ydoedd cynlluniau CDAG ddiwedd y bedwaredd ganrif ar bymtheg. Felly, fe allai'r ysgolion elfennol uwch safonol, a sefydlwyd yng ngogledd Lloegr yn y saithdegau, ddarparu ffurf o addysg uwchradd grant-gymorthedig o fewn y gyfundrefn ysgol elfennol. Y canlyniad oedd, wrth gwrs, i addysg wyddonol a thech-negol ddod yn gysylltiedig â chwricwlwm dosbarth canol a gweithiol a oedd yn bur annhebyg i *'sweetness and light'* yr ysgolion gradd gyntaf.

Ond beth am Gymru? Nid dyma'r achlysur i olrhain y twf yng ngrym gwleidyddol ymneilltuaeth na goruchafiaeth y Blaid Seneddol Gymreig ar ôl 1868. Yn addysg fe welir y datblygiadau hyn ar eu gorau yng ngyrfa Syr Hugh Owen. O'r 1830'au hyd ei farw yn 1880 ef a arglwyddiaethai dros addysg Gymreig; yn ddiddadl dyma'r cyntaf o'n harwyr. Owen a ymbiliai ar ei gyd ymneilltuwyr i geisio am grantiau llywodraeth i sefydlu ysgolion Prydeinig y gallasent eu rheoli. Ef a fu'n gyfrwng i sefydlu Coleg Normal Bangor yn 1862 er mwyn cyflenwi'r ysgolion ag athrawon. Ef a oedd y prif ysgogydd ym mudiad y brifysgol a arweiniodd, ddeng mlynedd yn ddiwedd-arach, at greu Coleg Prifysgol Cymru, Aberystwyth. Yn hyn oll prif ddidd-ordeb Hugh Owen, fel y dangosodd yr Athro Gwyn A Williams, bron i ddeng mlynedd ar hugain yn ôl oedd, *'the need to equip Wales with a professional and middle class, a type of positivist nonconformist clerisy'*.[3] Fel Matthew Arnold, fe gredai mai angen pennaf Cymru hefyd oedd dosbarth canol addysgedig a pharchus. Ond yr oedd plant gyda photensial i fod yn *barchus* ym mhob cynulleidfa capel Cymreig ac nid y rhai da eu byd oeddynt o angenrheid-rwydd. Yr oedd yr ysgol ysgoloriaeth yn ganolog i'r strwythur addysgol y dymunai ei greu. Yr oedd y rheidrwydd hwn o sicrhau ysgol addysgol i ddod yn brif wahaniaeth rhwng datblygu addysg yng Nghymru a Lloegr.

Nid oedd Coleg Prifysgol Cymru yn llwyddiant uniongyrchol. Sut y gallai fod? Yn 1872 dim ond newydd ddechrau hyd yn oed ar ei ymdrechion cyfyng i ddiwygio yr oedd Comisiwn yr Ysgolion Gwaddoledig. Pa un bynnag, ychydig o ysgolion gwaddoledig y gallai'r Comisiwn gyfeirio ei sylwadau atynt, a oedd yng Nghymru, a'r rhai hynny gryn bellter oddi wrth y prif ganolfannau poblogaeth a dyfasai yn ystod y bedwaredd ganrif ar bymtheg. Yr oedd nifer o ysgolion preifat ond anodd yw olrhain eu hanes; byr oedd oes llawer ohonynt; ni chedwid cofnodion gan y mwyafrif. Yn 1880 yr oedd tair ysgol berchenogol yng Nghymru (yng Nghaerdydd, Merthyr a Chastell-nedd), 152 o ysgolion preifat a 27 o ysgolion gwaddoledig yn addysgu rhwng 4,036 o fechgyn a 1,871 o enethod—digon i ddarparu disgyblion ar gyfer chwech neu saith o ysgolion cyfun heddiw.[4] 'Doedd ryfedd fod Aberystwyth yn brin o ymgeiswyr.

Ond daethai'r Coleg yn symbol o'r Gymru newydd ac yr oedd galw cynyddol yn ystod y saithdegau ar i'r llywodraeth gynorthwyo'r Coleg a'r ysgolion, a allai ill dau ddarparu myfyrwyr ar ei gyfer. Yn ymgyrch etholiad 1880 credai pob ymgeisydd ym mhob plaid ei bod yn fuddiol pwyso am

3. Gwyn A Williams. *Hugh Owen* yn Pioneers of Welsh Education (Faculty of Education, Swansea dd).

4. *Report of the Departmental Committee on Intermediate and Higher Education (Wales and Monmouth) 1881* (Adroddiad Aberdare), Vol.1.

gymorth o'r fath ac unwaith yr etholwyd Gladstone fe aeth ati, ar awgrym Arglwydd Aberdâr (a ysbardunwyd, yn ei dro, gan Hugh Owen) i sefydlu pwyllgor i ymchwilio i'r ddarpariaeth ar gyfer addysg uwch a 'chanolraddol' yng Nghymru. Yr oedd yn anochel mai Arglwydd Aberdâr a wnaed yn gadeirydd.

Yr oedd Pwyllgor Aberdâr yn anghyffredin oherwydd, yn wahanol i'r mwyafrif o bwyllgorau llywodraeth, ei bwrpas oedd nid i oedi gweithredu ond i'w gymell. Cyflawnodd gryn gamp trwy gyflwyno ei adroddiad ymhen blwyddyn. Oherwydd bod cyfathrebiadau o fewn Cymru yn anodd, fe awgrymwyd y dylai fod dau goleg prifysgol, y naill yn y gogledd a'r llall yn y de, pob un gyda grant gan y llywodraeth o £4,000 y flwyddyn. Dylid gwella llety yn yr ysgolion gwaddoledig a oedd mewn bod, symud ysgolion neilltuedig i ganolfannau mwy cyfleus a rhyddfrydoli cyrff llywodraethol i gynnwys ymneilltuwyr. Yr awgrym mwyaf *radical* oedd y dylid cynnal yr ysgolion canolraddol gyda chynnyrch treth ddimai a grant gan y llywodraeth ar sail punt am bunt.

Ond beth yn union oedd ysgol ganolraddol? Awgrymai'r defnydd o'r ymadrodd newydd hwn fath newydd sbon o ysgol a gysylltai ysgol elfennol a phrifysgol ac felly ddarparu ysgol addysgol a gyflawnai anghenion Cymru. Nid yn annisgwyl felly i feddylfryd Pwyllgor Aberdâr aros o fewn fframwaith Taunton yn arbennig felly gan mai ei aelod arbenigol oedd Canon H G Robinson. (Fe awgrymwyd mai ei lafur caled fel aelod o'r Pwyllgor a brysurodd y salwch a fu'n achos ei farwolaeth yn 1882).[5] Awgrymodd y Pwyllgor bod sefydlu saith ysgol graddfa gyntaf a fyddai'n darparu disgyblion ar gyfer Rhydychen a Chaergrawnt ym Mangor, Rhuthun, Aberhonddu, Llanymddyfri, Ystrad Meurig, Y Bont-faen a Threfynwy. Ysgolion 'sir' ail radd yn arwain at y ddau goleg prifysgol Cymreig a fyddai'r ysgolion eraill. Yn lle ysgolion trydedd radd, fe awgrymwyd bod sefydlu ysgolion elfennol uwch safonol o'r math a oedd newydd ddod i fod yn Bradford a threfi gogleddol eraill, ar gyfer ardaloedd diwydiannol Cymreig. Drwy gysylltu ysgolion gradd gyntaf â Rhydychen a Chaergrawnt, ysgolion ail radd â cholegau prifysgol Cymru ac ysgolion trydedd radd â'r gyfundrefn ysgol elfennol, fe bwysleisiodd y Pwyllgor y rhaniadau dosbarth rhwng y gwahanol fathau o ysgol hyd yn oed yn fwy na Chomisiwn Taunton. Fe allesid, yn rhannol, adfer y sefyllfa drwy ddarparu ysgoloriaethau. O waddoliadau y deuai'r rhain, fodd bynnag. Gwrthododd y Pwyllgor awgrym mwy radical Syr Hugh Owen y dylid codi treth sirol i'r pwrpas.

Gwnaed awgrymiadau pell-gyrhaeddol eraill i'r Pwyllgor o berthynas i weinyddiaeth ysgolion canolraddol. Wrth adleisio awgrymiadau gweinyddol Adroddiad Taunton cynigiodd Thomas Gee y dylai gweithrediadau'r Comisiynwyr Elusen ac ymddiriedolwyr ysgol a fodolai, gael eu mabwysiadu gan Gomisiwn Addysg Cymreig yn cynnwys aelodau o fyrddau sir a

5. B B Thomas op. cit .

fyddai'n rheoli'r ysgolion. Yr oedd gan T Marchant Williams gynllun mwy radical fyth: dylid uno pob gwaddoliad addysgol anenwadol a'u gweinyddu gan gomisiwn a fyddai'n rheoli ysgolion mewn bod ac yn penderfynu ym mh'le y dylid adeiladu ysgolion newydd. Ni fynnai'r Pwyllgor mo'r syniad hwn, fodd bynnag; yn ei farn yr unig newid yr oedd ei angen oedd penodi Comisiynydd Elusen ychwanegol *well acquainted with the condition of Wales and the wants of its people*. Pa un bynnag, yr oedd y syniad o reoli addysg ganolraddol o fewn Cymru o leiaf wedi ei godi.[6]

Yr oedd yn ffodus mai Is-Lywydd y Cyngor (y swydd debycaf i Weinidog Addysg y gallai'r Fictoriaid feddwl amdani) oedd A J Mundella. Dyn nodedig oedd ef; mab i fewnfudwr o Eidalwr tlawd a'i fam yn Gymraes; ni chafodd fawr ddim ysgol ffurfiol. Er hynny, fe ddaeth yn berchennog melin lewyrchus, gydag awch i ddarparu addysg i'r bobl nid mewn ysbryd pwrpasol cul ond yn hytrach, fel y dangosodd David Allsobrook yn ddiweddar, i greu diwylliant entrepreneuraidd a osodai Prydain ar yr un gwastad â'i chystadleuwyr diwydiannol.[7] Fe'i cyffrowyd gan gynigion Aberdâr a gwelai fod iddynt ymhlygiadau ar gyfer y Deyrnas Gyfunol gyfan. Ar unwaith fe drefnodd gael grant llywodraeth i sefydlu colegau yng ngogledd a de Cymru a phan ddewiswyd Caerdydd a Bangor fe gytunodd hyd yn oed i gadw Aberystwyth. Aeth ymlaen wedyn i baratoi mesur ar gyfer Addysg Ganolraddol Cymru, ond daeth wyneb yn wyneb â mur diadlam o wrthwynebiad oddi wrth y Trysorlys. Gosododd cymorth y llywodraeth i addysg ôl-gynradd gynsail gadarn a dyma, wrth gwrs, union fwriad Mundella. Fodd bynnag, nes i'r Trysorlys dyneru nid oedd unrhyw Fesur ystyrlon yn bosibl.

Er hynny, yr oedd un cam y gallai Mundella ei gymryd. Ym mis Awst 1882 anfonodd gylchlythyr at y mwyaf o'r byrddau ysgol Cymreig yn eu cymell i sefydlu *higher day schools*—y dewis arall a awgrymwyd gan Adroddiad Aberdâr i'r ysgolion trydedd radd. Ond yr oedd gan Mundella uchelgeisiau mwy ar gyfer yr ysgolion hyn nag eiddo Pwyllgor Aberdâr. Fe allai hyd yn oed fod yn bosibl, awgrymai, i ddisgyblion addawol fynd i golegau a oedd ar fin cael eu hagor yng ngogledd a de Cymru. Bachwyd ar awgrym Mundella gan fyrddau ysgol yng Nghaerdydd, Abertawe, Merthyr Tudful ac Ystrad Rhondda yn ne Cymru a Ffestiniog yn y gogledd. Dyma ddechrau traddodiad o ysgolion uwchradd uwch safonol/dinesig a wnaeth gyfraniad llawer mwy i addysg plant y dosbarth gweithiol yn ne Cymru ddiwydiannol nag a wnaeth ysgolion canolraddol. Efallai mai yn 1982 yn hytrach na 1989 y dylasai tair sir Morgannwg a Gwent fod wedi cynnal eu dathliadau.

Parhaodd Mundella i bwyso am Fesur Addysg Ganolraddol. Darparwyd nifer o fersiynau gan yr Adran Addysg, ond nid cyn 1885, pan ymyrrodd

---

6. *Adroddiad Aberdâr* Cyf 1 a Chyf 2 (Tystiolaeth).
7. David Allsobrook *A Benevolent Prophet of Old: The Welsh Journal of Education* Cyf I Rhif I 1989 tt 1-10

Gladstone a gorfodi'r Trysorlys i gytuno i gymorth adrannol ar gyfer ysg-olion canolraddol, y bu'n bosibl i'r Mesur fynd ymlaen. Yn anffodus, fodd bynnag, cyn y gallai ail ddarlleniad ddigwydd bu raid i Gladstone ymddiswyddo oherwydd cwestiwn Iwerddon.

Gyda dyfod y Ceidwadwyr i rym yn 1886, fe ddaeth y Blaid Seneddol Gymreig, bellach yn wrthblaid, i haeru llawer mwy. Symudodd arweinydd-iaeth y blaid oddi wrth Henry Richard a'r hen griw i'r dynion newydd fel Stuart Rendel yr AS dros sir Drefaldwyn a T E Ellis a aeth i'r senedd yn 1886 fel AS dros sir Feirionnydd. Fel y dangosodd K O Morgan '... *the spirit and tone of the nation's politics were vastly different after 1886. There were new men, new issues, new currents of protest and challenge surging through Welsh society as a whole'.*[8] Ymhlith y dadleuon a gafodd sylw'r blaid Gymreig, fe safai addysg ganolraddol ochr yn ochr â datgysylltiad. Ceisiodd Mundella, yn aflwydd-iannus, ail-gyflwyno ei Fesur yn 1887 a drachefn yn 1880. Cyflwynodd G T Kenyon hefyd, yr aelod Ceidwadol dros Ddinbych, Fesur yn 1887 ond ni ddaeth dim ohono. Er y cydnabyddid yn gyffredinol bod rhaid rhoi cymorth seneddol i ysgolion canolraddol fe barhâi'r broblem o greu cyrff gweinyddol lleol a fyddai'n dderbyniol i'r llywodraeth. Gwnaed rheolaeth leol yn haws yn 1888 pan basiwyd Deddf y Cynghorau Sir yn gymaint felly fel y pender-fynodd y Blaid Gymreig wneud addysg ganolraddol eu prif ddiddordeb ar gyfer sesiwn 1889. Lluniwyd mesur aelod preifat yn enw Rendel lle y cynhwysid y Cynghorau Sir ar wastad lleol a chenedlaethol fel ei gilydd. Cynigiodd y Mesur fod y Cynghorau yn cyflwyno cynlluniau ar gyfer addysg ganolraddol i'w cymeradwyo gan Fwrdd Addysg i Gymru a gyn-hwysai aelodau wedi eu henwebu gan y Cynghorau Sir un ar gyfer pob sir,— math o CBAC gyda phwerau go iawn

Er gwaethaf y rhethreg wyneb yn wyneb yr oedd Rendel, yn arbennig, yn hoff o'i hymarfer, fe gafodd ei Fesur lawer o gefnogaeth gan y Ceidwadwyr a Rhyddfrydwyr. Yr oedd Syr William Hart-Dyke, Is-Lywydd y Cyngor, yn sicr o'i blaid, oherwydd eto fe'i gwelai fel cynsail i Loegr. Er mai cynrychioli etholaeth yng Nghaint yr oedd Hart-Dyke a heb fod a wnelo ond ychydig, os o gwbl, â Chymru, ymddangosai fel un a ddeallai ddyheadau Cymru i'r dim. '*I find it impossible not to recognise this one fact that stands out in bold relief'*, meddai yn ystod y ddadl ar yr ail-ddarlleniad '*namely, that there is a special demand for completion at an early date of what we call the 'ladder' system, whereby all classes of Wales have the advantage of a good and thorough education leading to the universities'.* Yr oedd yn anochel na chytunai gyda phob cymal yn y Mesur. Gwrthwynebai i Fwrdd Cymreig feddiannu pwerau'r Comisiwn Elusen ac fe amheuai allu'r Cynghorau Sir i weithredu'r Ddeddf.

Er hynny, fe aeth Hart-Dyke cyn belled â chynnig gwasanaeth ei swydd-ogion i ail-wampio'r Mesur cyn iddo gyrraedd y pwyllgor. Yr oedd Syr George Young, ysgrifennydd y Comisiwn Elusen, yn awyddus i gynorthwyo,

---

8. K O Morgan, *Rebirth of a Nation 1880-1980* (1981) tud. 33

ar yr amod, yn ei eiriau plaen, *'to a reservation in favour of his own throat'*. Er mynnu bod pwerau'r Comisiynwyr Elusen yn parhau, fe gymeradwyodd gynlluniau cychwynnol y Cynghorau Sir. Unwaith yn rhagor byddai hyn yn gynsail ddefnyddiol ar gyfer Lloegr. Yr oedd, fodd bynnag, peth amheuaeth, hyd yn oed yng Nghymru, ynglŷn â gallu'r Cynghorwyr Sir, a oedd newydd eu penodi, i gynllunio addysg yn ddoeth. Nid oedd pawb mor eithafol â'r Western Mail pan fynnai mai'r cyfan yr oedd pob un o'r *'bigoted and uneducated councillors'* eisiau oedd *'to cripple the influence of the Church and pave the way for Welsh Home Rule'*, ond yr oedd hyd yn oed llysoedd colegau'r brifysgol yng Nghaerdydd a Bangor yn teimlo y dylai'r Cynghorau gael eu cynorthwyo gan rai a oedd yn fwy profiadol mewn materion addysgol. Arwydd o gyfaddawd oedd hyn. Yn y drafft newydd o'r Mesur trosglwyddwyd y pwerau, a roddasid i'r Cynghorau Sir, i'r Cyd-Bwyllgorau Addysg a gynhwysai dri aelod wedi eu henwebu gan y Cyngor Sir a thri gan y Cyfrin Gyngor. Yn ôl y disgwyl fe ollyngwyd y Bwrdd Addysg i Gymru a chadw pwerau'r Comisiynwyr Elusen.

Yn ystod cyfnod y pwyllgor fe godod problemau eraill a bu ond y dim i welliant gan y llywodraeth, y dylid hepgor Sir Fynwy o'r Mesur, ei ddifetha. Yn y diwedd, tynnodd Hart-Dyke ei gynnig yn ôl gan gymrodeddu ymhellach trwy dderbyn Cyd-Bwyllgorau Addysg gyda thri wedi eu henwebu gan y Cynghorau Sir a dau gan y Cyfrin Gyngor. Ymhellach, fe gytunodd y llywodraeth i arwain y Mesur drwy Dŷ'r Arglwyddi ac, er gwaethaf pryder rhai arglwyddi di-wyro ynglŷn â chynsail y Mesur ar gyfer Lloegr, a'r cynnydd a ddilynai mewn trethi ac ardrethi, fe'i pasiwyd heb welliant a derbyniodd Gydsyniad Brenhinol ar Awst y deuddegfed 1889.[9] Drwodd a thro derbyniodd y Mesur swm sylweddol o ewyllys dda oddi wrth bob ochr yn y Senedd a hyd yn oed oddi wrth weision sifil, er mai'r prif ddiddordeb yn Whitehall ydoedd gosod cynseiliau ar gyfer Lloegr yn hytrach nag addysgu plant Cymru.

Ysgogodd y Ddeddf gryn ddiddordeb drwy Gymru benbaladr ac yn arbennig felly yng Nghlynnog lle'r oedd gan Syr Arthur Herbert Dyke Acland, yr aelod Rhyddfrydol dros Rotherham, dŷ haf. Yr oedd Acland yn ŵr o gryn ddylanwad. Mab ydoedd i Syr Thomas Acland, un o dirfeddianwyr cyfoethocaf Lloegr a phan oedd yn fachgen yn gyfaill agos i Gladstone. Yn ei dro daeth Arthur Acland yn un o gyfeillion agosaf T H Green. Yr oedd hefyd yn edmygydd o Coleridge ac F D Maurice a Toynbee ddaeth yn olynydd iddo fel bwrsar Balliol yn 1884. Yn ddiweddarach yr oedd i ennill enw da iddo'i hun ymhlith ei gyd Ryddfrydwyr fel un a gadwai *'in touch with the labour people and their mind'*.[10] Tra oedd yn Rhydychen daeth yn gyfeillgar â T E Ellis a oedd yn fyfyriwr rhagradd ifanc yn y Coleg Newydd. Yn ôl awgrym K O Morgan

9. J R Webster *The Welsh Intermediate Education Act of 1889: Cylchgrawn Hanes Cymru 1968-69* tt 273-291
10. John Morley, *Recollections* i 324 dyf. yn *D.NB.*

'Ellis blended the traditions of Bala and Aberystwyth College with the surge of ideas from Jowett's Oxford, the sensitive appreciation of celtic culture with the organic folk-state of T H Green and the Idealists, the sense of imperial mission as preached by Ruskin and the constructive programme of social and political reform as outlined by Toynbee and the Fabians'[11]

I Acland ac Ellis yr oedd Deddf 1889 yn gyfle a ddaeth o'r nef megis i roi eu syniadau mewn grym. Galwasant ynghyd fintai o wŷr o gyffelyb feddwl i Glynnog gan gynnwys Ellis Edwards, Is-Brifathro Coleg Diwinyddol y Bala a Syr Henry Jones a oedd, yn unol â'i ddelfrydiaeth athronyddol, i gymryd rhan weithredol yng ngweithredu'r Ddeddf. Llawer blwyddyn yn ddiweddarach fe ddygodd i gof gynnwrf yr achlysur:

'All of us at Clynnog,' ysgrifennai, *'took this same view. It involved the building of a very large number of new schools, and their maintenance afterwards. We indicated the places in which we believed the schools in the northern countries of Wales should be placed by sticking pins into a map; and before we had done the map was bristling with them. We were well aware that we were indulging ourselves in constructing a scheme that was ideal: I do not think any one of us believed it to be attainable'.*[12]

Toc cafodd Acland gyfle i ddarganfod beth oedd yn gyraeddadwy. Yr oedd yn aelod o Gyngor Sir Gaernarfon a'i henwebodd i weithredu ar Gyd-Bwyllgor Addysg y Sir ac a'i dewisodd, yn ei dro, yn gadeirydd. Manteisiodd Acland ar y swydd hon i ddylanwadu ar ddatblygiad addysg ganolraddol trwy Gymru. Aros mwy yn y cefndir a wnâi T E Ellis; ei gyfraniad cyhoeddus mwyaf oedd cyhoeddi, gydag Ellis Griffith, lawlyfr yn esbonio'r Ddeddf. Yr oedd Acland yn benderfynol o greu cyfundrefn genedlaethol gydlynol o ysgolion canolraddol. Defnyddiodd ei ddylanwad yn Whitehall i wthio ymlaen gynllun sir Gaernarfon cyn gynted â phosibl fel y byddai'n fodel i'r siroedd Cymreig eraill. Galwodd ynghyd hefyd Gyd-Bwyllgorau Addysg Gogledd Cymru i drafod problemau ei gilydd. Ymestynnwyd y cynulliad hwn, yn ddiweddarach, i gynnwys pob sir yng Nghymru ac, mewn cyfres o gynadleddau, a gadeiriwyd gan Acland, trafodwyd amrediad o destunau o gyfansoddiad y cyrff llywodraethol i le hyfforddiant maniwal yn yr ysgolion.

Parhau i ddyheu am Fwrdd Addysg Cymreig a wnâi Acland a bellach fe geisiodd ei ennill drwy'r drws cefn. Byddai raid arolygu ysgolion canolraddol yn flynyddol gan Gomisiynydd Elusen a'u harholi gan arholwr annibynnol. Cynhwysodd Acland gymal yng nghynllun sir Gaernarfon, drwy sêl bendith y Comisiynwyr Elusen, a alluogai grŵp o siroedd i sefydlu Bwrdd Addysg i weithredu'r dyletswyddau hyn. Hyrwyddodd y syniad yng

11. K O Morgan *Wales in British Politics 1868-1922* (1963) tud. 70
12. Syr Henry Jones *Old Memories* (ed. Thomas Jones) tud. 185.

nghynadleddau'r Cyd-Bwyllgor Addysg fel y cynhwysid cymal cyffelyb ym mhob cynllun sir. Canlyniad hyn oedd cynllun a sefydlodd, yn 1896, sef y Bwrdd Canol Cymreig. Fodd bynnag, parhaodd y gair terfynol ynglŷn â dyfarnu grantiau llywodraeth i ysgolion pan ddaeth y Bwrdd Addysg i fod ac, yn arbennig gyda sefydlu Adran Gymreig y Bwrdd yn 1907, fe ddaeth yn achos gryn dyndra.

Proses feichus oedd ffurfio cynlluniau sir. Ar ôl trafodaeth leol, fe luniodd y Cyd-Bwyllgorau Addysg gynllun i'w gyflwyno i'r Comisiynwyr Elusen a'i cyflwynodd, wedi rhagor o drafod, i'r Adran Addysg i'w osod gerbron y Senedd. Os na allai'r Comisiynwyr Elusen gytuno gyda Chyd-Bwyllgor yr oedd hawl ganddynt i gynnig eu cynllun eu hunain. Y rheswm na ddigwyddodd mo hynny oedd penodi W N Bruce, mab Arglwydd Aberdâr, yn gomisiynydd cynorthwyol gyda chyfrifoldeb am weithredu'r Ddeddf. Bu'n bresennol ym mhob un bron o gyfarfodydd y Cyd-Bwyllgor Addysg gan arddangos, ar bob achlysur, amynedd a dawn i drin pobl a oedd bron yn anhygoel. Fodd bynnag, er mai un o wŷr Balliol oedd Bruce, ychydig o gydymdeimlad a ddangosai tuag at syniadau newydd. Buasai'n Gomisiynydd Elusen cynorthwyol er 1886 ac wedi llyncu dull y Comisiwn Elusen o feddwl. Mynnai fod pob cynllun sir yn cydymffurfio â'r fframwaith a oedd wedi ei greu gan Ddeddfau Ysgolion Gwaddoledig yr oedd Deddf 1889 yn estyniad ohonynt.

Darparai pob cynllun ar gyfer Corff Llywodraethol y Sir gyda mwyafrif yr aelodau wedi eu penodi gan y Cyngor Sir a Chyrff Llywodraethol Dosbarth a oedd i ofalu bod digon o arian wedi eu casglu i adeiladu unrhyw ysgol newydd yr oedd ei hangen ac yna bod yn gyfrifol am ei gweinyddu. Rhoddai'r Ddeddf gyfle i amrywiaeth o gwricwla ysgol. Yr oedd yn amod y gallai ysgol ganolraddol ddysgu Lladin, Groeg, Cymraeg, Saesneg ac ieithoedd modern eraill, mathemateg, gwyddoniaeth, *or in some such studies and generally in the higher branches of knowledge*. Yr oedd yr ysgolion canolraddol hefyd i dderbyn cymorth ariannol o dan Ddeddf Hyfforddiant Technegol 1889 a hwylusodd y ffordd i amrediad cyflawn o bynciau gwyddonol ac ymarferol. O fewn fframwaith o'r fath yr oedd unrhyw bwnc bron yn bosibl.

Byddai'r dewis o bynciau, uchafrif oed y gallai disgybl aros yn yr ysgol a'r ffioedd yr oedd angen eu talu, yn penderfynu gradd yr ysgol—cysyniad a arhosodd yn ganolog ym meddwl y Comisiynwyr Elusen. Cytunodd y gynhadledd gyntaf o Gyd-Bwyllgorau Addysg Gogledd Cymru y dylai ysgolion fel Rhuthun a Friars, Bangor barhau i fod yn ysgolion gradd gyntaf a darparu bechgyn ar gyfer Rhydychen a Chaergrawnt ond gydag is-adran, fel yn y gorffennol, yn codi ffioedd is a chynnig cwricwlwm gyda gogwydd masnachol. Mynegwyd y syniad hefyd y dylai ysgolion canolraddol fod o fath newydd sbon yn cyfuno addysg glasurol, fasnachol a thechnegol ond yr oedd y math hwn o feddwl yn anathema i'r Comisiwn Elusen.

Cynhwysai pob cynllun sir a dderbyniwyd yn y pen draw, Saesneg, mathemateg, Lladin, o leiaf un iaith dramor, gwyddoniaeth naturiol, cerddoriaeth leisiol a dril fel pynciau gorfodol. Ystyrid hyfforddiant maniwal yn hanfodol i fechgyn ac economeg cartref i enethod. Ymysg y pynciau dewisol yr oedd Groeg, Cymraeg a nifer o bynciau ymarferol a gwyddonol. Fe geid ambell gais claear y dylai Cymraeg fod yn bwnc gorfodol ond ni ddaeth fyth yn destun dadl o bwys. Yr oedd llawer mwy o wrthwynebiad i haeriad y Comisiynwyr na ddylai'r mwyafrif o ddisgyblion aros yn yr ysgol ar ôl 17 oed, gydag estyniad posibl i 18 ar gyfer y rhai a ddymunai fynd i un o golegau Prifysgol Cymru ac i 19 yn yr ychydig o ysgolion lle y darperid disgyblion ar gyfer Rhydychen a Chaergrawnt. Ond parhau i fod yn glustfyddar i bob cais am hyblygrwydd yr oedd y Comisiynwyr, fodd bynnag, hyd yn oed, er enghraifft, pan dynnodd llywodraethwyr dosbarth Porthmadog yn rhesymol, sylw at y ffaith er bod morwriaeth wedi ei gynnwys yng nghwricwlwm eu hysgol mai pwnc mwy defnyddiol i fechgyn hŷn, a dreuliasai gyfnod ar y môr, ydoedd.

Yr oedd dau ddosbarth eang o ysgol uwchradd felly wedi dod i fod: yr ychydig ysgolion 'gradd gyntaf' a oedd mewn dwy adran a'r ysgolion 'sir' ail radd a ddarparai ddisgyblion ar gyfer y colegau Cymreig. Gellid eu gwahaniaethu nid yn unig oddi wrth eu cwricwla ac oed gadael, ond hefyd oddi wrth eu ffioedd. Felly yn sir Gaernarfon y ffi uchaf yn adran uwch Ysgol Friars oedd £8 o'i gymharu â £6 yng ngweddill y sir. Yn adran uwch Ysgol Grove Park, Wrecsam, ysgol breifat a fu'n ymladd yn galed i gadw ei statws, £10 ydoedd o'i gymharu ag £8 yn ysgolion eraill sir Ddinbych.

Hyd yn oed gyda'r ddarpariaeth hael o ysgoloriaethau, yr oedd yn rhaid i ffioedd hyfforddi yn rhai ardaloedd fod yn isel iawn fel ei bod yn bosibl, hyd yn oed o fewn ysgolion 'sir' ail radd gael amrywiaeth o safleoedd. Ni bu hyn yn fwy gwir yn unman nag ym Morgannwg lle'r oedd yr ysgolion yn adlewyrchu'r graddiadau cymdeithasol a oedd o fewn y sir o ardaloedd daeu-byd fel Caerdydd, Penarth a'r Fro hyd at ddosbarth gweithiol y cymoedd mwynfaol. Mynnai ymddiriedolwyr Ysgol y Bont-faen (Cymrodyr Coleg Iesu, Rhydychen) fod yr ysgol yn parhau *'to attempt to compete with English schools of first grade'*, felly crewyd dwy adran gyda'r is-adran yn rhoi pwys ar ddysgu amaethyddiaeth. Yn nosbarth canol Penarth yr oedd ysgolion ar wahân i fechgyn a genethod gyda ffioedd rhwng £4 ac £8. Mewn mannau eraill yn y sir yr oedd ysgolion deuol i'w hadeiladu heblaw yng Ngelli-gaer lle'r oedd Ysgol Lewis eisoes yn bod. Yng Nghastell-nedd, Tre-gŵyr, Ystalyfera a'r Barri rhwng £3 a £6 oedd y ffioedd tra mai rhwng £2 a £6 oeddynt i fod yng nghymoedd mwynfaol Aberdâr, Merthyr, Gelli-gaer, Pont-y-pŵl a'r Porth. Hyd yn oed yn y cymoedd parhâi'r ysgolion canolraddol i fod yn sefydliadau elitaidd. Cyfartaledd poblogaeth ardaloedd ysgol yn gyffredinol yng Nghymru oedd 8,000 ond yr oedd poblogaeth ardal ysgol Aberdâr bron yn 52,000; Merthyr yn 58,000; yn y Rhondda yr oedd gan ardal ysgol Pontypridd boblogaeth o 42,000 a'r Porth y rhif enfawr o

23

88,000. Mynnai'r Comisiynwyr Elusen, a chytunai Cyd-Bwyllgor Addysg Morgannwg, mai ysgolion uwch safonol a weddai orau ar gyfer ardaloedd mwynfaol a metelegol.

Daeth y gwahaniaethau rhwng ysgolion ym Morgannwg yn amlycach fyth yn ôl penderfyniad Cyd-Fyrddau Addysg Caerdydd ac Abertawe i sefydlu ysgolion o statws uwch na'r rhai yn y sir. Yma eto yr oedd ysgolion uwch safonol a allai gyfarfod ag anghenion y dosbarthiadau gweithiol. O ganlyniad, yr oedd ysgolion bechgyn a genethod yn Abertawe i godi ffioedd rhwng £6 a £10 ac ysgolion Caerdydd rhwng £6 a £12. Yr oedd prifathrawes gyntaf ysgol enethod Caerdydd yn berffaith glir ei meddwl ynglŷn â'r safle y dylai'r ysgol ymgyrraedd ato; yn ystod ei blwyddyn gyntaf fe aeth i drybini gyda'r Comisiynwyr Elusen am wrthod derbyn disgyblion a enillasai ysgoloriaeth, ofnai y byddai hynny'n achosi 'social difficulty'. Edmygydd mawr o Thomas Arnold ydoedd J J Findlay, prifathro cyntaf Ysgol y Bechgyn Caerdydd a modelodd ei ysgol ar Rugby. Yn ddiweddarach daeth Ysgolion Canolraddol Caerdydd i bwysleisio eu rhagoriaeth ar yr ysgolion uwchradd dinesig lleol drwy eu galw eu hunain yn Ysgolion Uwch. Daeth prifathro Ysgol Uwch y Bechgyn Caerdydd yn aelod o Gynhadledd y Prifathrawon hyd yn oed. Fe rwystrodd yr obsesiwn Fictoraidd ynglŷn â graddoli cymdeithasol ysgolion felly rhag datblygu cyfundrefn gydlynol a chyfun o ysgolion uwchradd yn ne Cymru ddiwydiannol.

Bu graddoli ysgolion yng Nghymru wledig yn achos llai o broblemau. Yr oedd hyn yn rhannol oherwydd mai sefydliadau enwadol o fewn diffiniad y Deddfau Ysgolion Gwaddoledig, oedd y tair prif ysgol a oedd mewn bod ar y pryd sef Aberhonddu, Llanymddyfri ac Ystrad Meurig ac ni ellid, felly, eu cynnwys yn y cynlluniau sir. Yn y mwyafrif o ardaloedd gwledig hefyd ni cheid mo eithafiaeth y gwahaniaeth dosbarth a oedd yn bod ym Morgannwg. Y broblem wledig yn hytrach oedd sut i hwyluso'r ffordd i hyd yn oed y disgybl mwyaf neilltuedig fynychu ysgol ganolraddol. Ateb Sir Feirionnydd oedd sefydlu tai preswyl. Cododd hyn, fodd bynnag, am y tro cyntaf y broblem o hyfforddiant crefyddol. Cynigiodd y cynllun y dylai preswylwyr fynychu lle o addoliad o ddewis eu rhieni ac mai 'addoli teuluaidd' anenwadol a ddylai fod yn y tai preswyl. Eithr mynnai Tŷ'r Arglwyddi, o dan arweiniad yr esgobion y dylid cadw dysgu enwadol, penderfyniad a barodd ei bod yn amhosibl lledaenu sefydlu tai preswyl yng Nghymru ymneilltuol wledig.

Yr oedd, pa un bynnag, farn gref pe sefydlid dim ond ychydig o ysgolion, buan y deuent yn elitaidd ac anghysbell oddi wrth y boblogaeth leol. Dyma yn sicr farn Syr Henry Jones a ysgrifennai:

'*I remember saying in a speech in an Anglesey village, "One School for Anglesey" I would as soon have one oven for baking bread. The illustration was*

the more telling in that every smallest village, and every little cottage that stood
aloof by itself, had its own oven'.[13]

Cyd-Bwyllgor Addysg Sir Drefaldwyn, o dan ddylanwad ei gadeirydd, A
C Humphries-Owen, a gariodd yr egwyddor hon i'r eithaf. Adeiladwyd
chwe ysgol fechan yn y sir, pob un yn y blynyddoedd cynnar, heb fwy na dau
neu dri athro. Yr oedd hyd yn oed y ddarpariaeth hon yn ymarferol
oherwydd, yn rhannol, datblygiad rhwydwaith wledig o reilffyrdd yn ail
hanner y bedwaredd ganrif ar bymtheg, ond yn fwy felly am ei bod yn llawer
haws defnyddio beic. Dyma pam y daeth y beic yn wobr gydnabyddedig i
fachgen neu eneth am lwyddo yn arholiad y *'scholarship'*.

Cyn gynted ag y cymeradwywyd y cynlluniau sir gan y Senedd fe gaed
brwdfrydedd rhyfeddol i'w rhoi mewn grym. Cododd pob sir a bwrdeistref
sir dreth uchafswm yn unol â'r Ddeddf. Parhaodd y ddwy ar bymtheg o
ysgolion gwaddoledig a phreifat a gynhwyswyd yn y cynlluniau sir, yn
ddirwystr, ond bu raid lleoli'r mwyafrif o ysgolion newydd mewn adeiladau
dros dro. Y gyntaf o'r rhain oedd yng Nghaernarfon a agorwyd yn 1894
mewn cyn goleg hyfforddi athrawon eglwysig a chafodd ysgolion eraill
gartrefi dros dro mewn capeli, neuaddau cyhoeddus a thai preifat. Yn y
cyfamser, fe gychwynnwyd cronfeydd adeiladu drwy Gymru benbaladr.
Cyfrannodd pob dosbarth. Yn Ystalyfera, er enghraifft, rhoddwyd safle'r
ysgol gan dirfeddiannwr (Fleming Gough o Ynysgedwyn) a chyfrannodd
rhai ysweiniaid lleol eraill ond fe wnaed casgliadau mewn mwynfeydd a
gweithfeydd lleol. Yn Ffestiniog ymestynnai'r cyfraniadau o £100 gan A
Osmond Williams, AS i hanner-coron oddi wrth 'siopwyr, athrawon
a.y.y.b.'. Casglwyd dros £640 yn y chwareli llechi lleol. Yn yr ardaloedd
gwledig nid oedd y gefnogaeth ronyn llai. Rhyfeddai W N Bruce fod dim llai
na £2,000 a safle rhagorol wedi eu sicrhau drwy gyfraniadau gwirfoddol *'in*
the poor looking agricultural district of Llandysul'. Adeiladodd Morgannwg ei
hysgolion gyda chronfeydd yn deillio o'r *'Technical Instruction Act 1889'* ond yn
y gweddill o Gymru casglwyd bron i £87,000 yn y pen draw.

Erbyn diwedd y ganrif yr oedd yng Nghymru rwydwaith o 93 o ysgolion
canolraddol—llawer mwy o ysgolion nag a feddyliodd Acland a'i westeion a
fyddai byth yn bosibl. Ymhellach dosbarthodd bron pob bwrdd llywod-
raethol yr holl ysgoloriaethau a ganiateid gan eu cynlluniau sir ac eraill, o
gronfeydd preifat. Erbyn 1900 deuai 70 y cant o ddisgyblion ysgolion
canolraddol o ysgolion elfennol; erbyn 1914 yr oedd y cyfartaledd hwn wedi
cynyddu i bron 90 y cant. Yr oedd breuddwyd Syr Hugh Owen wedi ei
wireddu. Ym mhob ysgol pa un ai Ysgol Uwch Caerdydd elitaidd ydoedd,
ysgol gyfunedig gradd gyntaf ac ail 'gyfochrog' neu ysgol sir fechan yng
Nghymru wledig—yr un oedd y nod sef gosod eu disgyblion yn gadarn ar y
ffordd i les cymdeithasol ac economaidd pa un ai, dyma mewn gwirionedd y
byddem wedi ei arfaethu i Gymru sydd, efallai, yn fater arall.

13. Ibid tud. 186.

ADDYSG DECHNEGOL YNG NGHYMRU:

Dylanwadau ac Agweddau

DAVID ALLSOBROOK

II

Codwyd cwestiwn mewn penbleth dro ar ôl tro ynghylch datblygiad Addysg ym Mhrydain yn y bedwaredd ganrif ar bymtheg: 'Pam na chafwyd Hyfforddiant Technegol?' Os derbynnir y datganiad sylfaenol, dylai hanfod ateb syml fod yn amlwg. Yn gyntaf, ar ddiwedd y ddeunawfed ganrif a dechrau'r bedwaredd ar bymtheg, yr oedd Prydain yn ganolbwynt Ymerodraeth a'i cyflenwai ag egni masnachol a diwydiannol ar ffurf defnyddiau crai rhad. O'r herwydd, ychydig o angen fu am ddatblygu systemau blaengar o hyfforddiant gwyddonol gymhwysol, er enghraifft, ym maes Cemeg. Yn ail, yn yr ynysoedd hyn, daethai rhai ffactorau crefyddol, gwleidyddol a chymdeithasol ynghyd i fod yn sylfaen lle tyfodd ac y ffynnodd y mentrau diwydiannol modern mawr cyntaf. Mae modd dadlau, felly, nad oedd ar Gymru a Lloegr, am gyfnod maith, angen addysg dechnegol. Yn y diwydiannau sylfaenol, o leiaf, 'roedd sgiliau gwaith newydd yn cael eu cynhyrchu a'u trosglwyddo heb orfod cydredeg â phroses o hyfforddiant ffurfiol mewn sefydliadau proffesiynol a galwedigaethol.

Mae a wnelo'r cwestiwn cwynfannus, felly, lawer â chydblethiad agos Diwydiant Prydeinig a'r Ymerodraeth Brydeinig. Ar y llaw arall, rhaid oedd i wladwriaethau heb drefedigaethau megis yr Almaen, Ffrainc ac U.D.A. ddatblygu systemau o hyfforddi technegol er mwyn gwneud iawn am eu diffyg adnoddau rhad, ac er mwyn dal i fyny â Phrydain yn y ras rwystrau fasnachol oedd yn rhan o'r bedwaredd ganrif ar bymtheg. Fel aelod o gylch mewnol y trefedigaethau Seisnig, yr oedd Cymru o raid yn rhan o'r patrwm Ymerodraethol eang—yn wir, yn fychanfyd neu feicrocosm o'r patrwm hwnnw. Adlewyrchodd lawer o'r nodweddion gwannaf a ddaeth yn gynyddol amlwg yn Lloegr ar raddfa fwy. Ni fu gan Gymru economi ar wahân, ac nid oedd yn wladwriaeth ar wahân, yn y bedwaredd ganrif ar bymtheg nac wedi hynny.

Mae hanesyddiaeth Addysg Cymru yn faes toreithiog, o ran cyhoeddiadau diweddar yn ogystal â thraethodau anghyhoeddedig.[1] Cymharol ychydig o sylw, fodd bynnag, a gaiff hyfforddiant technegol neu 'addysg ymarferol' hyd y dydd heddiw, ac mae'r hyn a ysgrifenwyd yn dioddef o bla'r cyffredinoli. Gellir olrhain y cyffredinoli hwn yn ôl i'r gorffennol lled ddiweddar. Talwyd sylw manwl a swyddogol i'r pwnc am y tro cyntaf ym 1961 gan Bwyllgor Oldfield-Davies: cyfarwyddyd y pwyllgor hwnnw oedd ymchwilio i bwnc y ddarpariaeth addysgol y dylid ei wneud er mwyn bod

---

1. Gweler rhestr waith Brian James a gwblhawyd ac sydd ar y gweill ynglyn â Hanes Addysg yng Nghymru, 1989, ar gael o Gofrestrfa Prifysgol Cymru, Parc Cathays, Caerdydd.

o'r lles mwyaf i ddiwydiant 'yng ngoleuni newidiadau cyfoes ym mhatrwm diwydiannol Cymru.'[2] Yn gynharach, ym 1949, cynigiasai adroddiad gan yr Adran Gymreig, *Dyfodol Addysg Uwchradd*, esboniad am 'esgeuluso'r ochr dechnegol' yng Nghymru. Yr oedd y thema a roes gerbron yn un y buasid yn cydio ynddi drachefn ym 1961—datganiad o'r ffyrdd y bu i natur y prif ddiwydiannau Cymreig filwrio yn erbyn ymateb cryf o ran addysg a hyff-orddiant dechnegol a thechnolegol: '......nid oedd digwyddiadau ym mywyd cymdeithasol a diwydiannol Cymru yn ystod yr hanner can mlynedd a aeth heibio yn anogaeth i bobl ifainc ddatblygu eu diddordebau technegol.'[3]

Nod y papur hwn fydd ceisio dangos fod datblygiad addysg dechnegol yng Nghymru wedi bod yn fwy diddorol ac yn fwy cymhleth nag y datgelwyd hyd yma. Yn y rhan gyntaf, byddwn yn dadlau'r achos dros fodolaeth cyn-hanes o ymatebion addysgol i ddatblygu economaidd. Ymchwiliad yw'r ail ran i gynlluniau ac ymchwiliadau a fu yng nghanol y bedwaredd ganrif ar bymtheg. Mae'r rhan olaf yn cynnig disgrifiaid o rai ymdrechion yn gynnar yn yr ugeinfed ganrif i roi i Gymru elfennau hyfforddiant technegol yn y 1920au a'r 1930au.

Mewn dau ddarn trawiadol, ceisiodd Eric Hobsbawm egluro bodolaeth gagendor ym mywyd Cymru rhwng diwylliant a'r economi—rhwng economi 'drefol' gyntefig, diwydiannu trymion yn brif nodwedd iddi, a'r ffurfiau diwylliannol a arhosodd yng nghefn gwlad. Hawliodd mai'r agwedd hon o fywyd Cymru a wnâi'r wlad yn wahanol iawn i ranbarthau diwyd-iannol Lloegr.[4] Mae'r rhaniad hwn y tu mewn i Gymru yn fodd i esbonio pam y bu i'r Cymry, o gael nad oedd diwydiannu yn ddengar o gwbl yn ddiwylliannol, ymateb yn anfoddog dros ben i awgrymiadau am hybu mathau o addysg dechnegol a hyfforddiant galwedigaethol yn ail hanner y bedwaredd ganrif ar bymtheg. Ond mae'r math hwnnw o esboniad yn rhagdybio y diffinir addysg dechnegol yn unig mewn perthynas ag economi ranbarthol Maes Glo'r De: mae'n anwybyddu arwahanrwydd yr economïau gwledig a diwydiannol, a'r cydblethu oedd yn digwydd rhyngddynt. Ar un achlysur, cydnabyddwyd y ddeuoliaeth a'r gydberthynas hon yn swyddogol yn y dystiolaeth dreiddgar a gynigiwyd gan A.E.F. i Bwyllgor Spens ar Ysgolion Uwchradd a Thechnegol yng nghanol y 1930au: terfynasant eu papur trwy ddweud fod, 'cefn gwlad yn amlwg yn un o ffynonellau atgyfner-thu cyson y grymusterau bywiol ym mywyd Cymru.'[5] Ran amlaf, cael ei anwybyddu neu ei esgeuluso gan haneswyr addysg dechnegol fu hanes sector amaethyddol yr economi Gymreig, a chanlyniad hyn fu camffurfio'r ym-driniaeth o bwnc sydd bellach o gryn ddiddordeb cyfoes.

2. Y Weinyddiaeth Addysg, *Technical Education in Wales*, H.M.S.O., 1961, i
3. Y Weinyddiaeth Addysg, *Report of the Central Advisory Council for Education (Wales)*, *The Future of Secondary Education in Wales, 1949*
4. E. Hobsbawm, *Industry and Empire*, Llundain, 1968, 295, 299.
5. PRO ED10/152, Papurau Pwyllgor Spens, U5, 25 Hydref, 1936.

Yr oedd rhai o feddylwyr Cymreig mwyaf blaenllaw'r dydd yn hanner cyntaf y bedwaredd ganrif ar bymtheg wrthi'n brysur yn dyfeisio gorffennol i'r genedl.[6] Ond yn yr un cyfnod, yr oedd y Cymry yn cael eu creu gan ddisgrifiadau ymwelwyr swyddogol ac answyddogol. Daeth Mr. Bompas, ymchwiliwr addysgol yn y 1860au, heibio i fwrw trem ar gyflwr ysgolion y dosbarth canol. Yn ôl ei adroddiad ef, yr oedd y Cymry yn

> ddiffygiol mewn menter ac yn amharod i wario na mentro arian er ennill budd y dydd a ddaw (ond yr oeddynt) yn ddibynadwy a diwyd.... Hyd yn oed ymhlith y mwynwyr mwyaf cyffredin, fe geir llawer sy'n gyfarwydd â'r dosbarth uchaf mewn mathemateg, a pheth digon cyffredin yw i weision a llafurwyr gyfansoddi traethodau a barddoniaeth ar gyfer yr amrywiol eisteddfodau....[7]

Nid yw haneswyr diweddar wedi mynd i'r afael â'r rhwydwaith o Athrofeydd Anghydffurfiol yng Nghymru a Lloegr yn ystod y ddeunawfed ganrif. Ac eto, yng Nghaerfyrddin yn ogystal ag yn Warrington a Daventry, hwy oedd yn lledaenu syniadau newydd am y technolegau newydd. Dysgent Fathemateg, Mecaneg a'r gwyddorau naturiol ar y cyd â Hanes a phynciau 'modern' eraill, ac yr oeddent yn rhan o'r amlen honno o ddysg athroniaethol ac ymarferol a ledodd ar hyd Ewrop yn y ddeunawfed ganrif. Cynhwysodd rhwydwaith yr Athrofeydd waith William Edwards o Groeswen, ger Caerffili, a ddaeth yn bregethwr anghydffurfiol, yn ffermwr, peiriannydd ac, yn rhyfeddaf oll ym Mhontypridd, yn *pontifex* cyfoes. Bu ei gyfaill o'r Groes-wen, Thomas Morgan, yn yr Athrofa yng Nghaerfyrddin, gan ddysgu digon o Gemeg yno i'w alluogi i gael dadl ddysgedig â Joseph Priestley a chyfrannu erthyglau ar bontydd Edwards, ar dân gwyllt, llongau plymio a phowdrach treulio i'r *Gentleman's Magazine*.[8] Rhoi gormod o ffrwyn i'r dychymyg, mae'n debyg, fuasai cynnwys yng nghrafangau'r gyfundrefn athrofeydd Seisnig Robert Owen a allasai yn y Drenewydd fod wedi darllen gwaith Priestley hyd yn oed cyn ymaelodi â Chymdeithas Lenyddol ac Athronyddol Manceinion yn y 1790au, pryd y dechreuodd ffurfio cynlluniau addysg ymarferol, os eclectig, a gymhwyswyd yn ddiweddarach i weithwyr ei felinau a'u plant yn Iseldir yr Alban.

Gellir pontio rhwng William Edwards a chymeriad arall yn natblygiad addysg ymarferol a gafodd gryn ddylanwad ar Gymru. Yn y 1830au, yr oedd y Parch. Henry Moseley, Arholwr Cangen Beirianyddol y Fyddin, A.E.F., a Chanon o Gadeirlan Bryste, hefyd yn awdur yr ymdriniaethau damcaniaethol cyntaf ar strwythur bwâu carreg. Ym 1857, trawsnewidiodd

6. Prys Morgan *"From a Death to a View: The Hunt for the Welsh Past in the Romantic Period"*, yn E. Hobsbawm a T. Ranger (gol.), *The Invention of the Past*, Llundain a Chaergrawnt, 1983, 43-100.
7. Comisiwn Ymchwil Ysgolion, Cyfrol VIII, 1868, 6-7.
8. E. I. Williams, "Pont-y-ty-pridd: a critical examination of its history", Transactions of the Newcomen Society, XXIV, 1845, 121-130.

yr Ysgol Genedlaethol ym Mryste, o gyflwr dirywiedig i fod yn ysgol fasnach gyntaf i grefftwyr ym Mhrydain. Ffynnodd, gan ymgorffori Ysgol Fwyngloddio, a datblygu ymhen amser yn Goleg Technegol Bryste, sydd bellach yn Goleg Politechnig Bryste.[9]

Tynnwyd sylw brwd Pwyllgor Aberdâr ym 1881 i Ysgol Fasnach Moseley gan dyst blaenllaw—yr Athro Marshall o'r Coleg Prifysgol newydd ym Mryste—ef, yn ddiweddarach, fu tiwtor economeg J.M. Keynes. Aelod gweithgar arall o'r Pwyllgor oedd y Canon H.G. Robinson, cyfaill yr Arglwydd Aberdâr a hefyd cyn-Brifathro Coleg Hyfforddi Caer Efrog, aelod blaenllaw o Fwrdd Addysg Efrog. Y Bwrdd hwn oedd y tu ôl i sefydlu Coleg Firth, a dyfodd wedyn yn Brifysgol Sheffield, a Choleg Gwyddoniaeth Swydd Efrog—Prifysgol Leeds yn ddiweddarach. Robinson oedd y Comisiynydd a fu'n gyfrifol dan Ddeddf Ysgolion Gwaddoledig 1869 am sefydlu'r Ysgol Dechnegol arloesol yn Keighley yn Swydd Efrog. Sylweddolodd hefyd arwyddocâd gwreiddiol Ysgol Moseley ym Mryste.

Cafwyd rhywfaint o drafodaeth am yr angen am ddarparu addysg dechnegol yng Nghymru yn yr ugain mlynedd cyn sefydlu Pwyllgor Aberdâr. Ym 1857, pan gychwynnodd arbrawf Moseley ym Mryste, cyhoeddwyd Prosbectws am Goleg i'w sefydlu yng Nghastell y Gnoll, ger Castell Nedd, gan grŵp o ddarpar-gefnogwyr a oedd yn cynnwys H.A. Bruce (Arglwydd Aberdâr), Walter Coffin, Lewis Dillwyn, Iarll Jersey a'r Esgob Connor Thirlwall o Dyddewi.[10] Buasai'r sefydliad hwn, gan fanteisio ar Reilffordd De Cymru a gwblhawyd yn ddiweddar gan Mr. Brunel, wedi denu myfyrwyr o dde Prydain gyfan—a'u cael i dalu ffi o 200 gini y flwyddyn am y fraint. Y diben oedd eu cymhwyso 'trwy gyfarwyddyd cyfundrefnol, i ragori yn y Proffesiynau, mewn Amaethyddiaeth, mewn Cynhyrchu, ac mewn gweithrediadau eraill yng nghyswllt Menter Genedlaethol.' Byddai'r Cynllun Hyfforddi wedi cynnwys Mathemateg, Cemeg (gan ymdrin yn arbennig â Chynyrchiadau Cemegol, Cemeg Amaethyddol ac—yn oes Chadwick—Gwyddor Hylendid), Mecaneg a Ffiseg, yn ogystal â Hanes Dynol (gan gynnwys Ieithoedd a Cherddoriaeth).

Mynd i'r gwellt yn syth fu hanes cynllun y Gnoll, er mawr lawenydd i un sylwebydd Cymreig o leiaf. Thomas Nicholas o Solfach oedd hwn, Gweinidog gyda'r Annibynwyr, perchennog Ph.D. Almaenig o Göttingen, a thiwtor yn y Coleg Presbyteraidd yng Nghaerfyrddin. O Gaerfyrddin, cyfansoddod ei Lythyrau i bobl Cymru ar bynciau addysg ganol ac uwch.[11] Yn ei farn ef, 'erthyl llwyr' oedd Coleg y Gnoll, a hynny am ddau reswm: cost, a 'natur rhy benodol wyddonol'. Fel Robert Owen, genhedlaeth o'i flaen,

---

9. C. Lewis, The Bristol Trade School, 1856-1885, M.Ed. (Cymru), 1977.
10. *The Principles of Collegiate Education Discussed and Elucidated, in a Description of the Gnoll College, Neath, South Wales; a National Institution Adapted to the Wants of the Age*, Llundain, 1857.
11. Thomas Nicholas, *Middle and Higher Schools and a University for Wales*, Llundain, 1863.

ymsynied ryddfrydol yn ogystal â gwyddonol oedd gan Nicholas am addysg. Cynigiodd swyddogaeth 'golegol' i'r Eisteddfod Genedlaethol newydd, yn seiliedig ar fodelau cynulliadau trafod blynyddol megis y Gymdeithas Genedlaethol er Hybu Gwyddor Gymdeithasol a'r Gymdeithas Brydeinig er Hybu Gwyddoniaeth,a oedd wedi cynnal un o'i chynadleddau cynharaf yn Abertawe ym 1848. Dymunai Nicholas weld yr Eisteddfod yn cael ei ffurfio i ddiwallu 'anghenion ymarferol y bobl ym maes gwyddor gymdeithasol a chynnydd materol':

> ....Pan fo'n beirdd yn Dennysoniaid mewn dyfeisgarwch tawel, mewn gloywder a chymhlethdod mynegiant..... a'n hofyddiaid yn Oweniaid, Herscheliaid a Murchisoniaid mewn arbrofi amyneddgar a chyflwyno clós, byddwn yn ymhyfrydu fwy ynddynt fel addurn i'n gwlad nac y gwnawn yn bresennol.

Dylai'r Eisteddfod anelu at 'annog cynhyrchedd deallusol', yn hytrach na chynnig gwobrau i 'fechgyn yr aradr a mecanyddion' am gyfansoddi rhigymwaith hynafol.

Nid Nicholas oedd yr unig un i fod yn amheus ynghylch Coleg Gwyddoniaeth mewn cyd-destun Cymreig. Un o'r tystion gerbron Pwyllgor Aberdâr oedd Owen Roberts o Gaernarfon, bargyfreithiwr, Clerc i Gwmni Gweithwyr Brethyn Llundain, ac un o hyrwyddwyr blaenllaw y *City and Guilds*. Meddai ef, 'Ni chredaf fod ysgolion gwyddonol ar wahân (yng Nghymru) yn ymarferol, ac eithrio mewn mannau gyda phoblogaeth helaeth a chryn weithgarwch diwydiannol'. Yr oedd Abertawe, fodd bynnag, yn cynnig cyfle: '.... o'r hyn a ddeallaf parthed yr arholiadau gwyddoniaeth a chelfyddyd a'n harholiadau Technolegol yn ein Dinas ein hunain, credaf mai Abertawe yw yr unig fan, bron, yng Nghymru lle y buasai ysgol wyddonol yn ymarferol'. Ar gyfer gweddill Cymru, yr oedd Roberts o blaid darlithwyr gwyddonol 'teithiol' megis y rhai a anfonid gan Goleg Prifysgol Bryste i'r ardaloedd brethyn o gwmpas Stroud a Trowbridge. Gallai darlithwyr cyffelyb yn y dyfodol fynd i blith chwarelwyr Llanberis, Nantlle a Bethesda.[12]

Ymateb go bitw a gafwyd yng Nghymru i'r arholiadau a sefydlwyd fel symbyliadau i hybu addysg dechnegol gan yr Adran Wyddoniaeth a Chelfyddyd ym 1860. Yr oedd H.A. Bruce yn aelod o'r Pwyllgor Dethol ar Hyfforddiant Gwyddonol ym 1867-8 a ddatgelodd fod gan hyd yn oed Blandford, yng nghefn gwlad Swydd Dorset geidwadol, 20 o fyfyrwyr, tra mai dim ond dwy sir Gymreig oedd yn meddu ar fyfyrwyr o gwbl: yr oedd 73 yn Llanelli, ac ym Morgannwg, rhennid 121 o fyfyrwyr rhwng Caerdydd, Abertawe a Phontypridd. Y pryd hynny, yr oedd gan yr Alban bymtheg

12. Adroddiad y Pwyllgor Adrannol ar Addysg Ganolraddol ac Uwch yng Nghymru (Adroddiad Aberdâr), 1881, II, 333.

ysgol gyda 2,611 o ddisgyblion; a chan Iwerddon 76 a 2,870.[13]

Pan wnaeth Pwyllgor Aberdâr ei adroddiad ym 1881, yr oedd ei argymhellion ar gyfer darpariaeth dechnegol yn cydnabod y dylid sefydlu ysgolion masnach yn rhai o'r trefi diwydiannol mwy. Ond prif gonsarn y Pwyllgor oedd, yn yr un termau â'r hyn a awgrymwyd gan dystiolaeth Owen Roberts, cynnwys addysg dechnegol o fewn math newydd o ysgolion canolraddol:

> Awgryma amodau diwydiannol llawer rhan o Gymru, gofynion arferol masnach ac amaethyddiaeth, a chwaeth a thueddiadau'r Cymry eu hunain i ni bwysigrwydd, mewn unrhyw gwrs hyfforddiant a ddarperir ar gyfer ysgolion canolraddol, roi blaenoriaeth i wahanol ganghennau gwyddoniaeth naturiol, yn enwedig yn eu cymhwysiad ymarferol i fasnach a chynhyrchu.[14]

Thema gref yn y dystiolaeth dechnegol a gyflwynwyd ym 1880-1 oedd hawl Abertawe i le canolog yn unrhyw gynllun newydd ar gyfer Cymru; er mai barn T.M. Hughes, Athro Daeareg yng Nghaergrawnt, oedd nad oedd, fel porthladd, yn foesol gadarn: '.... hawdd y gall llanciau o Gymry ddisgyn i demtasiwn o bob math'.[15] Tybiai'r Parch. S. Young, prifathro'r Ysgol Ramadeg, nad oedd gan ei sefydliad ef mo'r athrawon na'r offer i ddysgu Gwyddoniaeth yn ddigonol.[16]

Mynnodd Richard Martin, rheolwr gwaith metelegol lleol, fod llawer o'r 'arbenigwyr technegol' yn y diwydiant meteleg o raid yn dod o'r Almaen.[17]

Ystyriaethau economaidd oedd gryfaf yn nadl Pwyllgor Aberdâr dros ddyfodol addysg dechnegol. Ond cyflwynodd Crwner Gogledd Morgannwg, George Overton, elfen ddyngarol i'r drafodaeth. Bu mewn sesiwn o'r Pwyllgor ym Merthyr yn syth wedi cynnal cwest ar y rhai a fu farw mewn trychineb glofaol yn y Rhondda. Er gwaethaf anawsterau daearegol penodol De Cymru, rhoes ef y bai am nifer uchel y damweiniau ar absenoldeb llwyr, bron, hyfforddiant technegol ffurfiol mewn perthynas â phroblemau arbennig mwyngloddio. Ychydig o ddynion o Dde Cymru, hyd yn oed rheolwyr, fedrai fynychu Ysgol Fwyngloddio Bryste. Deuai llawer i ysgol debyg petai un yn bod yn Ne Cymru. Fel y digwyddodd pethau, rhaid fu i'r Maes Glo aros am ddeng mlynedd ar hugain, bron, cyn cael Ysgol Fwyngloddio am y tro cyntaf.[18]

Yn Ysgolion Gramadeg Cymru, ni chanfu'r Pwyllgor fawr o ddysgu ar Wyddoniaeth, a gofalus, ar y cyfan, oedd eu hagwedd tuag at ymestyn y dysgu hwnnw. Tybiai A.G. Edwards, warden Llanymddyfri, y gallai'r ysgolion yn briodol baratoi bechgyn ar gyfer Meddygaeth, ond nid ar gyfer

13. Pwyllgor Dethol ar Hyfforddiant Gwyddonol, 1867, Atodiad I, 421.
14. Adroddiad Aberdâr, I, lv.
15. Ibid, II, 60.
16. Ibid, 554.
17. Ibid., 559.
18. Ibid., 701-703.

Peirianneg, ac yn ystod yr holi, cadarnhaodd Robinson ei gred mai'r canlyniad, lle bynnag y digwyddai 'ymrannu' - rhannu'r dysgu yn 'ochrau' clasurol a modern—oedd llai o effeithiolrwydd.[19] Cadarnhaodd yr Arglwydd Aberdâr ei hun—cyn-ddisgybl o Ysgol Ramadeg Abertawe—y farn hon, gan rybuddio 'pe ceisiech gyfuno popeth, y gallai arwain at wneud dim yn dda.'[20] Ar y llaw arall, daeth dirprwyaeth o Lanelli ato gyda llythyr oddi wrth Fwrdd Ysgol Bradford yn cyhoeddi rhagoriaethau'r Ysgol Radd Uwch yno. Pe gallai trefi Lloegr gynnal sefydliadau gyda gogwydd ymarferol o'r fath, pam na allai Llanelli wneud yr un peth?[21]

Adolygwyd Gwyddoniaeth yn y cwricwlwm addysg uwch gan F.W. Rudler, Cofrestrydd yr Ysgol Fwyngloddio Frenhinol yn Lloegr, a than yn ddiweddar, Athro Gwyddoniaeth Naturiol yn Aberystwyth. Bu ef yn awyddus i'w fyfyrwyr Cymreig ddilyn cwrs Mwyneg a Chemeg, ond prin fu'r ymateb. Dangosodd rhai o'i fyfyrwyr 'dueddiadau garw tuag at astudiaeth wyddonol', ond uchelgais y rhan fwyaf oedd bod yn athrawon neu bregethwyr. Culni'r cwricwla yn ysgolion Cymru oedd yn gyfrifol am hyn, yn ei farn ef.[22]

A.J. Mundella a gymerodd arno'i hun y gwaith o gymodi a chymedroli cynigion Aberdâr a pharatoi'r ffordd i'w gweithredu'n statudol. Hwn oedd y diwydiannwr Radicalaidd oedd yn gyfrifol am addysg yng Ngweinyddiaeth Gladstone o 1880-85.[23] Unwaith i Fesur 1889 ddod yn ddeddf, 'roedd yn hanfodol i bobl Cymru ddeall ei thelerau yn iawn. Y sawl a ymgymrodd â'r dasg hon oedd Tom Ellis, A.S. Meirionnydd ac Ellis Griffith, bargyfreithiwr. Gyda chymorth William Rathbone ac A.H.D. Acland, cyhoeddodd ef bamffled ym mis Tachwedd 1889 a gynigiai gyngor manwl ar sut i weithredu'r ddeddf, ac a roddai wybodaeth gymharol a helaeth ynglŷn â gweithredu systemau addysg dechnegol dramor. Rhoddai hwy eu pwyslais ar y ffaith y dylai'r ysgolion newydd wasanaethu anghenion lleol ac y dylai manteision ddeillio 'nid i ddosbarth ond i gymuned'. Cael ei anwybyddu, fodd bynnag, yn y blynyddoedd i ddilyn fu hanes eu pwyslais ar gynnwys elfen ymarferol gref yn ngwaith yr Ysgolion.[24]

Yr oedd cwricwlwm arfaethedig y Ddeddf yn radicalaidd a chyffrous: ymhlith y pynciau a gynigid yng Nghymal 17 yr oedd defnyddio offer,

19. Ibid., 484.
20. Ibid., 458.
21. Ibid., 487.
22. Ibid., 294-295.
23. D.I. Allsobrook, *"A Benevolent Prophet of Old...."* Welsh Journal of Education, I, Ebrill, 1989, 1-10.
24. *Intermediate and Technical Education (Wales): A Manual to the Intermediate Education (Wales) Act, 1889 and the Technical Instruction Act*, 1889, gan Thomas Ellis (A.S. Meirionnydd) ac Ellis Griffith (Bargyfreithiwr a Chymrawd o Goleg Downing, Caergrawnt). Gyda Nodiadau Cyflwyno gan William Rathbone, A.S., ac Arthur H. D. Acland, A.S.,.... cyhoeddwyd gan Gymdeithas Genedlaethol er Hyrwyddo Addysg Dechnegol ac Uwchradd, d.d., (ond o'r dystiolaeth fewnol, Tachwedd, 1889).

rhifyddeg fasnachol, cadw llyfrau a llawfer, er y cynhwyswyd hefyd y cyfar-wyddyd na ddylai'r dysgu gynnwys 'arfer unrhyw fasnach na chrefft'. Yn gyffredinol, yng Nghymru fel yn Lloegr wedi 1889, ni chafodd y math o gwricwlwm ysgol-uwchradd y cynigiai'r Ddeddf Gymreig fodel ohono erioed ei weithredu ar raddfa eang. Cyfyngwyd ei ddefnydd i ysgolion ar yr ymylon, a'r rheiny yn ysgolion a ddeilliai o'r sefydliadau uwchradd hynny a gynheuodd fflam diddordeb gwŷr Llanelli ym 1881.

Erbyn 1900, Caerdydd oedd tref gyfoethocaf Cymru. Ym 1907, comisiyn-odd ei Awdurdod Addysg newydd un o addysgwyr mwyaf blaenllaw'r dydd i wneud adroddiad ar amodau dysgu uwchradd a thechnegol yn y dref. Canfu Syr Philip Magnus, a oedd yn un o sefydlwyr ac Ysgrifennydd cyntaf y *City & Guilds*, nad oedd Caerdydd yn fan amrywiol yn economaidd: 'Nid oes....yng Nghaerdydd ddiwydiant sylfaenol sy'n pennu anghenion addysgol nac yn symbylu athrylith greadigol y bobl'. Yr oedd yno deimlad lleol o fodlonrwydd a naws hunan-foddhaus nad oedd yn awyrgylch fywiog i arbrofi addysgol. Yr oedd yr ysgolion ar y cyfan yn effeithiol, ond buasent yn well pe rhoddid mwy o amser i 'astudiaethau ymarferol' gyda mwy o offer ar ffurf labordai a gweithdai. Ei farn ef oedd y dylai'r ddwy ysgol uwchradd drefol barhau â'u naws radd-uwch i'r graddau y dylid dysgu hyd yn oed bynciau megis Hanes a Daearyddiaeth 'ar sail ymarferol'.[25]

Yr oedd beirniadaeth Magnus o gyfundrefn ysgolion Caerdydd ym 1907 yr un mor gymwys i'r ddwy gangen o addysg uwch yn y dref. Ar y pryd hwnnw, a than y Rhyfel Byd Cyntaf, un Pennaeth oedd i Goleg y Brifysgol a'r Ysgol Dechnegol, ac eto, nid ymddangosai fod fawr o fanteision yn deillio o'r cyswllt hwn. Prin oedd yr adnoddau i Wyddoniaeth gymhwysol. Disgrif-iodd y nofelydd Howard Spring ddosbarthiadau gyda'r nos yn yr Ysgol Dechnegol yn cael eu cynnal mewn 'trybolfa o gytiau pren o amgylch adeilad a fu unwaith yn ysbyty'. Cynhelid llawer o'r dosbarthiadau, meddai, gan Athrawon Coleg y Brifysgol 'yn ceisio ychwanegiad bychan i'r hyn y gallent ei ennill yn ystod y dydd'.[26]

Ar lefel fwy aruchel, datblygwyd y feirniadaeth hon pan gychwynnodd Comisiwn Haldane ar Addysg Brifysgol yng Nghymru ymchwilio ym 1916. Fel ym 1870 a 1939-45, yr oedd bodolaeth y Rhyfel yn swmbwl cryf i feddwl enbyd o resymegol am statws dysgu gwyddonol ac ymarferol ar bob lefel yn y gyfundrefn Addysg. Ym marn y Comisiwn, 'roedd Prifysgol Cymru wedi methu cyfrannu'n briodol tuag at les economaidd y wlad, ac yr oedd agweddau o 'gyfaddawdu ac unffurfiaeth', meddent, yng ngwaith y Brif-ysgol, yn enwedig mewn arholiadau, wedi rhwystro gwŷr busnes rhag rhoi

25. Report on the School System of Cardiff, with special reference to the Provision of Evening Technical ... prepared at the request of the Education Committee of the City Council by Sir Philip Magnus, M.P., Fellow of the University of London, April, 1907, Caerdydd, 1907.
26. Dyfynnwyd yn Alexander Harvey, *"One Hundred Years of Technical Education in Cardiff"*, *Glamorgan Historian*, IX, 178.

'naill ai eu hamser na'u harian i hybu addysg uwch'; er mae'n siŵr bod sylwedyddion cyfoes wedi tybio fod hynny'n esboniad rhy garedig am fethiant y diwydianwyr mwyaf blaenllaw i gynnig cymorth i'r Colegau Prifysgol newydd yn y cyfnod wedi 1872.

Ym 1916, fel ym 1880-1, yr oedd Abertawe yn ymddangos mewn trafodaethau ynghylch dyfodol dysgu gwyddoniaeth gymhwysol a hyfforddiant technegol. Yn ddiweddar, bu dinasyddion Abertawe yn brysur yn sefydlu Ysgol Feteleg yn eu Coleg Technegol, a bu diwydiannau lleol yn ymwneud llawer â'r ariannu a'r rheoli. Y gobaith, yng ngorllewin Morgannwg, oedd y byddai'r sefydliad ar ei newydd wedd yn cael statws Coleg Prifysgol. Prif ladmerydd Abertawe gerbron Comisiwn Haldane oedd T.J. Williams, A.S., perchennog Gwaith Tunplat Beaufort, a chyn-fyfyriwr yng Ngholeg Firth, Sheffield. Meddai,

> Wedi cael y fantais o ddilyn cwrs o addysg dechnegol mewn coleg megis yr un a ddeisyfir yn awr gan Abertawe, yn ogystal â chwrs tebyg dros y môr, sylweddolaf yn llawn gymaint o gymorth a ddeilliai i'r diwydiant tunplat o Goleg Technegol o safon uchel wedi'i sefydlu yn yr hyn sydd, mewn gwirionedd, yn bencadlys y fasnach.

Daethai gweithgaredd gwyllt Abertawe ddeng mlynedd ar hugain yn rhy hwyr. Mewn tunplat, fel gyda'r diwydiannau sylfaenol eraill, sylwodd Williams mor gyndyn sefydledig oedd y mathau hynafol o hyfforddiant: 'Traddodir y wybodaeth am fasnach gan y tad i'r mab; hyd yn oed cyn iddo adael yr ysgol i fynd i'r gwaith, dechreua'r bachgen ddysgu gan ei dad rywbeth ynglŷn â chynhyrchu tunplat.'[27]

Rhoes Comisiwn Haldane hefyd gydnabyddiaeth ffafriol i'r cydweithrediad oedd yn tyfu rhwng Coleg Prifysgol Caerdydd a'r sefydliadau Technegol yn Abertawe, Caerdydd a Chasnewydd. Yr oeddent hefyd yn barod i longyfarch meistri glo De Cymru ar greu Ysgol Fwyngloddio Trefforest ym 1912. Cafodd Abertawe ei Choleg Prifysgol ym 1920. Ond yn hinsawdd economaidd ddirwasgedig y 1920au a'r 1930au, chwalwyd gobaith y Comisiwn y byddai Bwrdd Technoleg Prifysgol dros Gymru yn cyfuno'r ymdrechion a wnaed yn ystod argyfwng amser rhyfel.

Un o'r tystion mwyaf grymus gerbron Comisiwn Haldane oedd Daniel Lleufer Thomas. Yr oedd wrthi yn cyfansoddi adroddiad ar achosion anghydfod diwydiannol yng Nghymru adeg y rhyfel dros Lloyd George; ac yn nes ymlaen, daeth, ymhlith llawer o swyddi eraill, yn ysgrifennydd Cymdeithas Addysg y Gweithwyr. Yn y 1890au, bu'n Ysgrifennydd i Gomisiwn y Tir yng Nghymru, ac ysgrifennodd Grynodeb o'i Adroddiad ar gyfer ei gyhoeddi. Rhoes yr adroddiad bwyslais mawr ar yr hyn a alwai yn 'angen i ymestyn cyfleusterau am addysg amaethyddol', ac yn enwedig

---

27. Comisiwn Brenhinol ar Addysg Brifysgol yng Nghymru, Atodiad i Adroddiad y Comisiynwyr, Cofnodion Tystiolaeth, 1917, 26.

'ddosbarthiad, dan gyfarwyddyd y Bwrdd Amaeth, gwybodaeth ddefnydd-iol i amaethwyr, trwy ledaenu llenyddiaeth ar bynciau amaethyddol.'[28] Ond fe fraenarwyd maes addysg amaethyddol yng Nghymru ar ddiwedd y bed-waredd ganrif ar bymtheg, a'r canlyniad oedd iddo ffynnu'n dawel ac yn effeithiol.

Medrai T.F. Roberts, Prifathro Aberystwyth, ddweud wrth Gomisiwn Haldane ym 1916 fod ei Goleg ef yn cyflenwi angen Cymreig ymarferol gyda mwy o fenter nag a wnâi Coleg Caerdydd yn ei sector economaidd ef o'r wlad. Dywedodd wrth y Comisiynwyr fod rhyw hanner cant bob blwyddyn o ffermwyr ifainc Cymreig yn cael eu denu i Aberystwyth o'r sefydliadau fferm oedd yn gwasanaethu rhai siroedd Cymreig gwledig. Fe ddeuent i Aberystwyth ar gyfer cyrsiau hyfforddi byrion, ac yr oedd Adran Amaeth-yddol y Coleg yn gwneud llawer o waith ymgynghori ar gyfer y cynghorau sir.[29]

Mae modd olrhain swyddogaeth Aberystwyth mewn addysg amaeth-yddol yn ôl i 1876, pryd y cychwynwyd rhaglen o ddarlithoedd i ffermwyr. Byrhoedlog fu'r arbrawf honno, ond ym 1889, adfywiwyd gwaith o'r fath, yn gyntaf ym Mangor, ac yna wedyn yn Aberystwyth, gyda chymorth y Bwrdd Amaeth. Sefydlwyd Sefydliadau Fferm, y cyntaf yng Nghastell Madryn ym 1913. Ym 1908, Sir Benfro oedd y sir Gymreig gyntaf i benodi athro-drefnydd ar gyfer pynciau amaethyddol. Bu creu Cyngor Amaethyddol dros Gymru ym 1912 yn fodd i gael undod gweinyddol; a hyd yn oed dan Ddeddf y Weinyddiaeth Amaeth, Pysgodfeydd a Bwyd, 1919, cadwodd Cymru ei hunaniaeth ar ffurf Cyngor Amaethyddieth, a oedd yn hybu trafod pynciau a pholisïau rhanbarthol. Cyfarfu'r Gynhadledd Addysg Amaethyddol Gym-reig yn aml wedi 1924, a chyhoeddodd *The Welsh Journal of Agriculture*. Yn gyfan gwbl, erbyn 1939, gwariwyd £100,000 ar addysg amaethyddol yng Nghymru gan y llywodraeth ganolog, swm go fawr, o ystyried y polisïau cybyddlyd oedd yn cael eu dilyn yn sector addysg dechnegol mewn per-thynas â Diwydiant.[30]

Camarweiniol fuasai awgrymu fod sectorau amaethyddol a diwydiannol yr economi Gymreig yn wrthwyneb i'w gilydd neu eu bod yn wahanol ac ar wahân. Nodwyd cydblethiad y ddau faes mewn erthygl dreiddgar yn y *Times* ym 1934. Ysgrifennodd H.A. Marquand, economegydd blaengar, y buasai ymwelydd â Bro Morgannwg yn sylwi ar gryn dystiolaeth o weith-garedd amaethyddol yn y gorffennol. Rai milltiroedd i'r gogledd, ceid glowyr diwaith, a'r rhan fwyaf ohonynt ddim mwy nag un genhedlaeth i ffwrdd o waith ar y tir. Yr oedd llwyddiant y mudiad rhandir yn y maes glo yn brawf

28. D. Lleufer Thomas, Comisiwn y Tir yng Nghymru, Crynodeb o'i Adroddiad, Llundain 1896, 459.
29. Comisiwn Brenhinol ar Addysg Brifysgol yng Nghymru, tystiolaeth, 108.
30. A.W. Ashby ac I.L. Evans, Amaethyddiaeth Cymru a Mynwy, Caerdydd, 1944, 140-152.

o barhad crefft y glowyr yn ogystal â'u hewyllys i barhau yn ystod y Dirwasgiad. Awgrymodd, gyda'r gallu hwn

> .....y gellid ei ddefnyddio i ymestyn cryn dipyn ar arddio masnachol. Ar y cyd â ffatrïoedd canio—a fyddai'n defnyddio tun lleol—byddai cynhyrchu dofednod, pys, ffrwythau meddal a chynhyrchion eraill y mae'r tir yn arbennig o addas ar eu cyfer, yn rhoi bywoliaeth dda i nifer o ddyddynwyr a'u teuluoedd.... Byddai coedwigo'r llethrau... y dygwyd eu coed yn nyddiau cynnar haearn a glo, yn gyfrwng i rai o ddynion ifainc y cymoedd uchaf sydd wedi dioddef waethaf oddi wrth ddiweithdra....

Yn fwy realistig, hwyrach, awgrymodd Marquand greu awdurdod addysg rhanbarthol a fyddai'n gwneud y cysylltiadau priodol rhwng posibiliadau economaidd a rhaglenni addysg a hyfforddi.[31]

Wrth gynnig hynny, y roedd yn dilyn prif gynnig y Pwyllgor dan Morgan Jones, A.S., a oedd wedi cynhyrchu'r adroddiad *Educational Problems of the South Wales Coalfield* ym 1931. Ac eto, rhaid fu i hyd yn oed argymhellion cyfyngedig Pwyllgor Jones am sefydlu Cyngor Ymgynghorol dros Addysg Dechnegol yng Nghymru faglu tuag at gael ei gyflawni ar ddiwedd y 1930au. Yr oedd pawb, bron, yn cydnabod yr angen am gydweithredu— felly hefyd yn ystod y Rhyfel Byd Cyntaf pryd y codwyd y syniad o Fwrdd Technoleg. Y maen tramgwydd, fodd bynnag, oedd problem dosbarthu'r arian i Gyngor o'r fath rhwng y gwahanol gynghorau sir yn y maes glo ac o'i gwmpas: yr oedd eu hadnoddau eisoes wedi eu hymestyn i'r eithaf a thu hwnt gan faich y Dirwasgiad. Gwnaeth F.E. Rees, y Cyfarwyddwr dros Forgannwg, y pwynt enbyd o bragmataidd: swyddogaeth addysg dechnegol yn sicr oedd gwasanaethu diwydiant a helpu i wella ei brosesau: fodd bynnag, 'anaml y mae'n ei greu'.[32] Pan ddaeth y Cyngor Ymgynghorol i fod, ym 1934, lledaenai maes ei ddylanwad dros lawer llai na hanner arwynebedd daearyddol Cymru; er bod arno gynrychiolydd o Gyngor Amaeth Cymru.

Tynasai Pwyllgor Morgan Jones ym 1931 sylw at y nifer cynyddol o Ysgolion Technegol Iau yn ne Cymru. Agorasai'r Ysgolion Technegol Iau cyntaf yn Lloegr dan reoliadau oedd yn caniatáu ar gyfer ysgolion dyddiol 'yn darparu cyrsiau i fechgyn a genethod am ddwy neu dair blynedd wedi gadael yr Ysgolion Elfennol Cyhoeddus, lle byddid yn cyfuno addysg gyffredinol â pharatoad pendant ar gyfer cyflogaeth mewn diwydiant.'[33] Yr oedd Y.T.I. Lloegr yn rhan o draddodiad yr Ysgolion Masnach. Yng Nghymru,

---

31. *Times*, 20 Gorffennaf, 1934, "*The Surplus Worker: Waste of Men in South Wales—Neglected Resources*".
32. *Western Mail*, 24 Gorffennaf, 1934, "*Glamorgan's Official Criticisms—Proposed Advisory Council Not Wanted.*"
33. Bwrdd Addysg, Adroddiad y Pwyllgor Ymgynghorol ar Addysg Glaslanciau (Adroddiad Hadow), Llundain, 1926, 360.

ar y llaw arall, anobaith fu magwrfa'r Ysgolion cyntaf yn y 1920au: edrychid arnynt fel llwybr allan o Gymru tuag at bosibilrwydd gwaith y tu allan i'r maes glo, ac yn rhannol fel dewis ymarferol yn lle llwybr 'academaidd' yr Ysgolion Canolraddol a Gramadeg. Yn yr ystyr ddiwethaf hon, ymdrechion hwyr oeddent i gynnwys yr elfen ymarferol honno yn addysg uwchradd a gynhwyswyd yn Neddf 1889 ond na weithredwyd bron o gwbl. Ond nid 'ysgolion gramadeg dan gochl' oedd yr Y.T.I. Cymreig, ac yr oedd yr adeiladau oedd yn gartref iddynt yn arwydd clir o'u natur 'gwneud-y-tro'.

Fel mesur angenrheidiol, rhaid oedd eu creu yn rhad, a daethant i fod fel atodiadau i addysg alwedigaethol ran-amser ar gyfer myfyrwyr oedd wedi gadael yr ysgol. Gyda'r nos y gwnâi Sefydliadau Mwyngloddio a Thech-negol newydd De Cymru eu gwaith, ac fe'u sefydlwyd a thalu amdanynt o Gronfa Les y Glowyr. Felly 'roedd modd defnyddio adeiladau oedd yn wag yn ystod y dydd am gost gymharol fechan i roi addysg ymarferol i fechgyn rhwng tair ar ddeg a phymtheg. Trwy arholiad cystadleuol yr oedd mynd i'r Y.T.I., ac yr oedd eu cwricwlwm yn barhad o'r pynciau ysgol-elfennol arferol, wedi'u cyfuno â dogn helaeth o hyfforddiant yn y gweithdy.

Erbyn 1935, yr oedd tair ar ddeg o'r ysgolion yn siroedd y maes glo. Y flwyddyn honno, paratowyd yr adroddiad cyffredinol cyntaf ar Y.T.I. Cymru gan Brif A.E.F., Dr. Abbott. Tra'i fod yn sylweddoli fod cyfyngiadau o ran lle ac adnoddau, ei sylw oedd fod yr adeiladau'n cymharu'n anffafriol â rhai ysgolion cyffelyb yn Lloegr, ac nad oeddent yn meddu ar gampfeydd, ffreutur, ystafelloedd cyffredin na llyfrgelloedd. Yr oedd y gweithdai fel rheol yn rhy fach, a dim digon o amser ar gyfer hyfforddiant ymarferol—a ddylai fod yn nodwedd ganolog y cwricwlwm. Yng Nghaerffili, er enghraifft, dwy awr yr wythnos yn unig oedd yn cael eu neilltuo i Ddarlunio Peirianyddol, a thair awr yn unig i Waith Metel a Gwaith Coed cyfun, a rhaid oedd cynnal y dosbarthiadau yng ngweithdai'r ysgol uwchradd leol. O ysgolion Sir Fynwy, dim ond rhai Abersychan a Glynebwy oedd yn berchen turniau; a chafodd Pentre yn y Rhondda ganmoliaeth am 'waith clodwiw.... yn cael ei wneud mewn amgylchiadau digalon, yn niffyg bron bob cyfleustra dymunol.'[34]

Dymuniad Abbott, tra'n cydnabod yr anhawsterau, oedd i'r A.A.Ll. gynnig mwy o gefnogaeth ariannol i'r Y.T.I. Ond yr oedd yn anodd iawn cyfiawnhau mwy o wariant lleol gan fod yr ysgolion yn gweithredu i raddau helaeth iawn fel canolfannau hyfforddi i'r sawl a ddymunai fynd i ddiwyd-iant yn Lloegr. Yn Abertyleri, er enghraifft, gorfodid 50 y cant o'r gadawyr ysgol erbyn 1935 i chwilio am waith yn Lloegr.[35] Yr oedd cystadlu brwd am fynediad i'r ysgolion: yn y Rhondda fel rheol, ceid pedwar ymgeisydd am bob lle.

34. PRO ED46/149, Adroddiad Prif A.E.F. Dr. Abbott (teipysgrif), Tachwedd, 1935.
35. T.M. Morgan, *Aspects of Monmouthshire Local Education Authority Administration*, I, 1889-1944, argraffwyd yn breifat, 1986, 115.

Creuwyd hwy fel mater o raid economaidd mewn hinsawdd anffafriol: fe'u lleolwyd mewn adeiladau a fwriadwyd at ddibenion eraill. Serch hynny, tyfodd Ysgolion Technegol Iau Cymru mewn pwysigrwydd, gan ddod, i bob golwg, yn rhan barhaol o gyfundrefn addysgol y maes glo erbyn canol y 1930au. Yr oedd yr holl dystiolaeth Gymreig a roddwyd i Bwyllgor Spens yn cynnwys adrannau pwysig ynglŷn â swyddogaeth angenrheidiol yr Y.T.I. Awgrymodd y Bwrdd Cymreig Canolog, yn ei bapur, fod geiriau megis 'academaidd' ac 'ymarferol' yn cael eu defnyddio'n rhy aml fel 'dulliau cyffredinol o ddatrys problemau addysgol'. Gan ragflaenu Adroddiad Norwood yn gynnar yn y 1940au, dywedodd mai'r ffordd orau o gynnau diddordeb y disgyblion fyddai 'trwy gysylltu gwaith ysgol â phynciau o bwysigrwydd ymarferol uniongyrchol. Gellir gwneud iawn am beth diffyg dychymyg trwy gryn sêl ac effeithiolrwydd gweithredu'. Tybid mai buddiol, felly, oedd cynyddu nifer yr Y.T.I., ac yn enwedig darparu 'rhai ysgolion o'r fath gyda gogwydd amaethyddol'. Cyfaddefodd y B.C.C. na lwyddasai'r Ysgolion Canolraddol i ddarparu'r elfennau ymarferol a gynigiwyd gan ffurfwyr Deddf 1889. Mewn rhai achosion lle gwnaethpwyd ymdrechion yn y cyfeiriad hwnnw, 'cafwyd adwaith yn erbyn yr hyn a ymddangosai fel cysyniad rhy ddefnyddiolaethol gul' am y cwricwlwm, er y tybid y bu'r adwaith yn llai yng Nghymru nac yn Lloegr.[36]

Tra bu Spens yn casglu tystiolaeth am ysgolion uwchradd a thechnegol, 'roedd y llywodraeth ganolog ym 1935 yn arolygu'r gwario ar Addysg—nid cyn pryd. Amlygwyd hyn mewn datganiad a wnaed i'r Cabinet gan Oliver Stanley, Llywydd y Bwrdd Addysg, ym Mehefin 1935. Yr oedd yn amlwg bod polisi'r llywodraeth yn cael ei ail-ffurfio gan ystyriaethau strategol. Ysgrifennodd Stanley,

> Gwnaed cryn argraff arnaf gan y graddau y mae'n darpariaeth yn waelach na'r hyn sy'n bodoli mewn llawer rhan o Ewrop. Ar lawer ystyr, nid yn unig y mae'r cyfleusterau a safonau'r gwaith yn annheil-wng ynddynt eu hunain, ond yn bendant islaw'r safon a osodir gan lawer o'n cystadleuwyr mewn masnach ryngwladol.....[37]

Digwyddodd sefydlu Cyngor Ymgynghorol De Cymru dros Addysg Dechnegol yn ddiweddarach yr un flwyddyn, felly, mewn hinsawdd newydd o optimistiaeth gymedrol. Nodwedd y ' T-Drive', fel y daethpwyd i adnabod menter newydd Stanley, oedd penderfyniad 'na ddylid rhoi coel ar y gred mai addysg dechnegol oedd 'Sinderela' y gwasanaeth addysg'.[38]

Y peth cyntaf i ddeillio o'r ' T-Drive' oedd arolwg gan A.E.F. o'r ddarpar-iaeth dechnegol fel yr oedd, gyda golwg ar ei gyfoesi. Nid oedd rhai

---

36. PRO ED 10/152, papurau Pwyllgor Spens, Memorandwm gan y Bwrdd Cymreig Can-olog, d.d.
37. PRO CAB 27/574, 27 Mehefin 1935.
38. Dyfynnwyd yn B.Bailey, "*The development of technical education, 1934-1939*", *History of Education*, XVI, 1, Mawrth, 1987, 56.

Arolygwyr, wedi hir arfer â chamu'n ôl, diffyg polisi a dim gwario, yn deall y dasg o gwbl. Yng Nghymru, er enghraifft, daliodd A.E.F. Mr. T. Jones i edrych ar yr hyn dybiai ef oedd gofynion y dyfodol â llygad cyfrifydd o'r Trysorlys. Yn ei farn ef, cyfanswm y gwariant angenrheidiol am welliannau mewn addysg dechnegol ledled Cymru oedd £133,500.[39]

Gwrthododd y Prif Uwch Arolygydd Graham Savage amcangyfrif Jones gyda'r geiriau, 'Yr hyn sydd arnom ni angen i A.E.F. ddweud yw, petai ef yn unben heb orfod ystyried arian, beth hoffai ei wneud i beri bod y ddarpariaeth Addysg Dechnegol yn foddhaol'. Rhoes A.E.F. Jones gynnig arall arni, yn ei siwt Mussolini y tro hwn, mae'n debyg, a chynhyrchodd amcangyfrif ar gyfer Caerdydd yn unig o £290,000: £1,424,000 oedd ei gyfanswm newydd ar gyfer Cymru gyfan, ac yr oedd hyn yn cynnwys darparu Neuaddau, Campfeydd, Ystafelloedd Darllen a Phyllau Nofio i'r holl Y.T.I. Sylw swta Savage oedd 'Ymddengys bod yr ail amcangyfrif wedi gwyro ychydig ormod i'r cyfeiriad arall.' Ni wnaed fawr i droi breuddwyd yr arolwg yn ffaith, ac yr oedd datblygiad addysgiadol yng Nghymru yn glynu'n nes at olwg gyntaf Jones yn hytrach na'r ail. Pan ddaeth yn amser i'r Bwrdd Addysg rag-weld y broses o ail-adeiladu addysgol yn ystod yr Ail Ryfel Byd, dyma oedd sylwadau'r swyddogion,

> Mae'r hyn a ddywedwyd am addysg dechnegol.....yr un mor gymwys yng Nghymru lle mae llawer o bellter i'w deithio yn yr ardaloedd diwydiannol a gwledig.[40]

Yng nghanol y ddeunawfed ganrif, dechreuasai Cymru arwain y byd mewn cynhyrchu haearn a thunplat, a chynhyrchodd hefyd frodorion gyda chryn ddyfeisgarwch a gweledigaeth, y cysylltiwyd eu cyrhaeddiadau athronyddol ac ymarferol â chynnydd materol ac ideolegol ledled Prydain ac Ewrop. Yn y bedwaredd ganrif ar bymtheg, datblygodd y gwaith glo fel diwydiant sylfaenol De Cymru. Er gwaethaf rhybuddion o'r tu mewn a'r tu allan i Gymru, ymddangosai dros dro nad oedd ar y diwydiant angen sylfaen o systemau addysg na hyfforddiant ffurfiol na sefydliadol. Ym mlynyddoedd tyngedfennol y colli cyfle wedi pasio Deddf Ganolraddol 1889, ymddieithriodd y broses o addysg uwchradd—fel yn Lloegr—ac addysg uwch oddi wrth realaeth economaidd y cymunedau diwydiannol Cymreig. Yng nghefn gwlad yn unig, oedd yn newid yn raddol a distaw, yr ymddangosai fod ymdrechion tawel yn cael eu gwneud i addasu'n addysgol i ddatblygiadau newydd. Yn nhri degawd cyntaf yr ugeinfed ganrif, yn y maes glo, ymdrechwyd yn wyllt i geisio gwneud iawn am sgôp cyfyngedig addysg y bobl ifainc hynny oedd yn dymuno neu wedi mynd i waith mewn

39. PRO ED 46/136, papur Cofnodion Bwrdd Addysg, Arolwg o Adeiladau ac Offer T., ymatebion A.E.F. T. Jones i Femorandwm T. Rhif 688.
40. Bwrdd Addysg, Ail-adeiladu Addysgol, Gorch. 6458, Llundain, 1943, 30.

41

diwydiant neu fasnach. Mae'r patrwm diwydiannol yng Nghymru wedi mynd trwy broses gyson o newid yn ystod y ddau gan mlynedd diwethaf. Mae'r addasu ar ran y gyfundrefn addysg bron yn ddieithriad wedi bod yn rhy fychan a rhy hwyr.

GWEINYDDIAETH A GWNEUD POLISI ADDYSGOL 1889-1989

KEN HOPKINS

Gadewch i mi gychwyn ag A.S. Cymreig arbennig iawn: Albanwr, ond un a leisiodd obeithion a dyheadau llawer o rieni Cymreig o'r dosbarth gweithiol—a dylem gofio y bu, a bod, y rhan fwyaf o rieni Cymreig yn dod o'r dosbarth gweithiol. Yr oedd Keir Hardie, wrth siarad ym 1896 mewn Cyngres Sosialaidd Ryngwladol yn Llundain, wedi rhoi cynnig a gefnogai addysg gyhoeddus i bob plentyn, waeth beth oedd eu gallu na'u llwyddiant mewn arholiadau. Ac fe ddylai addysg o'r fath, wrth gwrs, fod am ddim. Mae'n sicr ei fod yn cofio sut y gorfu iddo ef ei hun adael yr ysgol yn 10 oed i weithio gyda'i dad mewn pwll glo yn yr Alban.

Pan ddaeth Hardie ym 1900 yn A.S. dros Fwrdeistrefi Merthyr ac Aberdâr, glöwr ifanc oedd ei gynrychiolydd etholiadol, Edmund Stonelake, a oedd hefyd wedi gadael yr ysgol i fynd i'r pwll yn 10 oed. Mynychodd Stonelake un o'r Ysgolion Bwrdd a sefydlwyd wedi Deddf 1870, ac yn ei hunangofiant rhyfeddol, mae'n darlunio'n fyw pa fath o addysg oedd ar gael mewn ysgol elfennol nodweddiadol yn y 1880au. Dim rhyfedd i Stonelake, a ddaeth yn y blynyddoedd i ddod yn gynghorydd blaenllaw yn Aberdâr, ymroi'n egnïol i wella pethau yn y maes hwn. Fel Cadeirydd Llywodraethwyr Ysgolion Sirol Aberdâr, medrai ddwyn i gof pa gamau a gymerwyd yn ystod ei oes ef i gwrdd ag uchelgais iasol llawer o rieni Cymreig i gael addysg deilwng i'w plant. Dyfynnaf o'i hunangofiant:

'Mae hanes digalon fy mywyd cynnar i hefyd yn hanes disgyblion dosbarth gweithiol fy nydd a'm cenhedlaeth, ac nid yw'n rhoi golau ffafriol iawn ar arloeswyr diwydiant Prydain. Cychwynnodd addysg orfodol yn nyddiau fy mhlentyndod, ond lawer blwyddyn yn ddiweddarach y daeth yn gymharol hawdd i fynd i'r Ysgol Ramadeg. Dyma'r ffordd i'r dosbarth gweithiol ddysgu'n raddol sut i ddringo allan o bydew tlodi.'[1]

Os na fu profiad Edmund Stonelake o addysg elfennol yn y 1880au yn ddigonol o bell ffordd, dangosodd Adroddiad Pwyllgor Aberdâr ym 1880, cyn belled ag yr oedd addysg uwchradd dan sylw, nad oedd fawr ddim, os o gwbl, ohono yng Nghymru. Fel y nododd Ken Morgan:

'... prin fod gan y rhan fwyaf o blant Cymru gyfle am addysg o gwbl y tu hwnt i'r lefel fwyaf elfennol. Fe'u tynghedwyd i'r un drefn ddiflas o waith bôn braich â'u rhieni a'u teidiau a'u neiniau.'[2]

1. *Autobiography*, Edmund Stonelake, t. 7.
2. *Wales: Rebirth of a Nation.* t.24. Ken Morgan.

Er bod Adroddiad Aberdâr wedi pwysleisio'r angen am weithredu ar frys, ac er bod Areithiau'r Frenhines ym 1882 a 1884 wedi addo Mesur, ni chyflwynwyd un tan 1885, er mai cwympo gyda llywodraeth Gladstone fu ei hanes y flwyddyn honno. Cyflwynwyd Mesurau Preifat eto ym 1887 a 1888, ond nid tan 1889 y daeth Deddf Addysg Ganolraddol Cymru ar y llyfr statud. Yr oedd y llywodraeth ganol wedi symud yn rhy araf a phetrus i ddiwallu anghenion rhieni o Gymry—yn union fel y gwnâi am y 100 mlynedd nesaf. Er gwaetha'r oedi, yr oedd y canlyniadau'n rhyfeddol. Ymatebodd y Cynghorau Sir a Bwrdeistref Sirol newydd, a sefydlwyd dan Ddeddf y flwyddyn flaenorol, yn frwdfrydig. Yn wir, mynegodd y Comisiyn-wyr Elusen Seisnig beth syndod fod y cynghorau newydd, ar adeg pan oedd amaethyddiaeth dan ddirwasgiad yng Nghymru, yn barod i ychwanegu at faich y trethdalwyr. Yr oedd yn arwyddocaol hefyd fod cynrychiolwyr y cynghorau sir mewn mwyafrif o 3 i 2 dros gynrychiolwyr y Cyfrin Gyngor ar y cyd-bwyllgorau oedd yn gyfrifol am sefydlu'r ysgolion newydd.

Mae'n sicr fod y cynghorwyr sirol hynny yn gwybod yn iawn beth oedd dymuniadau eu hetholwyr. Medrent adnabod y galw brys ac, er gwaethaf problemau ariannol dybryd—mewn rhai siroedd, er enghraifft,dim ond £600 oedd cynnyrch y dreth ddimai—gweithredodd y cyd-bwyllgorau yn syndod o gyflym a brwdfrydig i ddiwallu'r angen. Erbyn 1902, sefydlwyd 95 o ysgolion canolraddol newydd.

Nid oedd hyd yn oed y rhain, fodd bynnag, yn ddigon i fodloni'r galw. Tra bod galwadau tebyg yn Lloegr wedi arwain at ddatblygu ysgolion elfennol gradd uwch—y cyntaf yn Sheffield ym 1880—nid oedd Cymru am fod ar ei hôl hi. Yn y Rhondda, penderfynodd Bwrdd Ysgol Ystradyfodwg yn unfrydol ym 1882

'y dylid sefydlu Ysgolion Gradd Uwch a'u datblygu fel mater o frys a bod dirprwyaeth yn ymweld ag ysgolion o'r math yn Bradford a Sheffield'.[3]

O fewn pymtheng mis, erbyn Ionawr, yr oedd Bwrdd Ysgol Ystradyfodwg wedi agor yn yr Ystrad, Rhondda: hon fyddai'r Ysgol Radd Uwch gyntaf yng Nghymru.

Yr oedd aelodau'r Bwrdd mor falch nes iddynt wahodd Arglwydd Aberdâr i'r agoriad swyddogol. Fel y dywedodd y Western Mail:

'yr oedd tanio canonau yn y gymdogaeth yn arwydd o orfoledd y trigolion ynghylch y digwyddiad pwysfawr hwn'.[4]

Aeth y Bwrdd ymlaen o nerth i nerth. Agorwyd pum Ysgol Radd Uwch arall yn y Rhondda erbyn 1900. Yn wir, yr oedd aelodau'r Bwrdd mor

3. Cofnodion Bwrdd Ysgol Ystradyfodwg 18 Medi 1882, Archifdy Sirol Neuadd y Sir, Morgannwg Ganol, Caerdydd.
4. *Western Mail*, Ionawr 21, 1884.

hyderus y gwyddent beth oedd dymuniadau pobl y Rhondda nes iddynt roi anogaeth agored i ddatblygu dosbarthiadau gwyddoniaeth a chynnwys ieithoedd tramor yn y cwricwlwm. Yr oedd Ystradyfodwg, wrth gwrs, yn gweithredu'r un mor anghyfreithlon â Bwrdd Ysgol Llundain a gymerwyd i'r llys o'r diwedd ym 1901 gan Cockerton, Archwiliwr y Llywodraeth. Ac eto, y cyfan oedd ym meddwl aelodau Bwrdd Ystradyfodwg oedd ceisio gwneud eu gorau, er gwaethaf yr hyn a welent hwy fel gelyniaeth o'r tu allan, i fodloni gofynion eu cymuned.

Fodd bynnag, yr oedd aelodau Bwrdd Ystradyfodwg yn wynebu nid yn unig rwystredigaethau cyfreithiol dros dro Dyfarniad Cockerton. Yn nes adref, rhaid oedd iddynt ymgodymu â hwyrfrydigrwydd Cyngor Sir Morgannwg i geisio cymeradwyaeth i'w cynllun dan y Ddeddf Addysg Ganolraddol. Ni fyddai hyn yn digwydd tan 1896. Dyma'r cynllun olaf i'w gymeradwyo yng Nghymru, yn hollol wahanol i'r teimlad o frys a ddangoswyd gan Fwrdd Ystradyfodwg pan agorasai yr Ysgol Radd Uwch gyntaf 12 mlynedd ynghynt. Yn ddiniwed, credodd y Bwrdd i ddechrau y byddai'r Cyngor Sir yn siŵr o gydnabod Ysgol Radd Uwch Ystrad fel un o'r Ysgolion Canolraddol newydd. Yn wir, credai, ar sail poblogaeth yn unig, y câi ddwy neu dair, ac o fewn mis i basio'r Ddeddf, yr oedd yn deisebu'n frwd drostynt oll. I ddim diben. Wedi saith mlynedd o rwystredigaeth maith, pan gyhoeddodd Morgannwg yn y diwedd eu cynllun i sefydlu tair ar ddeg o'r ysgolion canolraddol newydd, un yn unig fyddai yn y Rhondda, ac yn y Porth y byddai honno—a hyn er gwaethaf y ffaith fod chwarter poblogaeth y sir yn y Rhondda.

Penderfynasai'r Sir mai'r ysgolion gramadeg gwaddoledig presennol fyddai'r ysgolion newydd yn bennaf—ac wrth gwrs, 'doedd dim ysgolion gwaddoledig yn y Rhondda. Yr oedd yn anorfod, felly, o'u profiad chwerw ar law llywodraeth ganol a chan eu cyngor sir pell eu hunain, y byddai olynydd y Bwrdd mewn gweinyddu addysg, Cyngor Dosbarth y Rhondda, am y 70 mlynedd nesaf, yn gyntaf fel awdurdod Rhan III dan Ddeddf 1902 ac yna fel Dosbarth a Eithriwyd dan Ddeddf 1944, yn dilyn eu llwybr pendant ac annibynnol eu hunain i ehangu'r cyfle am addysg uwchradd y mynnai rhieni'r Rhondda gael i'w plant.

Yr oedd y frwydr faith a chwerw dros yr 20 mlynedd nesaf, wedi Deddf Addysg 1902, pryd yr ymladdodd Pwyllgor Addysg y Rhondda i ennill statws uwchradd llawn i'w Hysgolion Elfennol Uwch yn Ferndale, Pentre a Thonypandy, yn nodweddiadol. Golygodd un frwydr arbennig o hir a ffyrnig geisio perswadio'r Bwrdd Addysg newydd i ganiatáu iddynt gyflwyno cwricwlwm estynedig newydd ar y dull uwchradd.[5]

Cafwyd trafodaethau meithion ac ymgynghori hir gydag Owen M. Edwards, y Prif Arolygydd yn Adran Gymreig y Bwrdd. O'r diwedd, pan

5. Rhoddir disgrifiad byw o'r trafodaethau rhwng O. M. Edwards a Phwyllgor Addysg Rhondda gan John Davies yn *Secondary Education and Social Change* 1870-1923, *Rhondda Past and Future*, gol. Ken Hopkins, Cyngor Bwrdeisdref Rhondda 1974.

roddwyd cydnabyddiaeth lawn i Donypandy ym 1915, gwnaed hyn yn unig ar yr amod y tynnid Lladin a Ffrangeg o'r cwricwlwm. Yn wir, cwynodd y Bwrdd na chrybwyllwyd uchelgais academaidd o'r fath yng nghynnig gwreiddiol y Rhondda a gyflwynwyd saith mlynedd ynghynt ym 1908. Mynnodd y Bwrdd y dylid rhoi yn eu lle waith bôn braich i'r bechgyn a gwaith domestig i'r genethod, ac y dylid cael cyfarwyddyd arbennig perthynol i waith tebygol y disgyblion yn y dyfodol.

Yr oedd hyn yn unol, wrth gwrs, â'r hyn a ddywedodd Prif Arolygydd yr Adran Gymreig ar y pryd wrth gynrychiolwyr y Rhondda mor gynnar â 1908, pan ddaethant gyntaf i bledio'u hachos dros Donypandy. Dywedasai Edwards wrthynt fod gan yr ysgol swyddogaeth ddiwydiannol:

> 'Rhaid i'r Prifathro baratoi'r bechgyn gan gyfeirio'n barhaus at anghenion yr ardal ac i waith tebygol y bechgyn yn y dyfodol'.[6]

Yn Nhonypandy ym 1908, y pwll oedd y dyfodol hwnnw. I ddeall pam fod Pwyllgor Addysg y Rhondda yn amharod i dderbyn cyngor y Prif Arolygydd, dylid cofio y byddai llawer o aelodau'r pwyllgor hwnnw, ymhen dwy flynedd, yn arweinyddion gweithgar streic glofeydd y Cambrian Combine, filltir yn unig o ysgol Tonypandy. Ni fuasent byth yn derbyn y dylid cyfeirio eu hysgolion i gynyddu elw'r meistri glo atgas. Nid yw'n syndod, rai blynyddoedd yn ddiweddarach, wedi cyfarfod amhroffidiol arall gyda Phwyllgor Addysg y Rhondda, i Owen Edwards ysgrifennu:

> 'Mae'r dynion Llafur sydd â'r holl rym yn mynnu cael Ffrangeg a Lladin. Gwrthwynebant ysgol sy'n lôn gaedig. Tybiant mai bwriad Ysgol Elfennol Uwch yw cadw mab y gweithiwr i lawr, ac y maent am ganfod ffyrdd i'w plant godi uwchlaw cloddio am lo. Tybiant mai Lladin a Ffrangeg yw'r ddau borth'.[7]

Mae'n eironig bod Owen M. Edwards, ei hun o Lanuwchllyn wledig, a lwyddasai i agor y drysau hynny a dod yn gymrawd o Goleg Lincoln, Rhydychen, wedi bod mor ddideimlad fel na fedrai gydnabod dyheadau glowyr y Rhondda am ddyfodol eu plant.

Wrth gwrs, nid rhieni'r Rhondda yn unig a freuddwydai freuddwydion fel hyn. Buan y dilynwyd menter Bwrdd Ystradyfodwg yn sefydlu'r Ysgol Radd Uwch gyntaf yng Nghymru ym 1884 gan Fyrddau yng Nghaerdydd, Merthyr, Llanelli, Gelligaer ac Abertawe. Yn wir, James Wignall, cynrychiolydd o Abertawe, a gwynasai'n filain yng Nghynhadledd y T.U.C. ym 1901, fod yr Ysgolion Canolraddol Cymreig:

> 'allan o gyrraedd plentyn y gweithiwr'

Aeth ymlaen i ddadlau y gallai'r Ysgol Raddfa Uwch fod yn

---

6. Swyddfa Cofnodion Cyhoeddus Ed 10/166, dyfynnwyd gan Gareth Elwyn Jones, *Control and Conflicts in Welsh Secondary Education*, 1889-1944. Gwasg Prifysgol Cymru, 1982.
7. Swyddfa Cofnodion Cyhoeddus Ed 20/166, dyfynnwyd gan Gareth Elwyn Jones, op.cit.

'unig obaith i blant y gweithiwr'.[8]

Nid bod yr ysgolion newydd yn sefydliadau gwahanol iawn—yn wir, yr oedd y Prifathrawon a'r Llywodraethwyr yn agored yn dynwared yr Ysgolion Canolraddol o ran cwricwlwm, ac yr oeddynt yr un mor frwd yn paratoi cynifer ag y gallent o'u disgyblion ar gyfer addysg uwch. Wedi'r cyfan, ymateb yr oedd yr ysgolion gradd uwch i alw brys yn yr ardaloedd trefol a wasanaethent—galw nad oedd yn cael ei fodloni, i raddau helaeth. Yr oedd llawer ohonynt, fodd bynnag, yn wahanol iawn mewn un ffordd bwysig. Nid oedd raid talu i fynd iddynt, ac erbyn 1920, yr oedd o leiaf 20 ohonynt yng Nghymru.

Dyma oedd ar y rhieni ei eisiau, a cheisodd yr awdurdodau lleol wneud eu gorau glas i'w ddarparu. Eto, os arholiadau oedd y tocyn gorau yn y gystadleuaeth i ddianc, yna cefnogai'r rhieni arholiadau o'r fath—hyd yn oed mewn Lladin a Ffrangeg—beth bynnag a ddywedai Prif Arolygwyr o'r Bwrdd Addysg. Dyma'r rheswm hefyd am y parch mawr oedd gan rieni i'r Bwrdd Cymreig Canolog—nid, wrth gwrs, fel math o Gyngor Addysg i Gymru, ond fel corff arholi yr oedd ei dystysgrifau yn docyn aur i lwyddiant yn y dyfodol i gymaint o blant Cymreig a ddeuai o gartrefi a ddioddefasai gan y prawf modd. Mewn termau addysgol, mae'n siwr fod A.E.M. yn iawn pan feirniadodd Ysgol Raddfa Uwch y Pentre ym 1912 am ganolbwyntio ar ennill tystysgrifau ac am 'ddylanwad gormodol arholiadau'r ysgol ar gwricwlwm yr ysgol'.

Wrth gwrs, yr oedd O.M. Edwards hefyd wedi gwrthwynebu'n gyson yr hyn a deimlai, â phob cyfiawnhad, oedd yn ddylanwad addysgol drwg B.C.C. ar ysgolion Cymru oherwydd bod yr arholiadau'n canolbwyntio ar gwricwlwm haearnaidd gyda mynediad i brifysgol yn nod i anelu ato, ac mai'r ffordd orau i ymgyrraedd at hyn oedd dysgu ar y cof. Gwelodd y B.C.C. yn gorfodi'r ysgolion Canolraddol i fod fel yr ysgolion gramadeg yn Lloegr, gyda chwricwla academaidd anaddas i anghenion Cymru. A dyma, wrth gwrs, beth geisiodd llawer o'r prifathrawon cynnar—llawer ohonynt yn raddedigion o Rydychen a Chaergrawnt—eu gwneud, gyda'r staff yn eu gynau, swyddogion, dyddiau gwobrwyo, gemau tîm a chorfflu milwrol.

Nid oedd y rhieni'n gwrthwynebu. Rhoent hwy groeso i bob ymgais i ymgyffelybu i ysgolion bonedd Lloegr.

Nid oedd y rhieni chwaith yn gwrthwynebu ar y cychwyn yr arholiadau mynediad cystadleuol i'r ysgolion canolraddol a gradd uwch—daeth y rhain yn gyffredin ledled Cymru wedi 1910. Beth oedd yn achosi pryder mawr iddynt oedd nad oedd digon o le i fodloni'r galw cynyddol: galw yr oedd y rhan fwyaf o awdurdodau lleol Cymreig yn ymdrechu'n lew i'w fodloni. Y canlyniad oedd fod mynediad i ysgolion gramadeg yn y trefi ac yng nghefn gwlad Cymru yn y Tridegau wedi codi i dros 50 y cant o'r grŵp oedran: mwy na thair gwaith y cyfran a argymhellwyd gan adroddiad Spens ym

---

8. Dyfynnwyd gan Gareth Elwyn Jones, op.cit.

1938 fel rhywbeth fyddai'n addas i addysg ysgol ramadeg wedi dethol yn 11+. Yn y chwedegau, pan alwodd Harold Wilson am addysg ysgol ramadeg i bawb, bu llawer o awdurdodau addysg Cymreig yn llenwi eu llefydd hwy ers tro byd â dwbl y niferoedd oedd yn mynd i ysgolion cyffelyb yn Lloegr. Nid oedd y ffaith fod y cwricwlwm academaidd haearnaidd yn anaddas i lawer o'r disgyblion yn peri fawr o bryder i'r cyhoedd ar y cychwyn. Yn raddol, fodd bynnag, a thros y blynyddoedd, rhoes y graddfeydd gadael uchel a diffygion amlwg llawer o'r ysgolion uwchradd modern symbyliad cryf i'r ymgyrch am ysgolion cyfun a gwneud i ffwrdd â'r 11+.

Gosodwyd y syniad o ysgol uwchradd gyffredin fel rhan o bolisi swyddogol y Blaid Lafur mor gynnar â 1917. Cynhwysodd addysg uwchradd orfodol gyffredinol, rad tan un ar bymtheg oed, a sylfaen gadarn o addysg gyffredinol i bawb. Yr oedd y weledigaeth racicalaidd hon, wrth gwrs, ymhell o flaen ei hamser, ond fe'i hysbrydolwyd gan argyhoeddiad llawer y dylid ehangu'r cyfle am addysg wedi'r rhyfel. Dylai Lloegr wedi 1918 nid yn unig fod yn wlad addas i arwyr, ond dylai plant yr arwyr hynny gael cyfle am well addysg.

Yr oedd W.G. Cove, Llywydd yr N.U.T., a etholwyd yn ddiweddarach yn A.S. Aberafan ym 1929, wedi hen ymrwymo i'r hyn a elwid yn ysgol uwchradd gyffredin a chwricwlwm cyffredin. Yr oedd hefyd yn erbyn dethol yn 11+ ac yn erbyn tuedd alwedigaethol ysgolion technegol. Wrth siarad yn Nhŷ'r Cyffredin, 'roedd wedi dadlau:

'I weithwyr yn unig y clywaf annog hyfforddi gaiwedigaethol. Chlywais i erioed am hyfforddi aelodau'r dosbarth uwch ar gyfer galwedigaeth'.[9]

Dyma adlais o'r un ddadl ag a glywodd O.M. Edwards gan aelodau Pwyllgor Addysg y Rhondda mewn dadl am y cwricwlwm gorau i ysgol Uwchradd Tonypandy, a dyma'r union ysgol a fyddai, yn y 1920au, yn cymryd disgybl a ddeuai wedyn yn Ysgrifennydd Gwladol Cymru ac yn Llefarydd nodedig Tŷ'r Cyffredin. Eto, dylid cofio na fu ysgol Tonypandy yn ysgol Sirol Ganolraddol: nid oedd yn Eton, chwaith, er i George Thomas yn aml fwynhau dweud wrth gynulleidfaoedd sut na ellid gwahaniaethu streipiau a lliwiau tei Ysgol Uwchradd Tonypandy oddi wrth liwiau'r ysgol honno yr hawliwyd bod ei meysydd chwarae mor ddylanwadol yn hanes milwrol Lloegr.

Ers troad y ganrif, cafwyd galw cynyddol yng Nghymru am addysg uwchradd ac yn nifer y disgyblion oedd yn ei derbyn. Ym Meirionnydd rhwng 1896 a 1919, treblodd y ffigyrau, a bu'r cynnydd bron gymaint ym Morgannwg ddiwydiannol. Yr oedd pwysau tebyg yn Lloegr ac ymdeimlad wedi'r rhyfel o gyfiawnder cyffredin wedi arwain at Ddeddf Fisher ym 1918, a ddiwygiodd y gyfundrefn grantiau a sicrhau y byddid yn talu o leiaf 50 y

9. Dyfynnwyd gan Gareth Elwyn Jones, op.cit.

cant o gost addysg o arian canolog. Gwnaeth i ffwrdd hefyd â phob eithriad i'r rheol o oed gadael ysgol yn 14, a gwneud darpariaeth i'w godi i 15 yn nes ymlaen. Yn nodweddiadol, fodd bynnag, ym 1947 y digwyddodd hynny, wedi bron i ddeng mlynedd ar hugain o ddirwasgiad economaidd a'r Ail Ryfel Byd.

Bu'r blynyddoedd hynny hefyd yn rai o rwystredigaeth ac oedi i'r awdurdodau lleol Cymreig a'r bobl yr oeddent yn eu cynrychioli. Erbyn 1920, 'roedd Morgannwg, yr awdurdod mwyaf, wedi ymateb yn frwdfrydig i ofynion Deddf Fisher i baratoi cynllun datblygu. Cyhoeddodd raglen uchelgeisiol a ymrwymai'r awdurdod i ddarparu addysg uwchradd am ddim i bob disgybl rhwng 12 ac 16 oed. Byddai'n rhaid codi 33 ysgol. Byddai pob plentyn yn newid ysgol yn 12 oed, a cheid cyfundrefn o lwfansau cynnal. Mynd i'r gwellt, fodd bynnag, fu hanes rhaglen mor flaengar a goleuedig. Byddai Morgannwg, fel yr awdurdodau Cymreig eraill, yn dioddef yn arw o effeithiau'r dirwasgiad economaidd difrifol a diboblogi gorfodol.

Rhwng 1928 a 1936, cafwyd gostyngiad o bron i 15 y cant ym mhoblogaeth Cymru yn gyffredinol: ond yng nghymoedd Morgannwg, yr oedd hyd yn oed yn llymach. Cwympodd poblogaeth ysgol y Rhondda, er enghraifft, o 34,000 i 25,000 ac ym Merthyr o 16,000 i 12,000. Ar yr un pryd, yr oedd awdurdodau addysg Cymru yn dioddef effeithiau bwyell Geddes ac argymhellion llym Pwyllgor May, argymhellion sy'n dangos yn glir ragfarn llywodraeth ganolog yn erbyn breuddwydion y tlodion a'r diwaith am addysg i'w plant. Dyma, ym 1931, a'r Dirwasgiad ar ei waethaf, sut yr amddiffynodd pwyllgor May ei argymhellion am driniaeth arw:

> 'gan fod safon yr addysg a roddir i blentyn y rhieni tlawd mewn llawer achos yn well na'r hyn y mae'r rhiant dosbarth canol yn ei darparu ar gyfer ei blentyn ei hun, teimlwn ei bod yn adeg atal y polisi hwn o ehangu, i gadarnhau'r tir a enillwyd, i leihau cost ei ddal ac ail-drefnu'r peirianwaith presennol cyn symud ymlaen yn gyffredinol'.[10]

I leihau'r gost honno, byddid yn torri cyflogau athrawon o 10 y cant tan 1935—ac, yn arbennig o bwysig i Gymru, byddid yn gwneud i ffwrdd â'r gyfundrefn o lefydd 'rhad' mewn ysgolion uwchradd, a rhoi cyfundrefn o lefydd 'arbennig' yn ei lle. Fel hyn y gobeithiai'r llywodraeth—i ail-adrodd y ddelwedd filwrol—gadarnhau'r tir cyn gwneud ymosodiad cyffredinol arall. Yr hyn a ddigwyddod, wrth gwrs, oedd peidio symud ymlaen am 15 mlynedd arall, wedi diwedd yr Ail Ryfel Byd.

Yn ystod blynyddoedd dychrynllyd y Dirwasgiad yng Nghymru wledig a diwydiannol, ychydig iawn o'r gwaith bôn braich, hyd yn oed, oedd i'w gael ar y ffermydd ac yn y pyllau, er bod rhieni wedi gobeithio y buasai addysg yn arbed eu plant rhag y dynged honno. Yn awr, yr oedd tystysgrif y B.C.C.

10. Adroddiad Pwyllgor May 1931. Dyfynnwyd gan Brian Simon *Education and the Labour Movement 1870-1920*. t.362. Lawrence and Wishart, 1965

hyd yn oed yn fwy hanfodol ar gyfer swydd, ond yn ardal Llundain a Chanolbarth Lloegr yr oedd y swyddi hynny—sefyllfa a grynhowyd yn jôc chwerw Gwyn Thomas am yr arysgrif ar fedd yn y Rhondda yn y tridegau:

'*not dead, but gone to Slough*'.

Ac oherwydd bod tystysgrif B.C.C. yn cael ei chydnabod yn Slough, yr oedd yn anorfod y byddai cwricwlwm gyda phwyslais trwm ar arholiadau yn parhau yn ysgolion uwchradd Cymru trwy gydol y ddau ddegawd garw ac—yng ngeiriau Auden—anonest hynny.

Mae Gwyn Thomas hefyd wedi ysgrifennu am ei deimlad o euogrwydd wedi iddo ennill lle yn ysgol Ganolraddol Sirol Porth, ac yna gael ysgoloriaeth i Rydychen, gan adael ar ei ôl Rondda a oedd yn plygu dan anobaith y tridegau. Fel y gwyddai Gwyn yn ei annifyrrwch yn iawn, yr oedd gwisgo blaser werdd Ysgol Sirol Porth yn golygu bod yn un o'r etholedig rai. Wedi'r cyfan, yr oedd yn dilyn ôl troed Alun Oldfield Davies, mab gweinidog gyda'r Annibynwyr a ddeuai yn Bennaeth y B.B.C. yng Nghymru, a Ben Bowen Thomas, mab i löwr a fyddai'n dod yn Ysgrifennydd Parhaol yn Adran Addysg Cymru. Mynd yn athro yn y Barri fu hanes Gwyn ei hun—hen ysgol Ganolraddol arall—yn ogystal â dod wedyn yn llenor a darlledwr, ond yr oedd yn wastad yn ymwybodol o'r eironi chwerw a orfododd gymunedau sosialaidd De Cymru i fabwysiadu a defnyddio fframwaith elitaidd o addysg uwchradd ar gyfer eu plant.

Deuai annhegwch cyfundrefn o'r fath, a'r ffordd yr oedd yn nacáu cyfle, yn amlwg yn ystod yr Ail Ryfel Byd, pryd y dangosodd llawer o'r rhai a adawodd ysgolion gramadeg ac ysgolion elfennol uwch Cymru a Lloegr nid yn unig ddewrder ym Mrwydr Prydain, ym Mrwydr yr Iwerydd a'r ymosodiad ar Normandi, ond hefyd ddeallusrwydd a menter a ddylasai fod wedi rhoi hawl iddynt gael addysg hwy a gwell. Fel hyn y bu wedi'r Rhyfel Byd Cyntaf. Cyn i'r Ail Ryfel orffen, yr oedd R.A. Butler a Chuter Ede yn cynllunio ac yn ymgynghori ar Ddeddf Addysg newydd. Un o'i brif flaenoriaethau fyddai'r hyn y bu galw cyhyd amdano yng Nghymru, ehangu addysg uwchradd rad i bawb.

Fel y digwyddodd, cododd Deddf 1944 oed gadael ysgol i 15, er na ddaeth i rym tan 1947. Yr oedd y Ddeddf hefyd yn darparu ar gyfer ei godi i 16 'cyn gynted ag y bydd hyn yn ymarferol'. Ni fyddai mwy o ysgolion elfennol. Cynradd neu uwchradd fyddai ysgolion bellach. Gwaharddwyd talu ffioedd yn ysgolion y wladwriaeth.

Yr oedd y mesurau hyn yn gam ymlaen. Ond, eto, roedd siomiant ar y ffordd. Byddai cyfyngiadau ariannol unwaith eto yn oedi codi oed gadael ysgol i 16 tan 1972. Aeth 30 mlynedd heibio cyn i'r peth ddod yn ymarferol. Rhaid bod ystyriaethau ariannol hefyd wedi dylanwadu ar fabwysiadu trefniant triphlyg ar gyfer addysg uwchradd, yn enwedig pan oedd Adroddiad Spens (1938) ac Adroddiad Norwood (1943) wedi rhoi parchusrwydd proffesiynol ac academaidd i raniad anghyfartal o'r fath. Er nad oedd Deddf

51

1944 wedi gosod unrhyw gyfundrefn arbennig ar gyfer addysg uwchradd, yr oedd uwch-swyddogion y Bwrdd Addysg, a oedd yn gwrthwynebu ehangu drud, yn croesawu dadleuon a oedd yn cyfyngu buddsoddi mawr i lai na thraean y boblogaeth ysgolion uwchradd. Yr oedd Pwyllgor Spens wedi dod dan ddylanwad tystiolaeth a roddwyd iddo am theorïau seicolegol ffasiynol am yr hyn a alwyd yn 'ddeallusrwydd cyffredinol'. Medrodd yr arbenigwyr hefyd sicrhau'r Pwyllgor y gellid mesur deallusrwydd o'r fath trwy 'brofion deallusrwydd', ac y byddai oddeutu 18 y cant o boblogaeth yr ysgolion bob blwyddyn yn gallu mateisio ar addysg mewn ysgol ramadeg.

Yr oedd y pwyllgor hefyd yn ymwybodol o ba mor ddrud y byddai unrhyw fath o ysgol amlochrog. Byddai trefniant triphlyg, a ofalai am yr ysgolion gramdeg, yn rhatach. Felly, gwnaeth y Pwyllgor, a oedd, hwyrach, yn lled-ymwybodol o annhegwch trefniant o'r fath, nodwedd fawr o'r hyn a alwai yn 'gydraddoldeb parch' rhwng y tair math o ysgol—o ran maint dosbarthiadau, nifer athrawon, ac ansawdd adeiladau a chyfleusterau.

Ni wnaeth Spens argraff dda ar Brifathrawon Ysgolion Sirol Cymru. 'Tlawd a siomedig' ydoedd ym marn T.I. Ellis o'r Rhyl. Dywedodd Idris Jones o Aberpennar mai myth oedd y 'cydraddoldeb' a bwysleisiwyd yn yr adroddiad, ac na chrybwyllwyd y rhesymau sylfaenol am atal cynnydd yng Nghymru. Fe'u rhestrwyd:

> 'tlodi, diraddio a thorri ysbryd y boblogaeth trwy ddiweithdra maith, baich llethol cymorth cyhoeddus, yr amodau byw cywilyddus ac erchyll y mae cymaint o'r genedl, gan gynnwys ein disgyblion ein hunain, yn byw ynddynt.'[11]

Cytunai Parry Jones o Ysgol Ramadeg Llanrwst; yr oedd yn sicr mai rhith oedd y 'cydraddoldeb' rhwng pob ffurf o addysg ôl-gynradd a'r syniad o gael tair math o ysgol. Ysgrifennodd:

> 'Un o reddfau cryfaf plentyn—a rhiant—yw'r awydd i gael ei drin yr un fath â'i gymheiriaid: y synnwyr o gyfiawnder, os mynnwch, neu 'gydraddoldeb', o ongl arall. Sut mae diwallu'r awydd cryf trwy ddrafftio plant yn orfodol i dri gwahanol fath o ysgol o ganlyniad i arholiad mynediad?'[12]

Nid yw'n syndod bod W.G. Cove wedi dweud rhywbeth tebyg iawn:

> 'ni ellir cynnal barn Pwyllgor Spens ar sail egwyddor ac arfer addysgol, ond yn unig ar sail goblygiadau cymdeithasol a pholisi cymdeithasol.'[13]

gallasai fod wedi ychwanegu cyfyngder ariannol.

Byddai'r gyfundrefn driphlyg yn parhau am 30 mlynedd a mwy. 'Roedd yn ffordd ratach o ddarparu rhyw fath o addysg uwchradd rad i bawb, a chafodd ei annog, hyd yn oed, gan Lywodraeth radicalaidd Llafur ym 1945-

11. *Welsh Secondary Schools Review*, 1939
12. Ibid.
13. Dyfynnwyd gan Gareth Elwyn Jones, op.cit.

51. Mewn rhannau o Gymru wledig, fodd bynnag, yr oedd systemau amlochrog a chyfun yn bosibl oherwydd pellter, lledaeniad y boblogaeth a'r adeiladau oedd ar gael—ym Môn, er enghraifft, mor gynnar â'r 1950au. Ond yng Nghymru drefol, yn nhrefi'r Cymoedd, arweiniodd y drefn driphlyg yn aml at ysgolion uwchradd modern bychain mewn adeiladau Fictoraidd siabi, oedd yn gwneud ffwlbri o syniad Spens am 'gydraddoldeb parch'.

O ganlyniad, yn y 30 mlynedd ar ôl y Rhyfel, cafwyd galw cynyddol am wneud i ffwrdd ag annhegwch y gyfundrefn driphlyg, a chael gwared o'r drefn ddethol 11+ annheg a fu'n ei chynnal. Y rheswm pam y cymerodd y diwygio gymaint o amser oedd yn rhannol oherwydd balchder Pwyllgorau Addysg Cymru yn yr ysgolion gramadeg y brwydrasant cyhyd i'w sefydlu, ond mae i'w briodoli hefyd i ddiffyg buddsoddi digonol yn yr adeiladau a'r cyfleusterau y mae ar ysgolion cyfun eu hangen—a rhaid cyfaddef fod y rhain yn ddrud. Unwaith eto, fel mor aml dros y 100 mlynedd a aeth heibio, bu'n hanes o bwysau lleol am ehangu yn cael eu rhwystro gan oedi naill ai oherwydd cyfyngiadau economaidd neu weithredu bwriadol gan lywodraethau adweithiol a wrthwynebai ymestyn addysg uwchradd. Er enghraifft, cyflwynodd Morgannwg, y mwyaf o'r awdurdodau Cymreig o bell ffordd, gyda thraean o boblogaeth Cymru, ei chynllun datblygu yn ôl gofynion Deddf 1944, gyda chynnig am ysgolion nad oedd yn dethol. Gwrthododd y Gweinidog Addysg, fel y'i galwyd bellach, y cynnig ar y sail na ddylai'r Awdurdod osod cyfundrefn unffurf na phrofwyd ei gwerth.

Yr oedd yn gyd-ddigwyddiad eironig dros ben mai yn Nhonypandy ac Aberdâr y sefydlwyd ysgolion cyfun ym 1978 pan gwblhawyd yr ad-drefnu cyfun o'r diwedd yn ardal yr hen Forgannwg ac y gwnaed i ffwrdd â'r 11+. Dros gwricwla'r ysgolion hyn y brwydrodd Pwyllgor Addysg y Rhondda cyhyd, ac yn ysgolion gramadeg Aberdâr yr ymfalchïodd Edmund Stonelake gymaint—Aberdâr, a roes ei henw i Gadeirydd y Pwyllgor a adroddasai ym 1881 ar gyflwr enbyd addysg Uwch a Chanolraddol yng Nghymru. Sylwasai'r Adroddiad hwnnw fod Cymru yn genedl ar wahân. Dadleuodd nad mater o fodolaeth yn unig oedd y cenedligrwydd hwnnw na bodolaeth yr iaith Gymraeg, er bod dros filiwn o boblogaeth o filiwn a hanner yn siarad Cymraeg bob dydd y pryd hwnnw. Dadl Adroddiad Aberdâr oedd nad oedd yr ysbryd cenedlaethol Cymreig yn cwffio yn erbyn awdurdod canolog nac yn protestio yn erbyn goruchafiaeth yr hyn a alwai yn hil uwch. I'r gwrthwyneb, meddai, yr oedd yr ysbryd cenedlaethol Cymreig yn fwy bodlon i gadw teimladau traddodiadol yr hil a hybu'r syniadau a'r delweddau hynny a oedd yn nodweddiadol o'r genedl. Nid oedd yr adroddiad yn manylu ar natur y teimladau traddodiadol hynny—a oeddent, er enghraifft, yn cwmpasu uchelgais ffyrnig Bwrdd Ysgol Ystradyfodwg neu ei olynwyr, Pwyllgor Addysg y Rhondda.[14]

14. Gweler G. Robins op.cit.

Pan edrychwn yn ôl dros y 100 mlynedd diwethaf o weinyddu addysg yng Nghymru, rhaid dweud fod peth gwir yn y farn honno. Mae dirywiad yr iaith Gymraeg dros y rhan fwyaf o'r cyfnod yn dangos yn eglur iawn pa mor anodd fu cynnal unrhyw nodwedd genedlaethol wahanol i eiddo cymydog agos gyda phoblogaeth bron i 20 gwaith yn fwy, a Chynnyrch Cenedlaethol Gros sydd bron yr un mor frawychus. Mae bron yn amhosibl dan amgylchiadau o'r fath, a defnyddio ymadrodd o Adroddiad Aberdâr, 'brwydro yn erbyn awdurdod canolog'. Y canlyniad anorfod mewn gweinyddu a ffurfio polisi addysgol yng Nghymru fu, gyda phasio pob Deddf Addysg, iddynt ddod fwyfwy ynghlwm â Lloegr. Er gwaethaf pasio Deddf Addysg Ganolraddol Cymru, sefydlu'r Bwrdd Cymreig Canolog ac Adran Gymreig yn y Bwrdd Addysg, nid arweiniodd yr un o'r rhain at ehangu cyfundrefn addysg uwchradd benodol yng Nghymru nac at un a oedd mor wahanol â hynny i'r hyn oedd yn datblygu'n fwy graddol yn Lloegr. Yr oedd gormod o bwysau economaidd a chymdeithasol cryf yn atal datblygiad gwahanol o'r fath.

Nid oedd modd i'r cyrff a oedd yn gweinyddu'r ysgolion anwybyddu'r pwysau hyn, boed y gweinyddu yn nwylo Byrddau Ysgol, awdurdodau Rhan II, Dosbarthiadau a Eithriwyd, Bwrdeistrefi Sirol neu Gynghorau Sir.

Er enghraifft, yr oedd Deddf Addysg 1902 yn uniaethu awdurdodau addysg lleol Cymreig yn agosach fyth â'r gyfundrefn Seisnig nag a wnaeth Deddf 1870 gyda'i chyfundrefn o Fyrddau Ysgol. Er i'r Ddeddf Addysg Ganolraddol, gyda'r cymalau codi arian oedd yn unigryw bryd hynny, roi rhywbeth penodol ar wahân i Gymru ym 1889, ni pharodd hynny'n hir. Ym 1902, rhoddwyd yr hawl i awdurdodau newydd yng Nghymru a Lloegr godi arian i dalu am fynychu ysgolion yn orfodol o 5 i 13 oed.

Wrth gwrs, cafwyd ymdrechion yn ystod y blynyddoedd cynnar hynny i ennill rhywfaint o hunaniaeth Gymreig mewn gweinyddu a ffurfio polisi. Yn y Ddeddf Addysg Ganolraddol ei hun, aethai cymal yn mynnu sefydlu Cyngor Addysg Cenedlaethol Cymreig mor bell â'r cyfnod pwyllgor. Ym 1892 hefyd, gosodwyd Mesur gerbron y Tŷ a oedd yn cynnig nid yn unig Gyngor ond Ysgrifennydd Gwladol i Gymru, Adran Addysg Gymreig a Bwrdd Llywodraeth Leol ac Amgueddfa Genedlaethol. Dau ar bymtheg A.S. Cymreig yn unig a gefnogodd y Mesur. Dyna faint yr hyn a alwodd Adroddiad Aberdâr yn 'frwydr yn erbyn awdurdod canolog'.

Y Bwrdd Canolog Cymreig, a sefydlwyd ym 1896, fyddai'r unig gorff oedd yn ymdebygu i Gyngor Cenedlaethol, ond pwerau cyfyngedig iawn oedd ganddo, a'i brif ddatblygiad fu gweithredu fel corff arholi Cymreig cenedlaethol gyda'r bwriad o gynnal safonau cyffelyb i rai cyrff arholi yn Lloegr.

Arweiniodd pwysau am Gyngor Addysg i Gymru hefyd ym 1907 at sefydlu Adran Gymreig yn y Bwrdd Addysg. Gofynasai Deddf 1902 i'r Bwrdd fod yn gyfrifol am faterion yn ymwneud ag arolygu addysg yng Nghymru a Lloegr. Bwriadwyd yr Adran Gymreig i fodloni'r gofyn hwn, ond fe'i cyflwynwyd hefyd fel consesiwn i'r sawl fu'n ymgyrchu ers tro byd am ddatganoli sylweddol ar bwerau.

Gyda sefydlu'r Adran, penodwyd Alfred Davies fel yr Ysgrifennydd Parhaol cyntaf ac Owen M. Edwards fel Prif Arolygydd. Ieuo anghymharus os bu erioed. Trwy ei fywyd, cydnabu Edwards 'genedligrwydd arbennig' Cymru. Cofiai ei blentyndod gwledig, a charai'r iaith Gymraeg.

Fel y dywedodd Hazel Davies yn ei hastudiaeth ddiweddar, meddai ar

'unplygrwydd nod a ganiataodd iddo gyhoeddi, cynllunio a ffurfio cwrs llenyddiaeth ac addysg Cymru am y dyfodol... ac fel pob arloeswr a phroffwyd, 'roedd ganddo freuddwyd....'[15]

Os oedd gan y Prif Arolygydd newydd weledigaeth, dangosodd Alfred Davies yr un unplygrwydd yn y nod, mwy ymarferol hwyrach, o hybu pwysigrwydd ei swydd ei hun a thrwy hynny yr adran newydd yn White-hall. Ni fyddai'n dasg hawdd. Fel y dywedodd Ken Morgan, nid oedd yr adran Gymreig

'yn fygythiad mawr i'r drefn gyfansoddiadol ac addysgol sefydledig, hyd yn oed os oedd yn cydnbaod i ryw raddau ddyheadau Cymru'.[16]

Y rheswm am hyn oedd y byddai'n aros i raddau helaeth yn rhan o'r Bwrdd Addysg. Nid oedd gan Brif Glerc y Bwrdd unrhyw amheuon am ei statws:

'Y ddamcaniaeth yw nad yw'r Adran Gymreig yn gwahaniaethu oddi wrth yr arfer sefydledig ac eithrio wedi trafodaeth gydag ochr Seisnig y swyddfa neu, mewn achosion pwysig, wedi cyfeirio at y Llywydd'.[17]

Enghraifft nodweddiadol o'r rhagfarn oedd yn wynebu Davies oedd sylw Pennaeth Cangen Gyhoeddi'r Bwrdd pan oedd Davies am gyhoeddi pam-ffledi ar faterion Cymreig penodol megis ysgolion gwledig:-

'Ni allai unrhyw awgrym fod yn addysgol waeth nag y dylid annog Cymru i edrych ar bob problem addysgol o safbwynt Cymreig cul ac, yn waeth fyth, y dylid dyfeisio safbwynt cul Cymreig er budd arbennig Cymru'.[18]

Disgrifiwyd Davies fel personoliaeth ymosodol, unbeniaethol a garw, ond mae'n hawdd deall ei ymateb i ragfarn Whitehall. Erbyn 1913, yr oedd yn dal i ofyn i'r Llywydd am reoliadau ar wahân, adroddiadau ar wahân, amcangyfrifon ar wahân—y cyfan i fodloni'r galwadau llethol am hun-aniaeth Gymreig. Gofynnodd hyd yn oed am i'w adran gymryd y cyfrifoldeb

15. Hazel Davies, *O. M. Edwards*. Gwasg Prifysgol Cymru 1988.
16. *Wales in British Politics*. t. 228. Ken Morgan.
17. Swyddfa Cofnodion Cyhoeddus Ed 10/122. Dyfynnwyd gan Gareth Elwyn Jones, op.cit.
18. Dyfynnwyd yn Randall *"Administrative Decentralisation"* Thesis MSc (Econ) Cymru 1969.

am addysg dechnegol, am addysg arbennig ac am waith canghennau'r brifysgol yng Nghymru. Ni lwyddodd.

Siom, felly, fu sefydlu'r Adran Gymreig i'r sawl oedd am fwy o annibyniaeth. O ganlyniad, daliodd yr ymgyrch am Gyngor Addysg Cymreig ymlaen.

Ym 1913, ysgrifenasai Lloyd George mewn llythyr preifat:

'y dylem gymryd y cyfle yn y Mesur Addysg mawr nesaf am undod ac annibyniaeth lwyr Cymru mewn addysg'.[19]

Fodd bynnag, ni fanteisiwyd ar y cyfle hwnnw â Deddf 1918, nac eto hyd yn oed ym 1944. Er enghraifft, dywedodd R.A. Butler ym 1942 yn ei ymgynghori am y Mesur oedd i ddod, wrth Ffederasiwn y Pwyllgorau Addysg:-

'tra'n bod yn cadw mewn cof o hyd ddyheadau Cymru... mae'n ddymunol ac yn well i anghenion Cymru ffitio i'r cynllun cyffredinol'.[20]

ac yn hyn, nid oedd ond yn adlewyrchu barn a ddaliwyd yn Whitehall ers tro byd. Nid oedd yn syndod mai dyna oedd barn Butler. Yn y blynyddoedd rhwng y Rhyfel, ychydig o dystiolaeth fu fod yr Adran Gymreig, hyd yn oed petai wedi dymuno gwneud, wedi medru cymryd unrhyw farn bolisi oedd yn wahanol i farn Bwrdd Addysg Lloegr. Ymddeolodd Alfred Davies yn y diwedd, wedi cael ei urddo'n farchog, ac er y gallasai ei olynwyr, Percy Watkins tan 1933 a Wynn Wheldon tan ddiwedd yr Ail Ryfel Byd, fod wedi dymuno pwyso am anghenion Cymru, fe'u rhwystrwyd rhag cymryd unrhyw gamau annibynnol pendant gan bwysau economaidd y Dauddegau a'r Tridegau.

Ym 1929, er enghraifft, gwnaeth Percy Watkins gais aflwyddiannus i berswadio Trevelyan, Llywydd y Bwrdd, na ddylid datblygu yng Nghymru yr ysgolion canol a oedd ynghlwm yn argymhellion Adroddiad Hadow ym 1926. Barn gywir Watkins oedd mai mwy o ysgolion uwchradd, nid canol, oedd dymuniad pobl Cymru. Cynigiodd felly, yn yr ardaloedd gwledig Cymreig, y dylai'r ysgolion uwchradd presennol ddal i ganiatáu mynediad i bob plentyn o'r ysgolion elfennol yn yr ardal. Awgrymodd, hyd yn oed, y dylid gwneud i ffwrdd â ffioedd yn ysgolion uwchradd Cymru, ac, yn fwy mentrus fyth, y dylid talu cyflogau statws uwchradd i athrawon ysgol elfennol, wrth i'r ysgolion godi yn eu statws yn ôl ei gynigion radicalaidd. Dychrynnodd swyddogion y Bwrdd Addysg at yr hyn oedd, yn eu barn hwy, yn wrthryfel Cymreig anghyfrifol. Pe mabwysiedid awgrymiadau Watkins, byddai statws yr ysgol uwchradd yn Lloegr yn gostwng, a byddai modd herio'r gwahanfur cadarn rhwng codau elfennol ac uwchradd. Fel y nododd

19. BCC *"Today and Tomorrow in Welsh Education* 1016 t. 45
20. Swyddfa Cofnodion Cyhoeddus Ed 136/237, dyfynnwyd gan Gareth Elwyn Jones, op.cit.

un swyddog mewn ymateb i ddadl Watkins nad oedd ar rieni Cymru eisiau ysgolion canol, nid dyletswydd y Bwrdd, meddai, oedd:-

> 'bodloni dyheadau, waeth pa mor glodwiw, ond cydnabod ffeithiau ac ystyried gwir anghenion. Y ffeithiau celyd.... yw y bydd mwyafrif y disgyblion dros 11 oed yn gadael yr ysgol yn 15 ac yn cael eu haddysg bellach trwy gyswllt â bywyd'.[21]

Gorfodwyd Watkins felly i gydnabod ffaith galed iawn i weinyddwyr Cymreig, rhan o sefydliad arbennig Seisnig. Buan y'i gorfodwyd i ildio, ac yn wir, dair blynedd yn ddiweddarach, prin bod yr elyniaeth a godwyd gan ei gais i gael polisi Cymreig ar wahân yn fodd iddo ymladd yn gryf ym 1932 pan gyhoeddodd y Bwrdd ei Gylchlythyr 1421 dadleuol. Rhan oedd y cylchlythyr o raglen toriadau gwariant cyhoeddus y Trysorlys y flwyddyn honno, a'i brif nodwedd oedd y dylid gwneud i ffwrdd â chyfundrefn y lleoedd rhad yn yr ysgolion uwchradd a fu'n gweithredu am yn agos i 30 mlynedd. Yn ei lle, byddid yn rhoi cyfundrefn llefydd arbennig, eto yn gystadleuol, ond yn dibynnu y tro hwn ar brawf modd.

Wedi perswadio'r Bwrdd bod yr awdurdodau lleol yng Nghymru wedi creu cyfran uwch o lawer o lefydd rhad nac yn Lloegr, cyhoeddodd yr Adran Gymreig, Cylchlythyr 170 mewn ymdrech i sicrhau annibyniaeth. Cyngor y cylchlythyr i awdurdodau oedd,

> 'mewn ysgolion lle na chodir ffioedd ar hyn o bryd, caniateir 100% o lefydd arbennig'.[22]

Yr oedd y cylchlythyr, fodd bynnag, yn ofalus iawn yn nodi:

> 'y dylid gofalu cael cynnydd rhesymol yn yr incwm presennol o ffioedd'.[23]

Yr oedd yr ymateb i gyflwyno prawf modd fel hyn yn syth ac yn ffyrnig ledled Cymru. Nodweddiadol oedd y llythyr o gangen Meirionnydd o Gymdeithas Addysg y Gweithwyr:

> 'Datganwn ymhellach fod y cynigion hyn yn taro at wraidd y del-frydau yr ymdrechodd caredigion addysg yn y Dywysgogaeth drostynt ers hanner canrif, sef cyfleusterau Addysg Uwchradd cyfartal i bawb, yn gyfan gwbl rydd o wahaniaeth dosbarth'.[24]

Dyma lythyr arwyddocaol hefyd gan Gyngor Coleg y Brifysgol, Bangor, a ddisgrifiodd y cylchlythyr fel:

---

21. Swyddfa Cofnodion Cyhoeddus Ed 24/2057, dyfynnwyd gan Gareth Elwyn Jones, op.cit.
22. Cylchlythyr yr Adran Gymreig 170/1932
23. Cylchlythyr yr Adran Gymreig 170/1932
24. Swyddfa Cofnodion Cyhoeddus Ed 12/357, dyfynnwyd gan Gareth Elwyn Jones, op.cit.

'gwrthdroi llwyr ar y symud tuag at addysg uwchradd rad fel gwasan-
aeth cymdeithasol'.[25]

Arwyddwyd y llythyr gan Gofrestrydd y Coleg, Wynn Wheldon. Ymhen
blwyddyn, byddai ef yn cael ei olynu gan y marchog newydd, Syr Percy
Watkins, fel yr Ysgrifennydd Parhaol newydd yn yr adran. Yn y flwyddyn
cyn iddo ymddeol, cafodd Watkins y profiad annifyr o drafod dan Gylch-
lythyr 170 â chynghorwyr blin ym mhob awdurdod lleol. Yn ddiweddarach,
byddai'n disgrifio'r cyfan fel 'ffiasco—canlyniad cynnwrf poblogaidd—a
gynhyrfwyd yn fwriadol agored gan arweinwyr y Pleidiau Rhyddfrydol a
Llafur yng Nghymru'.[26]

Mae'n rhaid bod y profiad wedi lliwio ei farn pan, ym 1944 ac wedi
ymddeol, y medrodd ysgrifennu mai'r cyfnod rhwng 1889 a 1896—hynny
yw, cyn i'r cynghorau sir a'r bwrdeistrefi ddod yn gyfrifol am addysg dan
Ddeddf 1902—

'oedd cyfnod euraid gwladweinyddiaeth a pherfformio effeithiol yn
holl faes addysg Cymru'.[27]

Yn groes i hyn, meddai, ers hynny, yr oedd styfnigrwydd yr awdurdodau
lleol wedi atal pob menter, a'r cynghorwyr wedi gweithredu fel firws a roes
derfyn ar holl weinyddiaeth addysg yng Nghymru.

Mae'n drist bod rhagfarn o'r fath yn erbyn yr awdurdodau lleol wedi ei
amlygu gan ŵr a ddangosodd ddewrder ym 1929 wrth geisio perswadio'r
Bwrdd Addysg i ganiatáu i'r un awdurdodau lleol hynny ddatblygu cyfun-
drefn wahanol o ysgolion uwchradd rhad yng Nghymru. Mae'n rhaid bod ei
golled ar y cynnig radicalaidd hwnnw wedi ei atal rhag gwneud unrhyw
ymgais wironeddol arall rhag symud oddi wrth y safbwynt canoledig oedd
ei angen gan Bennaeth Adran isel ei statws yn hierarchiaeth Bwrdd Addysg
Lloegr. Yn wir, ni lwyddodd ei olynydd, Wynn Wheldon ym 1933 i dorri'n
rhydd o'r llaw farw honno. Yn ystod y tridegau, yr unig gam mentrus yr
ymddengys iddo gymryd oedd annog ail-adeiladu a rhoi offer newydd yn yr
ysgolion uwchradd ar gyfer gwaith gwyddoniaeth ac ymarferol. I fod yn
deg, 'doedd dim modd gwneud llawer mewn gwlad oedd yn dioddef o
ddirwasgiad economaidd y blynyddoedd hynny: dyfodiad yr Ail Ryfel Byd
yn unig a newidiodd y sefyllfa. 'Doedd dim arian ar gael o'r Trysorlys, a dim
tystiolaeth am ewyllys gref yn yr adran i godi llais ar unrhyw anghenion
Cymreig penodol. Er enghraifft, ni gwestiynodd Wheldon addasrwydd
trefniant triphlyg ar gyfer ad-drefnu uwchradd wedi'r rhyfel yng Nghymru.
Ym 1941, pan dderbyniodd ddirprwyaeth oddi wrth U.C.A.C. ac y myneg-
odd ei Lywydd Gwenan Jones bryder ynglyn â'r posibilrwydd y byddai

25. Swyddfa Cofnodion Cyhoeddus Ed 12/356, dyfynnwyd gan Gareth Elwyn Jones, op.cit.
26. *A Welshman Remembers* t. 58-65 P. Watkins
27. Percy Watkins, op.cit. t.65

trefniant triphlyg yn creu rhwygiadau mewn cymunedau Cymreig bychain, ei ymateb ef oedd, ar gyfer y cyfnod ôl-gynradd, fod y traddodiad ysgol ramadeg yn gryf yng Nghymru ac y byddai'n anodd, os nad yn amhosibl, rhoi chwarae teg i'r plant fyddai'n fwy addas ar gyfer addysg ysgol dech-negol neu Fodern oni sefydlid enghreifftiau gwirioneddol dda o ysgolion o'r fath yn yr ardal.[28]

Yr oedd sylwadau o'r fath o raid yn tanio awydd am Gyngor Addysg Cenedlaethol i Gymru. Dwyshawyd teimladau pan glywyd, yn nyddiau cynnar y Rhyfel, fod y Bwrdd Cymreig, ynghyd ag adrannau eraill y Bwrdd, wedi eu symud i Bournemouth. Yr oedd yn sarhad bod tref ar arfordir De Lloegr wedi ei dewis yn hytrach na Bangor neu Aberystwyth. Teimlai Syr William Jenkins ac A.S.au Cymreig eraill y dylid bod wedi symud yr adran i Gymru er mwyn iddo fedru gweithredu yn ei wlad ei hun yr holl swydd-ogaethau a wnâi ar ran y Bwrdd. Ym 1941, gofynnodd gwestiwn yn y Tŷ i'r perwyl hwn, ond dywedwyd yn blwmp ac yn blaen wrtho nad oedd yr amser yn hwylus. Y flwyddyn ganlynol, cyfarfu dirprwyaeth ag R.A. Butler i drafod y pwynt, ond heb lwyddo i symud modfedd. Hwyrach y dylanwad-wyd ar Butler gan lythyr a gawsai gan Syr Alfred Davies, a oedd bellach wedi hen ymddeol, lle dywedodd:

'Ni ellir gwneud mwy o gam-wasanaeth i unrhyw Lywydd y Bwrdd Addysg a chytuno â'r cais hwn a ail-adroddwyd am symud yr adran i Gymru. Dylai hanes y B.C.C. fodloni fel digon o dystiolaeth... o'r hyn a all ddeillio o blwyfoli a stereodeipio addysg Gymreig yn rhigol gul unffurfiaeth hesb'.[29]

Ni ddylai Syr Alfred fod wedi pryderu. Ni chytunodd Butler, a dywedwyd y buasai'r marchog newydd, Syr Wynn Wheldon, wrth gwrs yn parhau, fel y gwnaeth erioed, i wneud rhywfaint o'i waith yng Nghymru.

Rhan o'r gwaith hwnnw oedd paratoi ar gyfer y sefyllfa wedi'r rhyfel yn dilyn Deddf 1944. Byddai'n golygu, er enghraifft, y byddai Deddf Addysg Ganolraddol, gydag ymdreiddio'r ysgolion canolraddol i'r gyfundrefn gyff-redinol, yn colli unrhyw arwyddocâd ac na fyddai cyfiawnhâd o gwbl dros barhad y B.C.C. Gan rag-weld hyn, yr oedd Ffederasiwn y Pwyllgorau Addysg, ac, yn wir, y B.C.C. ei hun, yn ymgyrchu'n gryf am fwy o an-nibyniaeth i addysg yng Nghymru, naill ai trwy Ysgrifennydd Gwladol neu Gyngor Cenedlaethol. Nid oedd Butler, fel y gellid disgwyl, yn barod i fynd i'r fath eithafion, ond ym 1946, sefydlodd Ellen Wilkinson weithgor i adrodd ar y pwnc a ddylai A.A.Ll. gyfuno i sefydlu corff cenedlaethol ar ffurf Cyd-Bwyllgor Addysg. Felly, daeth y B.C.C., a oedd yn ddyledus am ei fodolaeth i Ddeddf Addysg Ganolraddol, i ben ym 1947, a chymerwyd drosodd ei swyddogaethau fel corff arholi gan y C.B.A.C. newydd.

---

28. Swyddfa Cofnodion Cyhoeddus Ed 136/418, dyfynnwyd gan Gareth Elwyn Jones
29. Swyddfa Cofnodion Cyhoeddus Ed 136/311, dyfynnwyd gan Gareth Elwyn Jones, op.cit.

Hefyd, cymerwyd gwaith Ffederasiwn y Pwyllgorau Addysg drosodd gan C.B.A.C., a ffurfiodd gysylltiadau â'r hyn oedd yn cyfateb bryd hynny Chymdeithas y Cynghorau Sir yn Lloegr. Eto, yr oedd C.B.A.C. ymhell o fod yn Gyngor Addysg yng Nghymru gyda'r grym i ffurfio polisi—am hyn y bu'r ymgyrchu brwd. Cadwyd y grym i ffurfio polisi, fel erioed, yn dynn yn Whitehall. Gellid ymgynghori ag awdurdodau lleol, a byddid yn gwneud hynny, ond yn San Steffan y ffurfid y gyfraith a'r rheoliadau dros ysgolion, a deilliai'r weinyddiaeth o hyd o Adran Gymreig y Weinyddiaeth Addysg, fel y'i gelwid hi bellach, yn Whitehall.

Fel y gellid disgwyl, sicrhaodd Deddf 1944 y deuai ysgolion uwchradd Cymru yn fwy fyth yn rhan o'r gyfundrefn addysg Seisnig, a llywodraethodd yr Adran Gymreig heb unrhyw anhawster dros yr hyn a fyddai yn bennaf yn gyfundrefn driphlyg. Dim ond wedi 1965, a hynny o ganlyniad i gylchlythyr Seisnig Crosland 10/65, y symudwyd ddim cyflymach tuag at batrwm cyfun yng Nghymru. Y flwyddyn cyn hynny y cafodd yr ymgyrchwyr dros fwy o annibyniaeth i Gymru eu buddugoliaeth hir-ddisgwyliedig pan benodwyd Jim Griffiths yn Ysgrifennydd Gwladol cyntaf Cymru. Rhoddwyd pwerau i'w Swyddfa Gymreig newydd dros dai, llywodraeth leol, trafnidiaeth y ffyrdd a rhai mathau o gynllunio lleol. Ym 1969, ychwanegwyd iechyd ac amaethyddiaeth, ond rhaid fu i addysg aros tan drosglwyddo'r Swyddfa Gymreig ei hun i Gaerdydd ym 1971. Buasai Syr Alfred Davies wedi troi yn ei fedd o ystyried y fath ecsodus o Lundain.

Gyda'r Adran Addysg Gymreig yn awr yn rhan o'r Swyddfa Gymreig, a'r Ysgrifennydd Gwladol yn gyfrifol am ysgolion Cymru, gellid tybio bod dyheadau canrif wedi eu gwireddu o'r diwedd. Ond nid felly y bu. Fel y dywedodd Ken Morgan am y Swyddfa Gymreig newydd:

'Er gwaethaf holl fwriadau da ei sylfaenwyr, nid oedd mewn gwirion-edd ond adran gyd-gysylltu yng Nghymru i bolisïau a fagwyd mewn man arall'.[30]

Yn wir, dros yr 20 mlynedd diwethaf, cyfeiriwyd llawer o'r polisïau hynny, hyd yn oed os magwyd hwy ar dir estron, tuag at anghenion Cymru a chyfrifwyd hwy'n uchel ar restr y blaenoriaethau Cymreig—ad-drefnu cyfun, codi oedran gadael ysgol, trin diffyg cyrhaeddiad disgyblion, diwygio arholiadau, gwella ansawdd athrawon. Mae rhai ohonynt, wedi mynnu blaenoriaeth uwch yng Nghymru, ond ar y cyfan dros yr 20 mlynedd diwethaf, bu Ysgrifennydd Gwladol Cymru yn fodlon i deithio ar yr un cyflymdra ag â'r un blaenoriaethau â'i gynghreiriaid Seisnig. Dim ond mewn materion yn ymwneud â'r iaith Gymraeg, hwyrach, y bu gofyn i'r Swyddfa Gymreig fentro ar ei phen ei hun, ac yn wir, gwnaeth hyn â chryn lwyddiant.

Ers 1870, fodd bynnag, gyda sefydlu'r Byrddau Ysgol, a 1902 gydag awdurdodau addysg lleol, ac yna yn y cynlluniau wedi'r rhyfel ar gyfer

---

30. *Rebirth of a Nation* t. 389 Ken Morgan

ehangu ym 1918 a 1944, cafodd y gyfundrefn addysg yng Nghymru ei hun yn gaeth fwyfwy i un Lloegr. Felly y bydd, wrth gwrs, cyhyd ag y bydd y gyfraith yn cael ei ffurfio yn San Steffan a chyhyd ag y bydd Ysgrifennydd Gwladol Cymru, fel yr Ysgrifennydd Gwladol dros Addysg a Gwyddoniaeth, yn rhwym i benderfyniadau'r Cabinet. Ni ddylem anghofio chwaith, os cwynwn am bolisïau gwariant annigonol ym maes addysg, fod y ddau Ysgrifennydd Gwladol yn rhwym i gyd-benderfyniad y Cabinet ar gyllideb flynyddol y Trysorlys. Cedwir golwg ar wariant y Swyddfa Gymreig yn yr un modd â gwariant y Swyddfa Dramor neu'r Weinyddiaeth Amddiffyn.

Ym 1946/7, pan fu Bill Mainwaring, A.S. Dwyrain y Rhondda, yn ddigon hyf i ofyn i Clem Attlee am sefydlu Swyddfa Gymreig, dywedodd Attlee wrtho yn ddigon sychlyd na fyddai hynny ond yn golygu dyblygu diangen ar weinyddu. Dyna fydd y broblem o hyd, wrth gwrs, a'r her sy'n wynebu Ysgrifennydd Gwladol Cymru, waeth beth fo'i ymlyniad gwleidyddol, cyn belled â'i fod yn aelod o Gabinet San Steffan.

O'R YSGOL SIR I'R YSGOL GYFUN:

Dyhead a Rhith

E. JOHN DAVIES

IV

'We class schools, you see, into four grades: Leading School, First-rate School, Good School and School'.

Evelyn Waugh
'Decline and Fall', Prelude

'To every class we have a school assigned.
Rules for all ranks and food for every mind'.

George Crabbe

Ni all arolwg o addysg ganolraddol dros y can mlynedd diwethaf yng Nghymru fethu â chrybwyll, ar y dechrau, un datblygiad creiddiol mewn perthynas â dathlu'r canmlwyddiant. Bu i Ddeddf Addysg Ganol 1889, ymhen amser, ehangu cyfleoedd-bywyd *(lebenschancen)* cynifer o blant Cymru, ond yn y degawd a flaenorodd sefydlu'r ysgolion canolradd daeth yr ysgolion gradd uwch, yn enwedig yn Ne Cymru, â math o addysg ôl-gynradd yr oedd taer angen amdani, a'i sefydliad yn gwbl hanfodol, er ei bod o ran ei sail yn anghyfreithlon. Yr oedd yr ysgolion gramadeg—a hwythau'n ymestyn ar draws y Gymru wledig yn bennaf—mewn cyflwr o syrthni addysgol, ac yn yr ardaloedd diwydiannol epiliog a oedd yn gwbl amddifad o ddarpariaeth ôl-gynradd tybid bod yr ysgolion gradd uwch yn briodol i anghenion plant y dosbarth gweithiol. Yr oedd Adroddiad Aberdâr wedi awgrymu y dylid haenu ysgolion ar sail dosbarthiadau cymdeithasol. Cyfnerthodd yr Aglwydd Aberdâr y farn hon yn seremoni agor ysgol radd uwch y Pentre, y gyntaf o'i bath yn y Rhondda. Cyn mynd ohono yng nghwmni'r Bwrdd Ysgol lleol i'r Bailey Arms cyfagos, i gael *'a sumptuous lunch'* yn ôl y papur lleol, datganodd:

'The grammar schools were for another structure of society; for the people who could afford to keep their children at school longer than working-class children generally could afford....these schools (the Higher Grades) were intended to enable the brightest boys of elementary schools to work their way upwards'.[1]

Er gwaethaf opiniynau yr Arglwydd Aberdâr meddiannodd yr ysgolion hyn, heb hawl, gwrs addysg nad oedd neb wedi arofun y byddent yn ei fabwysiadu. (Yr oedd Lladin yn gynwysedig o'r diwrnod cyntaf yn ysgol y Pentre).

Yr oedd hyn i esgor ar ymryson amhroffidiol rhwng yr ysgolion gradd

---

1. *Western Mail*, 15 Ionawr, 1884.

uwch a'r Ysgol Ganolradd yn y Porth, ac a ailadroddid, y mae'n ddigon posibl, mewn ardaloedd eraill lle y ceid y ddau fath o ysgol. Erbyn 1886 yr oedd Ysgol Radd Uwch y Pentre wedi ennill swyddogaeth arall—bod yn ysgol baratoadol i rai o rieni'r dosbarth canol. Y flwyddyn honno enillasai tri o'r disgyblion ysgoloriaethau i Goleg Llanymddyfri ac Ysgol Croesoswallt.[2] Erbyn 1893 gallai pennaeth ysgol radd uwch Ferndale gyhoeddi yn falch mai ei ddisgyblion ef[3] oedd wedi ennill pedwar o'r pum lle uchaf yn yr arholiad mynediad i Goleg Llanymddyfri, ag yn 1895 fod pum bachgen wedi ennill ysgoloriaeth i Ysgol Croesoswallt.[4] Nid yn y Rhondda'n unig y ceid rhai ysgolion nad oedd yn ysgolion elfennol mewn unrhyw ystyr ond a weinyddid gan Fwrdd Ysgol a oedd yn gyfrifol o dan Ddeddf 1870 am ddim mwy nag addysg elfennol. Yn 1896 ysgrifennodd gohebydd yn yr *Evening Express* fod mil o ddisgyblion yn Ysgol Radd Uwch Howard Gardens, Caerdydd, gan ychwanegu '*about a score have passed the London University Matriculation*'.[5] Mewn rhai ardaloedd yn Ne Cymru yr oedd gorgyffwrdd creiddiol rhwng cwrs addysg a swyddogaeth yr ysgolion canolradd newydd ar y naill law a'r ysgolion gradd uwch ar y llall, ac y mae hynny'n codi'r cwestiwn ai '*another stratum of society*' yn unig oedd yn manteisio i'r eithaf ar fodolaeth yr ysgol radd uwch. A oedd y ffaith y'i bwriadwyd ar gyfer 'the working classes generally' yn dechrau troi'n rhith? Manteisiodd y dosbarth canol arni i'r eithaf, ac fe'u gorfodwyd i wneud hynny gan absenoldeb ysgolion eraill.

Pan agorwyd yr Ysgolion Sir neu ganolradd—yn fynych ar ôl blynyddoedd o drafod hir yn lleol—yr oedd anghyfiawnder enfawr eu dosraniad drwy Gymru gyfan yn difetha sylwedd y cyfleoedd addysgol y tybid y byddent yn diwallu dyheadau'r plant a'r rhieni a ystyriai fod y system yn agoriad i fudoledd cymdeithasol. O ganlyniad i leoliad yr ysgolion canolradd yr oedd y cyfle i gael mynediad iddynt yn sylweddol fwy yn yr ardaloedd gwledig nag ydoedd i'r rheiny a dynghedwyd i fyw yn yr hyn a alwodd yr ysgolhaig clasurol enwog Alfred Zimmern yn '*American Wales*'. Eithr, rhaid goleddfu'r gosodiad hwn i raddau gan fod yr ysgolion canolradd gwledig yn druenus o fach—mewn ychydig nid oedd mwy na phump o athrawon ar y staff—a golygai hynny fod galw arnynt i amlygu doniau amlochrog wrth iddynt addysgu sawl pwnc. Yn fynych yr oedd effeithiolrwydd yr addysgu'n amheus. Nid oedd hynny'n dileu'r ffaith fod gan y disgybl gwledig well cyfle i gael mynediad i'r ysgol ganolradd.

Digwyddodd cyfnewidiadau demograffig mawrion yng Nghymru yn niwedd y bedwaredd ganrif ar bymtheg, ond dosrannwyd yr ysgolion canolradd ar sail weinyddol leol yn hytrach nag ar realiti cymdeithasol neu

---

2. Swyddfa Cofnodion Sir Morgannwg Ganol, Cofnodion Bwrdd Ysgol Ystradyfodwg, 1 Ionawr, 1886.
3. Cofnodion Bwrdd Ysgol Ystradyfodwg, 5 Mai, 1893.
4. Cofnodion Bwrdd Ysgol Ystradyfodwg, 11 Chwefror, 1895.
5. *Evening Express*, 7 Chwefror, 1896. Erthygl gan 'Asterisk'.

ddemograffig. Y Mae Roger Webster, yn arbennig, wedi dangos yr ang-hyfartaledd echrydus yn nosraniad yr ysgolion.[6] Annheg ac annheilwng fyddai unrhyw ymgais i ysgrifennu ar unrhyw dopig parthed cydberthynas cymdeithas a system addysg uwchradd yng Nghymru heb gydnabod ei waith ef. Maentumia mai cyfartaledd poblogaeth rhanbarth ysgol oedd wyth mil pryd y sefydlwyd yr ysgolion canolradd. Ym Morgannwg a Gwent byddai'r ffigur hwn yn aruthrol fwy yng nghyd-destun y ddarpariaeth a wnaed ynddynt. Cafodd rhanbarth Ysgol Ganolradd y Porth amser arbennig o galed a hithau'n gorfod gwasanaethu poblogaeth a oedd un-ar-ddeg o weithiau'n fwy na'r cyfartaledd yng Nghymru.[7] Yn y fath ranbarth-au yr oedd yn rheidrwydd cynnal y ddarpariaeth addysg uwchradd drwy gyfrwng gwaith yr ysgolion gradd uwch er bod yr athrawon ynddynt yn cael eu talu'n llai na'u cymheiriaid yn yr ysgolion sir, ac ni chaent gefnogaeth ariannol o unrhyw ffynhonnell amgen na grant y trethdalwyr. Er gwaethaf y fath gyfyngiadau beichus y rhain oedd yr ysgolion cyntaf yng Nghymru i ddiddymu pob math o dâl hyfforddiant ar lefel uwchradd.

Yr oedd anghyfartaledd dosraniad yr ysgolion canolradd yn ddigon gwael ynddo'i hun, ond gwaethygwyd y sefyllfa gan yr amrywio bwriadol ar ansawdd y cwrs addysg ymhlith yr ysgolion eu hunain. Mwy ansylweddol fyth felly oedd y gred y byddai math o gydraddoldeb cyfle yn bodoli'n gyffredin yn yr ysgolion newydd. O archwilio cyrsiau addysg y gwahanol ysgolion ni allwn ond derbyn y ffaith drist fod yna duedd i gyfatebu cwrs addysg ysgol â chyfansoddiad cymdeithasol y dalgylch a gallu'r rhieni i dalu am ystod letach o bynciau. Seiliwyd penderfyniadau llawer Cyd-Bwyllgor Addysg Sirol ar fodolaeth haenau cymdeithasol mewn cynifer o ffyrdd. Ar hyd arfodir De Cymru yr oedd cydberthynas uniongyrchol rhwng y tâl hyfforddiant a godid a nifer y pynciau a addysgid. Wedi bod mewn bod-olaeth ond am ryw ddegad codai Ysgol Ganolradd Penarth i Fechgyn wyth bunt, Codai Ysgol Fechgyn Castell-nedd wyth bunt tra na chodai'r Porth fwy na thair punt brin. Yn Sir Fynwy yr oedd Ysgol y Bechgyn ac Ysgol y Merched, Casnewydd ill dwy yn codi naw punt tra chodai Ysgol Abertyleri dwy bunt a choron—ffigur sydd, yn ôl safbwynt person, yn amlygu'r polisi mwyaf goleuedig neu'r mynediad rhataf yng Nghymru.[8] O ddadansoddi'r math o brofiad cynnar a gâi disgyblion o'r un flwyddyn fynediad ar ddechrau'r ugeinfed ganrif ceir bod gwahaniaethau rhonc yng nghyfansodd-iad cymdeithasol yr ysgolion eu hunain. Gellir sôn am sawl enghraifft arwyddocaol heb wyro'r darlun yn ormodol. Yn Ysgol y Bechgyn, Caer-dydd, cawsai traean o'r cyfanrif o ddau gant dau ddeg a chwech o fechgyn brofiad o ysgol breifat neu hyfforddiant preifat. Yn y ddwy ysgol ym Mhenarth, Ysgol y Bechgyn ac Ysgol y Merched, daeth hanner cant y cant

6. John Roger Webster, *The Place of Secondary Education in Welsh Society, 1800-1920.* Traeth-awd Ph.D. heb ei gyhoeddi. Llyfrgell Coleg y Brifysgol, Abertawe.

7. Webster, tt. 226-229.

8. Webster, t. 485.

o'r unrhyw leoedd. Ni allai'r ysgol yng Nglynebwy hawlio bod ynddi un o'r cyfryw ddisgyblion. Yr oedd dau ddisgybl wedi cael addysg breifat cyn dod i Ysgol y Porth, o'r cyfanrif o dri chant tri deg a thri—y gofrestr hiraf yn holl ysgolion canolradd y wlad, fe ddichon. Fel y sylwodd Roger Webster, yn y rhanbarthau glofaol, metelegol ac amaethyddol y gwnaed ymdrech fwriadus i ddod ag addysg ganolraddol i afael y *'lower middle and working classes'*.[9] Yr ysgolion canolradd hynny â'r rhieni dosbarth canol naill ai'n fwyafrif neu'n lleiafrif sylweddol ynddynt oedd yr ysgolion a godai'r tâl hyfforddiant mwyaf ac a gynigiai gwrs addysg a oedd yn estynedig yn hytrach nag yn gyfyngedig.

Gyda diflaniad y Byrddau Ysgol wedi 1902 cymathwyd y mwyafrif o'r ysgolion gradd uwch, ymhen amser, yn nhrefniadaeth bwrdeisiol ysgolion uwchradd, ond nid cyn bod llawer wedi gorfod dioddef y teitl darostyngedig Ysgol Elfennol Uwch am rai blynyddoedd. Un eithriad Cymreig nodedig yn y patrwm hwn ydoedd ysgol yn Llanelli a ddaethai'n Ysgol Ganol *(Central School)*. Mynnai math ar gulni cymdeithasol amlygu ei hun yng nghyfnod Morant. Yr oedd ysgolion o'r math yn dod yn gynyddol ddeniadol yng ngolwg rhieni'r dosbarth gweithiol gan fod tâl hyfforddiant wedi ei ddiddymu ym mharthau Abertawe, Merthyr Tudful a'r Rhondda dipyn cyn i'r rhyfel byd cyntaf ddechrau. Er bod yr ysgolion hyn—o dan yr oruchwyliaeth a fodolai wedi 1902—yn ffyrdd rhagorol i gael mynediad yng ngolwg rhieni'r dosbarth gweithiol (ac eraill) ni chawsant fyth y manteision ariannol a berthynai i'r ysgolion yn y system ganolradd. Nis gweinyddid gan y Bwrdd Canol Cymreig, ac yr oedd y ddeuoliaeth yn natblygiad ac arolygiaeth addysg uwchradd Cymru ym mhedwar degawd cyntaf yr ugeinfed ganrif yn amhriodol ar y gorau, ac yn ffôl ei ffurfiant ar y gwaethaf. Am flynyddoedd bu'r ysgolion bwrdeisiol yn ymladd brwydr anghyfartal am y parch a amlygid i'r ysgolion canolraddol. Nid buddiol i'w brwydro tawel ac anymwthiol oedd y sefyllfa a ddaeth yn amlwg yn ardaloedd poblog De Cymru wedi 1918 pryd y byddai'r disgyblion mwyaf llwyddiannus yn y *'scholarship'* yn dewis mynd, bron yn ddieithriad, i'r ysgol ganolradd. Fel y byddai canlyniadau'r disgyblion yn gostwng ar y rhestr deilyngdod, felly y byddent yn mynd i ysgol uwchradd fwrdeisiol gyfagos. Rhaid bod hyn yn cael effaith barhaol ar forâl y staff ac effaith negyddol hefyd ar lunio chweched dosbarth hyfyw—nid y byddai'r rheiny mewn llawer ysgol ganolradd yn cael eu hystyried yn dderbyniol heddiw.

Buasai 1910 yn drobwynt yn hanes Cymru, yn dwyn i mewn selotiaid gwleidyddol o fath newydd a gefnogid gan y mwyafrif o'r rhieni yng Nghymru. Yr oedd y Syndicalwyr wedi cyrraedd ac yr oedd O M Edwards, Prif Arolygydd Adran Gymreig y Bwrdd Addysg yn eu drwgdybio. Ymatebasant hwythau iddo yn yr un modd yn union. Yn 1911 yr oedd Gohebydd *The Times* wedi cyfeirio at Donypandy fel *'Odessa'* - gyfryw oedd cryfder a

9. Webster, t. 461.

chyfeiriad y farn wleidyddol yn y gymdogaeth. Buasai sawl aelod o'r pwyllgor addysg lleol yn arwain y glowyr mewn streic ysgytwol, yr oedd rhai ohonynt wedi cyfrannu i'r ddogfen fwyaf ffrwydrol honno, *The Miners' Next Step* ac arddelent eu proffes radicalaidd yn barod ac yn ddi-ildio. Yn erbyn y bobl hyn y bu'r frwydr rhwng Edwards a'r gwleidyddion newydd. Gellid canfod prif fwriad y pwyllgor mewn pwyllgorau eraill mewn llawer rhanbarth o Gymru—yr ysgol ôl-gynradd oedd y llwybr i fywyd o well ansawdd—yr oedd dringo llethrau Parnassus yn angenrheidiol i gyrraedd pen y daith, '*The Villa in Suburbia*'[10] chwedl Sir Fred Clarke. Yr oedd y Jerwsalem newydd yn galw, yma ar y ddaear, a'r unig ffordd i'w chyrraedd, dybiai'r rhieni, oedd drwy gwrs addysg academaidd yr ysgol uwchradd. Golwg ramantaidd o gymdeithas oedd gan Edwards, a'r 'werin' oedd ei hysbrydoliaeth. Yr oedd y 'werin' eisoes ar i lawr a goddiweddwyd Edwards gan rymusterau cymdeithasol na allai neu na fynnai ef mo'u deall. Yr oedd anghydfod rhwng y ddwy ochr yn anorfod pan gymeradwywyd yr ysgol newydd, Ysgol Elfennol Uwch Tonypandy.

Y cwrs addysg oedd achos y gynnen. Yr oedd Edwards wedi datgan y dylai'r ysgol baratoi bechgyn yn barhaus ar gyfer anghenion diwydiannol yr ardal a'r galwedigaethau hynny y dichon y byddai'r bechgyn yn eu dilyn. Nid oedd yr awgrym yn annheilwng, o bosibl, ond yn Nhonypandy dehonglid hynny fel rhoi cymorth i'r arch-elynion, perchnogion y gweith-feydd glo. O'r funud y mynegwyd y syniad nid oedd obaith iddo. Yr oedd y Llywodraethwyr lleol yn anghymodlon yn eu gwrthwynebiad i unrhyw weithgaredd ffurfiol mewn ysgol a allai beri mwy o elw i'r cwmnïoedd glo. Cynigiwyd bod Ffrangeg a Lladin yn bynciau priodol yng nghwrs addysg yr ysgol ond gwrthododd Edwards eu cynnwys ac yr oedd yn benderfynol o atal yr ysgol rhag dilyn llwybrau'r Graddau Uwch blaenorol wrth geisio cyfartaledd darpariaeth yn y cwrs addysg a chydfodoli gyda'r ysgol ganolraddol. Y mae'r achos hwn wedi'i ddadansoddi'n fanwl gan yr awdur mewn cyhoeddiad cynharach ond y mae cyfeiriad bras ato'n ofynnol i ddatgelu'r frwydr rhwng dau grŵp a oedd yn anghytuno'n llwyr ac yn hollol.[11]

Cafodd Edwards gyfarfod teirawr poenus a chroes gyda Phwyllgor Addysg y Rhondda. Bu iddo ail-feddwl a chyfaddawdu. Byddid yn caniatáu'r ddwy iaith am flwyddyn yn unig. *Volte-face* rhyfeddol oedd hyn gan y byddai'n anodd meddwl y byddid yn rhoi terfyn ar hyfforddiant plant yn y ddwy iaith ar ôl blwyddyn mewn unrhyw sefyllfa! Ymwelodd Edwards â'r ardal eto ond derbyniad anghynnes ac anghyfeillgar a gafodd, ac fe ganfu

10. Syr Fred Clarke, *Education and Social Change*, t. 80. Gwasg Sheldon, Llundain, 1940.
11. E. J. Davies, *The Origin and Development of Secondary Education in the Rhondda Valleys*, 1870-1923. Traethawd M.A. heb ei gyhoeddi. 1965. Llyfrgell Coleg y Brifysgol, Caerdydd. John Davies, *Secondary Education and Social Change, 1870-1923*, yn *Rhondda Past and Future*. Gol. K. S. Hopkins. Rhondda, 1973.

rym pobl ddethol y wleidyddiaeth newydd oedd yn amlygu ei hun. Yr oedd y ddrwgdybiaeth yn parhau rhwng y naill ochr a'r llall, ac fe fethodd â gweld bod y Prifathro, yr oedd ganddo ymddiriedaeth ynddo, yn chwarae gêm ddeublyg ag ef a'i fod law yn llaw â'i wrthwynebwyr.

Yr oedd yn wyliadwrus o'i elynion.

'These are dangerous sleeping dogs—the politicians especially. We can trust the headmaster absolutely. He will gradually get the school to do its work properly'.[12]

Yr oedd y Prif Arolygwr yn ymladd dros ei safbwynt mewn hinsawdd gymdeithasol a gwleidyddol o fath newydd, ac ymddangosai'n amddiffynnol ac an anhydeiml ynddi. Yr oedd pellteroedd bydoedd rhwng Coed-y-pry a Thonypandy. Weithiau fe'n temtir i gyffelybu sefyllfa Edwards ar yr achlysur hwn â chyflwr diobaith a thrist fyfyrgar creadigaeth Housman, *The Shropshire Lad*. Yr oeddent ill dau fel pe baent yn symud ac yn bod yn eu *'land of lost content'*.[13] Bydd Edwards yn aros yn berson pwysig yn hanes ein gwlad o ganlyniad i'w gyfraniadau sylweddol i lenyddiaeth Gymraeg, ei gefnogaeth ddi-ildio i'r iaith a'i waith fel gwas sifil. Ond ni allwn lai na meddwl ei bod yn hen bryd bod astudiaeth fanwl o'i waith fel Prif Arolygwr yn cael ei chyhoeddi. Ymddengys iddo fod ar brydiau'n ysglyfaeth i'w lwyddiant ei hun ac y mae rhai arfarniadau o'i waith yn ddi-ben-draw o frwdfrydig ac nid yn gwbl amddifad o elfennau hagiograffig.[14] Y mae gan ein traddodiad llafar lawer i ateb amdano, yn enwedig o'r pulpud a llawer ysgol gynradd 'slawer dydd y rheolai prototeip Gwyn Thomas ynddynt, *('so we were told by our teacher in the primary school whose authority was total and who had compiled a bulging dossier on local treacheries')*.[15] Y mae'r unigolyn mwyaf cymhleth hwn yn teilyngu astudiaeth fawr fel addysgwr—ar wahân i'w ddoniau eraill. Nid ymosod ar Fwrdd Canol Cymru yn unig oedd Edwards wrth iddo wrthwynebu polisïau academaidd cul yr ysgolion. Maentumia Webster *'he was opposing the aspirations of the Welsh people themselves'*.

12. Y Swyddfa Cofnodion Cyhoeddus, Llundain. Arg. 20/166. Fawkes Minute.
13. A. E. Housman, *A Shropshire Lad*. Llundain. The Richards Press. 1936, t. 61.

> *'What are those blue, remembered hills,*
> *What spires, what farms are those?*
>
> *That is the land of lost content*
> *I see it shining plain,*
> *The happy highways where I went*
> *And cannot come again.'*

14. Ymddengys y molawd diweddaraf ym 1988. Mae Hazel Davies yn y gyfres *Writers in Wales* yn cyhuddo hanesydd mawr Cymru, R. T. Jenkins, o fod yn *over cautious in his praise*. Ysgrifenna wedyn: *'In our age of the common man as hero it is all too natural a wish to demythologise our Olympians. O. M. Edwards defies such an attempt.'* Ys gwn i? Hoffwn allu rhannu'r fath optimistiaeth yn llawn. Erys Edwards yn ffigur enigmatig yn ein hanes o ran ei ymwneud â De Cymru, yn enwedig, byddwn yn awgrymu, yn natblygiad ein hysgolion uwchradd.
15. Gwyn Thomas, *A Welsh Eye*. Jonathan Cape. Llundain.

Yn y blynyddoedd rhwng y ddau ryfel bu tyfiant nodedig yn y canran o blant Cymru a dderbyniai addysg ôl-gynradd yn yr ysgolion canolraddol a'r ysgolion uwchradd bwrdeisiol fel ei gilydd. Ar un adeg cyrhaeddodd y cyfartaledd yng Nghymru gyfan dri deg tri y cant o'r grŵp oed perthnasol, a hynny'n amrywio'n ddaearyddol rhwng un deg saith y cant a phum deg pump y cant. Yn sylfaenol, deilliai hyn o'r gostyngiad sylweddol yn y nifer o enedigaethau, a'r ymfudo a ddigwyddodd yn donnau yn sgîl llymder yr enciliad diwydiannol. Gostyngodd nifer y rhai oedd yn ceisio mynediad o'r herwydd ond daliodd y nifer o leoedd a oedd ar gael yn weddol gyson. Priodol yw ystyried a allai llawer o'r disgyblion hyn ymdopi'n effeithiol â'r ddarpariaeth academaidd draddodiadol a bennwyd iddynt. Ar wahân i'r cymharol ychydig o ysgolion technegol, i'r ysgolion Hŷn ôl-Hadow ac ysgolion cynhwysfawr heb eu had-drefnu yr âi'r gweddill, a'r cwrs addysg yn yr ysgolion hyn yn fwy amheus, a'r plant hwythau'n eistedd ynddynt gan ysu'n ddiamynedd am gael eu rhyddhau i'r pwll glo, y chwarel a'r fferm. Yr oedd gwedd academaidd cwrs addysg yr ysgolion uwchradd yn ddigyfnewid. Yn y blynyddoedd rhwng 1904 a 1916 ni ddyfarnwyd mwy na deunaw tystysgrif dechnegol a phymtheg tystysgrif fasnachol gan Fwrdd Canol Cymru i'r holl ysgolion. Yn 1931 nid oedd technoleg elfennol wedi symud o'r anialwch—nid ystyrid gwaith metel yn bwnc arholiad priodol i fwy na phedwar ar bymtheg o ddisgyblion. Dilyn llwybr cul academaidd yn ddidostur a wnâi'r ysgolion. Neilltuwyd pen y daith i'r lleiafrif a gyrchai ato'n llwyddiannus—yr epil a ymdrechodd i ymwisgo mewn math ar '*respectable mediocrity*'[16] mewn pum pwnc, yn drwydded i addysg uwch—a defnyddio geiriau'r sinig a ddyfynnwyd gan y Dr Gareth Elwyn Jones sydd wedi dilyn llwybrau Webster â safonau uchel ei ymchwil. Ond a esgorodd hyn ar ein math ni o ddiaspora academaidd drwy hyfforddi athrawon?

Yn anffodus, yr oedd ymadael â'r ysgol yn gynnar yn ffaith bywyd yn yr ysgolion uwchradd, yn enwedig yn y blynyddoedd rhwng y ddau ryfel. Yr oedd dirwasgiad economaidd yn chwarae rhan gwreiddiol yn lleihad y niferoedd yn yr ysgolion ond ai'r achos economiadd hwn yn unig oedd yn bennaf gyfrifol am dwf anarferol fach y '*tops*' mewn cynifer o ysgolion Cymru? Yn yr ysgol ganolraddol y bûm i'n mynd iddi (a byddaf yn fythol ddiolchgar am yr hyfforddiant chweched dosbarth ynddi) nid aeth mwy na rhyw ugain o'r cant ymron a ddechreuodd ynddi yn 1937 i'r chweched dosbarth. Ac yr oedd hyn yn gynnydd sylweddol o'i gymharu â niferoedd y chweched uchaf! Yn y blynyddoedd yn union cyn y rhyfel bu cynnydd mewn gweithgarwch diwydiannol a gostyngiad cyfatebol mewn diweithdra fel y daeth ail-arfogi a chynhyrchu arfau ar raddfa lawn yn ystod y rhyfel â chyflogau uwch i aelwydydd Cymru. A oedd yna reswm arall, eiddilach ei natur ond sydd yn dod yn ôl ac yn ôl i'r cof mewn munudau o fyfyrdod

16. Gareth Elwyn Jones, *Control and Conflicts in Welsh Secondary Education*, 1889-1944. Gwasg Prifysgol Cymru, 1982.

hiraethus? Anodd yw bod yn wrthrychol yn yr achos hwn oherwydd natur bersonol ddwys ein profiad o addysg, ond pa gyfrifoldeb oedd gan yr ysgolion? Ni ellir amau na thorrodd cynifer o'r genhedlaeth gyntaf o blant uwchradd eu cysylltiad â'r ysgolion yn greulon o gynnar. Pa mor gryf oedd y teimlad o fethu ag ymaddasu'n bersonol i ethos system gwerthoedd yr ysgolion? Dyry Richard Hoggart yn *The Uses of Literacy* ddisgrifiad hunan-ddadlennol gyda'r pwysicaf o'r argyfwng a brofwyd gan fachgen o'r dosbarth gweithiol yn yr amgylchedd academaidd ddryslyd, newydd. Yn sicr, nid yw stori'r gwrthdaro personol a brofodd ef yn unigryw. Y mae'r lle y tyfodd ef i fyny ynddo, Hunslet, yn amlygu nodweddion cymdeithasegol-ddiwylliannol gwahanol iawn i Dregaron, Machynlleth a Bethesda, ond byddai tebygrwydd rhyngddo a Chaerdydd, Casnewydd a llawer man arall yn Ne Cymru. Maentumia Hoggart ei fod *'at the friction point of two cultures'*[17] a chanlyniad i'r profiad o ganfod ei hun ar groesffordd rhwng y cartref a'r ysgol oedd yr *angst* a oddefodd. Yn y blynyddoedd diwethaf rhoddwyd mwy a mwy o gefnogaeth i'w farn. Fe'i cydnabuwyd gan Floud a Halsey pan ddaethant i'r casgliad bod llwyddiant academaidd yn dibynnu *'as much on the assumptions, values and aims embodied in school organisation into which he is supposed to assimilate himself'*[18] lawn gymaint â'r rheiny a ddug gydag ef o'i gartref.

Yr oedd i'r ysgol uwchradd yng Nghymru'r cyfnod hwnnw—fe all fod eithriadau—ryw bellter dieithr. Byd newydd y cyfenwau ydoedd, y staff yn eu gynau, *diktat* amheus y swyddogion, graddau'r gwobrwyo a'r cosbi, y cadw i fewn ar ôl ysgol a'r diwrnod gwobrwyo, acenion dieithr i'w deall ac weithiau i'w dynwared, a threfn academaidd hierarchaidd y tu mewn i bob un grŵp blwyddyn a'r athrawon mwyaf dieneiniad yn fynych wedi eu gwthio ar y grwpiau lleiaf academaidd. Pa mor aml yr ymwelai'r rhieni â'r ysgol—yn anfynych y caent eu hannog i fynd iddi! I'r rhieni, yr oedd yr ysgol yn fyd cwbl ar wahân nad oedd ganddynt unrhyw brofiad blaenorol ohono. Yr oedd y broses o gymathu a hunan addasu'n golygu dod i delerau â chod yr oedd yn rhaid ei ddeall a'i ddilyn. Nid oedd mor amlwg ag amcan Susannah Wesley—*'I will insist on conquering the will of children'* - ond y canlyniad oedd bod cynifer yn profi gwamalrwydd teimlad ac ymddygiad yn gynyddol, a gwerthoedd yr ysgol yn fwy-fwy ymyraethol fel y tyfai'r disgybl mewn amgylchedd a allai fod yn dymhestlog ac anghytûn. Rhaid bod gan Gymru ei digon o Holden Caulfields.

Efallai bod yr etifeddiaeth fwyaf sylweddol a adawyd gan yr ysgolion uwchradd a chanolradd i'w ganfod yn y chweched dosbarth. Heb fod yn Jeswitaidd nac yn Freudaidd gellir dweud bod y chweched dosbarth yn cynnig rhywbeth gwerthfawr yn ei hanfod, a bwrw bod disgybl y genhedlaeth gyntaf yn dygymod yn llwyddiannus â'r rhwystrau oedd ar ei lwybr yn yr ysgol is a'r ysgol ganol a bod ei rieni'n ddigon di-ildio yn eu teyrngarwch i

17. Richard Hoggart, *The Uses of Literacy*, t. 292. Pelican Books, 1958.
18. Jean Floud ac A. H. Halsey, *English Secondary Schools and the Supply of Labour*. Gwasg Rydd Glencoe. Ymg. 1961.

aberthu yn achos mudoledd, ac weithiau, Parnassus. Profiad o ansawdd newydd ydoedd. Dichon ei fod yn elfen nas cydnabyddid mewn gofal bugeiliol, er na ddefnyddid yr ymadrodd hwnnw fyth. At hynny, yr oedd ei egin yn dechrau ymddangos yn sicr ddigon ac fe'i galwyd gan Crowther, ryw ddeng mlynedd ar hugain yn ôl, yn *'academic discipleship'*.[19] Yr oedd yn beth amgen na pherthynas academaidd rhwng athro craff ei ganfyddiad ac adolesent yn ymagor. Er ei fod ar ei orau pan oedd bwriad yr athro'n hewristig ei natur, yr oedd iddo'n aml rwymyn cymdeithasol cyfatebol a byddai'r berthynas bersonol rhwng y ddau'n achos ychwanegol yn llwyddiant y disgybl. Nid bod yr oll o athrawon y chweched dosbarth wedi meithrin perthynas o'r fath—arddweud nodiadau'n gwbl ddifater y byddai rhai ohonynt, ac yr oedd eraill yn drychinebus, a siarad yn ddi-flewyn ar dafod. Y mae'n rhaid y gellid ailadrodd profiad Emlyn Williams yn Nhreffynnon ar draws Cymru, profiad a fu i lawer yn rhan gwbl arbennig o fywyd yn y Chweched Dosbarth. Nid ffordd o ddatgan cefnogaeth ac anogaeth yn unig ydoedd; daeth i fod hefyd yn fan lle y caed y cip cyntaf ar her a gwobr profiad ymenyddol.

Dwysaodd y ddadl ynghylch dyfodol strwythur addysg uwchradd yng Nghymru yn ystod rhyfel 1939-45. Yng nghyfnod yr ail-adeiladu ar ôl y rhyfel yr oedd yn ofynnol dod o hyd i gyfeiriad a strwythur newydd. Dadleuwyd am a thros amlochredd ond yr oedd pwerau eraill, grymusach, yn meddwl am ateb arall. Bu i Bwyllgor Norwood—a lywyddwyd gan brifathro ysgol breswyl Saesneg enwog—ddylanwadu megis pwyllgor ymgynghorol, er nad oedd yn ddim amgen na Phwyllgor Cyngor Arholiadau'r Ysgolion Uwchradd. Aeth y tu hwnt i'r brîff a roddwyd iddo ac ystyried dyfodol addysg uwchradd. Derbyniwyd ei gasgliadau'n helaeth, er iddo ddefnyddio tybiaethau seicolegol gwallus yn sail i'w brif argymhelliad—cyfundrefn deiran. Ni fu Pwyllgor Ymgynghorol heb ei fai wrth sôn am rymoedd seicolegol a ffisiolegol. Rhoes Adroddiad Hadow ddisgrifiad o adolesens yn 1926—*'there is a tide which begins to rise in the veins of youth at the age of eleven or twelve'*[20] - sydd, y mae'n ymddangos, mor ddyledus i eigioneg ag ydyw i seicoleg. Ymhellach, y mae Crowther braidd yn feteorolegol ar yr unrhyw fater—*'April weather of the soul'*.[21] Rhoddwyd bendith swyddogol i'r gyfundrefn deiran ar argymhelliad Pwyllgor Norwood a chredwyd iddo ddominyddu strwythur ysgolion am fwy na dau ddegawd.

Fe geisioddd ychydig o'r awdurdodau lleol ymateb yn ddilys i broblemau ad-drefniant uwchradd—yr oedd Ynys Môn, am ei rhesymau ei hun, yn darparu ysgolion cyfun yn gynnar, ac fe gytunodd Sir Gaernarfon ar ysgolion deurannol mewn rhai ardaloedd. Ond a ddaeth y gyfundrefn deiran, yr ysgol ramadeg, yr ysgol dechnegol a'r ysgol fodern, yn batrwm i Gymru? A ddaethant yn drwch ar draws y Dywysogaeth? Byddai credu hynny'n rhoi

19. Adroddiad y Pwyllgor Ymgynghorol Canol ar Addysg. 15-18. Cyf. I. 1959. Cyf. II. 1960. (Adroddiad Crowther). Gwasg ei Mawrhydi.
20. *The Education of the Adolescent.* Gwasg Ei Mawrhydi. 1926 (Adroddiad Hadow).
21. Adroddiad Crowther, 1959. Gwasg Ei Mawrhydi.

bod i rith pellach. Mewn gwirionedd, yr oedd gan Gymru fath ar drefn-
iadaeth ddeurannol. O ran niferoedd ni ddaeth yr ysgolion dechnegol i'r un
cynghrair â'i chymheiriaid ac annoeth fyddai tybio iddynt ddod mor ddy-
lanwadol o ran nifer â'r ysgol fodern ac â'r ysgol ramadeg. Yr oedd ysgolion
technegol, bîd siwr—yn aml â'r ymadrodd wedi'i ychwanegu wrth gynffon
naill ai *'modern'* neu *'ramadeg'* - ond mor ychydig oeddent o'u cymharu â'r
ysgolion gramadeg a *modern*. Yr oedd geiriau llym O M Edwards am gyf-
eiriad yr ysgolion a'u cwricwla yn gwastraffu eu *'sweetness on the desert air'*.
Nid ymddangosodd y gyfundrefn deiran yn llawn ystyr gytbwys yr ymad-
rodd yng Nghymru erioed.

Yn ychwanegol i'r anogiad a roes Norwood i sefydlu'r hyn a dybid oedd
cyfundrefn deiran nid oedd y gosodiad anghygoel a wnaeth, sef *'parity of
esteem ... can only be won by the school itself'*,[22] o ddim cymorth i achos yr ysgol
fodern arfaethedig. O'r math hwn o wegi y daeth yr ysgol fodern i fodolaeth,
ac nid oedd y cyfryw osodiad ofer yn mynd i'w chynorthwyo. Sut y gellid
ennill yr un parch â'r ysgol ramadeg leol, ambell ysgol dechnegol, ysgol
fodern leol ag iddi well dalgylch, a'r ysgol fonedd? Yn ffodus, nid oedd yr
ysgol grant union yn y gystadleuaeth; yr oedd mwy o'i bath ym Mryste nag
ydoedd yng Nghymru gyfan. Ysgrifennodd un arbenigwr enwog ar addysg
gymharol, ugain mlynedd yn ôl, fod cymeriad yr ysgol hon wedi dioddef gan
'historical hangovers'.[23] Gwneir yr un pwynt gan Edward King hefyd, sef bod
eu bodolaeth yn amlygu dyfnder *'social and economic stratification in our coun-
try'*.[24] Yr oedd yr ysgol uwchradd fodern yn bopeth i bawb. Yr oedd gwrthod
yn ymhlyg yn y system ddewis, ac yr oedd yr ysgolion modern yn ymddang-
os i lawer o rieni fel symbol o'r traddodiad elfennol nad oedd ar neb ei eisiau.
Mewn rhanbarthau lle'r oedd y system ddewis yn uchel ei safon byddai'r
ysgol fodern yn gorfod dygymod â cholli pa ddoniau bynnag oedd wedi
dianc o rwyd yr 11 + gan fod arholiadau pellach i'r 12 a'r 13 + yn agor
llwybr i'r ysgol ramadeg. Yn aml yr oedd angen lliniaru teimladau'r
disgyblion yn y flwyddyn gyntaf, a'r athrawon yn gweithredu fel ymgyng-
horwyr elfennol wrth geisio adfer strwythur yr emosiynau mewn rhyw ffordd
ac argyhoeddi'r disgyblion, fe obeithid, nad oeddent wedi eu halltudio i
diriogaeth addysgol ddiffrwyth. Gwnaeth yr amddifadu o'r doniau eiriau
Norwood ynghylch parch cyfartal yn gau ac yn llai na dibwys. Lleoedd
anffodus oedd llawer un o'r ysgolion modern a bellach y mae adeilad sawl
un ohonynt yn gorwedd ar fryniau'r dyffrynnoedd fel gŵlag anghyfannedd

22. *Curricula and Secondary Schools Examinations.* 1943. Gwasg Ei Mawrhydi. (Adroddiad
    Norwood) .
23. E. J. King, *Other Schools' and Ours.* t. 95. Llundain 1967.
24. E. J. King, *ibid.* t. 96.
    Atgyfnerthir y sylwadau hyn gan astudiaeth ddylanwadol o ysgol uwchradd fodern a
    wnaed gan D. H. Hargreaves yn *Social Relations in a Secondary School.* Llundain. R.K.P.
    1967. Ei gasgliadau oedd: *children are educated and socialised to fit into certain pre-conceived social
    strata of life in the modern world'*.

ac adfeiliedig. Yn ffodus, yr oedd bywyd yn rhai ohonynt yn gadarnhaol, a'r pennaeth a'r staff a'r disgyblion yn ymdrechu i gynhyrchu amgylchedd—yn gymdeithasol ac yn academaidd—a fyddai'n dderbyniol gan y rhieni a'r plant. Annheilwng fyddai gwneud testun gwawd o ymdrechion y fath boblyn, yr arholiadau allanol, lawer ohonynt yn ysbrydoledig. Pan fabwysiadwyd ysgolion modern mewn mannau lle'r oedd y system ddewis yn llai heriol, bu iddynt godi tŷ-hanner-ffordd rhwng yr ysgol ramadeg a'r ysgolion modern eraill, a thrwy hynny bwysleisio arwahanrwydd cymharol yr ysgolion olaf hyn yn eu cymunedau.

Dygodd yr ysgolion modern yn fuan i gof gwpled George Crabbe a ddyfynnwyd ar ddechrau'r bennod hon—ac a ysgrifennwyd dros ddau gant a hanner o flynyddoedd yn ôl! Ysgolion nad oedd neb yn malio dim amdanynt oeddent yn fynych, ac er bod gwaith ardderchog mewn rhai ohonynt a lleng o athrawon dienw yn addysgu mewn amgylchiadau anodd, nid oedd hiraeth ar eu hôl pryd y daethant yn un â'r ysgolion cyfun. Ynghyd â'r Ysgolion Elfennol Uwch, yr Ysgolion Plant Hŷn a'r Ysgolion Pob Oed, yr oeddent yn cynrychioli parhad y System Elfennol. Yn hanesyddol yr oedd y math hwn o addysg wedi dioddef cymaint—o ddifaterwch y cyhoedd ar y gorau, ac o elyniaeth ar y gwaethaf. Dichon mai Virginia Woolfe a fwriodd y sarhad llenyddol mwyaf parhaol ar yr ysgolion a'u disgyblion, yn 1927, wrth ddirmygu eu cynnyrch. Y mae ei disgrifiad o Charles Tansley yn *To The Lighthouse* yn ddeifiol; '*I am reminded all the time of some callow board-school boy*'.[25]

Yn chwe-degau'r ganrif hon datblygodd achos addysg gyfun; troes y dadlau am ddymunoldeb yn awydd gweithredu ar frys i'w sefydlu. Ei derbyn yn ofalus bwyllog a wnaeth penaethiaid ysgolion gramadeg Cymru—o leiaf yn gyhoeddus mewn argraffiad o *The Review of the Welsh Secondary Schools' Association*. Ni fydd meddyliau preifat yr aelodau fyth yn wybyddus, ond yr oedd rhai penaethiaid yn dadlau'n ddi-dderbyn-wyneb, dros ac yn erbyn. Cofnodwyd geiriau un brifathrawes enwog yn 1965 pryd y dywedodd '*in the second half of the twentieth century a cultural elite dominating an educational system is outmoded*'.[26] Ysgrifennodd person enwog arall, DPM Michael, yn 1964, ei fod yn amharod i ymddangos yn '*latter-day Canute*' ond rhybuddiodd ei gydweithwyr fod '*the priorities of doctrinaire reorganisers are illogical and witless*'.[27] Yn 1967 rhoes '*chilling accounts*' o'r ad-drefnu yng Nghasnewydd a'r Barri. Nid oedd Michael yn gor-ddweud yn 1967 oherwydd yr oedd rhai o'r cynlluniau ad-drefnu wedi'u rhoi at ei gilydd ar frys ac yn ddi-drefn, ac yn gysyniadol fyzantaidd. Efallai y caech afael ar y prifathro mwyaf teithiol yng Nghymru (pe baech yn lwcus) yn Ysgol Gyfun Cwmtawe yn rhanbarth Cyngor sir y Forgannwg a fu. Pe bai ef yn cychwyn

25. Virginia Woolf, *A Writer's Diary*, t. 49. Hogarth 1953.
26. *The Review*. Cymdeithas Ysgolion Uwchradd Cymru, 1965.
27. *The Review*. Cymdeithas Ysgolion Uwchradd Cymru, 1964.

o'i swyddfa i ymweld â mannau pellenig ei ysgol byddai wedi teithio dros ddeuddeng milltir cyn dychwelyd. Ac yr oedd hyn mewn ardal drefol!

Yr oedd aelodau'r corff dylanwadol hwn yn amlwg yn betrusgar ynghylch dyfodol addysg a'u dyfodol hwythau'n bersonol. Yr oedd llawer o'u hysgolion, er yn sicr nid y cyfan ohonynt, wedi cyrchu at nodau academaidd a esgorai ar gyrhaeddiant uchel—neu o leiaf barchusrwydd academaidd a oedd yn dderbyniol ac yn gymeradwy gan y cyhoedd. Bu iddynt hwy, o leiaf, gyrraedd yr uchelderau. Ni chyrhaeddodd lleiafrif bach odre'r bryniau. Yr oedd yr ysgolion a oedd wedi amlygu llwyddiant nid di-sylwedd, drwy ganlyniadau arholiadol, yn nodwedd gymeradwy yng Nghymru wedi'r rhyfel, er gwaethaf rhai gwendidau eraill. Ond a fyddai yna fywyd yn dilyn Cylchlythyr 10/65? Nid annaturiol fyddai iddynt fynegi pryder am ddyfodol mewn system gyfun, ac fe'i mynegwyd mewn amryfal ffyrdd. Yn 1966 ysgrifennodd un pennaeth bennill yn *The Review*. Yn rhyfedd(?), cyfraniad dienw ydoedd, yn atseinio'r gred mai math ar nychdod addysgol a ddeuai'n anochel yn sgîl yr ysgol gyfun. Y mae i'w neges naws yr ildio gwatwarus a'r cydsynio di-les. Yr oedd y gwastatwyr cymdeithasol wedi ennill y dydd.

'In Praise of Comprehensive Education

> 'Vive la comprehensive
> Build them by the score
> Why be apprehensive?
> Let's have them more and more.
> Down with competition
> None shall set the pace
> Let's all be last together
> So all will win the race.'[28]

Yr oedd y dyfodol mewn dwylo diogel![29]

Y mae wastad wedi ymddangos braidd yn amhriodol mai penaethiaid ysgolion gramadeg blaenorol oedd arweinwyr yr ysgolion cyfun newydd, unwaith y byddai'r ad-drefnu wedi'i gwblhau. Ychydig ohonynt oedd wedi datgan eu bod yn credu'n gadarn yn y system, ac yr oedd eraill yn Laodiceaidd am hygrededd addysg gyfun. Rhaid dweud bod llawer o'r penaethiaid newydd wedi cael eu hunain mewn penbleth personol tra anodd pan addrefnid yr ysgolion—gan fynychaf drwy gydio ysgolion modern wrth eu hysgolion eu hunain. Yr oedd disgwyl iddynt arwain yr ysgolion hyn i ddyfodol yr oeddent hwythau naill ai wedi gwrthod ei wynebu neu wedi bod yn glaear yn ei gylch. Yr oedd llawer a fynegodd anghytundeb i raddau fwy neu lai yn awr yn ymgymryd â'r dasg o fod yn warcheidwaid i'r drefn

28. *The Review*. Cymdeithas Ysgolion Uwchradd Cymru, 1966.
29. Mae rhywun yn gofyn i'w hun beth fyddai Matthew Arnold wedi ei wneud o hyn oll wrth i rywun feddwl am ddiweddariad posibl o'i ddatganiad '*Men of culture are the apostles of equality*'.

newydd, yn lleddfu ofnau rhieni pryderus ac athrawon sgeptigol, yn enwedig o'r ysgolion gramadeg. Nid bod hyn yn feirniadaeth gyffredinol ar bawb; yr oedd llawer pennaeth yn ymdrechu i sefydlu ysgolion a fyddai'n deyrnged i'w hymdrechion hwythau a'r athrawon. Serch hynny, y mae troëdigaeth athronyddol ymddangosiadol eraill ohonynt yn codi amheuaeth parhaus a chwestiwn ynghylch difrifoldeb eu troëdigaeth. A oedd Rupert o'r Rhine wedi llunio cytundeb cyfrinachol gyda'r Colonel Fairfax, ac ai'r Brenhinwyr bellach oedd mintai ymosodol y Fyddin Newydd Wedd?

Maentumiai Adroddiad McNair fod hyfforddiant athrawon yn seiliedig ar y ddamcaniaeth bod myfyrwyr yn ymdopi drwy ruthro, ('survived by hurrying').[30] Yn sicr yr oedd sefydliad ysgolion cyfun yn y 60au a'r 70au yn gyfryw ag i awgrymu mai'r flaenoriaeth bennaf oedd goroesi. Dod i fod-olaeth yn gloff a wnaeth yr ysgolion mewn llawer rhanbarth, ac yng nghwmni problemau digalon a ddeuai ynghlwm wrth yr ad-drefnu. Bu raid ennill calon rhieni pryderus—a gelyniaethus yn fynych—disgyblion yr ysg-olion gramadeg. Golygai'r rhuthro bod y paratoadau'n cael eu cwtogi. Yn aml bu raid defnyddio adeiladau anaddas i ddibenion dros dro. Darg-anfuwyd gofal bugeiliol—yn swyddogol, a'i ffurfioli fel mater o reidrwydd yng nghyd-destun yr ysgol. Yn ffodus, ni wnaethpwyd defod ohono ond yn anfynych! Yr oedd codi oedran ymadael â'r ysgol ar y gorwel, a hynny'n ychwanegu at yr anawsterau, ond gwelwyd gorau llawer ysgol yn yr ym-drechion a wnaethant i ddelio â'r disgyblion a fyddai'n amlwg amharod ac weithiau'n wrthnysig i fynychu'r ysgol. Ymladdwyd brwydrau'n gudd-iedig—o leiaf yn guddiedig i bawb y tu allan i'r ysgolion—rhwng athrawon hanfodol annhebyg a dynnwyd ynghyd, ac y mae llawer o wirionedd yn honiad un ysgrifennwr am yr hyn a ddigwyddai yn y cyfnod hwn o densiwn ôl-geni. Yn ystod y degawd cyntaf, meddai Colin Hunter, '*to a great extent the ethos of the new comprehensive school depended on which of the contributing secondary schools was successfully assertive in maintaining its ideology*'.[31] A'r disgwyl oedd mai'r plant—fel y gwir mewn brwydr—fyddai'r colledion cyntaf. Cawsant eu drysu nid yn anfynych, ond bu iddynt ddangos mwy o hyblygrwydd na llawer aelod staff a dreuliasai ddegawdau mewn amgylchedd ysgafnach ei ofynion corfforol. Dichon bod hyn i'w ddisgwyl mewn ysgolion newydd, a nifer nid ansylweddol ohonynt â phoblogaeth o fwy na phymtheg cant.[32] Nid oedd unrhyw Beirut yn eu plith, na Rising Hills ychwaith. Os bu sefyllfa o'r fath fe'i cadwyd yn gyfrinach rhag pawb a phopeth, ond yn ddiamheuol yr oedd rhai sefyllfaoedd ag ynddynt addewid amlwg o gyffro. Ymdrechodd yr

30. *The Training of Teachers and Youth Leaders* (Adroddiad McNair) Gwasg Ei Mawrhydi. 1944.
31. Colin Hunter, *The Political Devaluation of Comprehensives: What of the future?* yn *Comprehensive Schooling. A Reader.* Gol. Stephen J. Ball. Gwasg Falmer. 1984.
32. Mae David Reynolds o Brifysgol Cymru Coleg Caerdydd, yn dal fod gan yr ysgol gyfun yng Nghymru ar gyfartaledd tri chant yn fwy o ddisgyblion na'r cyfartaledd yn Lloegr. Dim rhyfedd fod tyndra rheoli a chymdeithasol cynyddol!

ysgolion i ymsefydlu er gwaethaf y llwyddiant a'r trawma a oedd yn anorfod gymysg ac yn fendith neu'n felltith iddynt ar eu pererindod.

Ni ddylid anghofio bod achos addysg gyfun wedi bod yn fater ymryson gwleidyddol a'r ddwy blaid fwyafrifol yn cymryd safleoedd disyfl ac yn gwrthod ildio'r un iod rhag colli wyneb. Yr oedd syniadau cyfeiliornus ac afreolus ar y ddwy ochr yn y ddadl—pwy all anghofio gormodiaith datganiad Harold Wilson yn 1965? *'Grammar schools for all'* oedd yr ysgolion cyfun—y mae adlais eironig yn yr agwedd gan fod rhai o'r ysgolion newydd o'u dechreuad yn ymddangos fel pe baent yn ymdrechu'n gyndyn i gyflawni'r disgwyliadau Wilsonaidd afradlon. Y mae eironi mawr yn y ffaith mai un o'r rhanbarthau olaf yn y Gymru ddiwydiannol i brofi ad-drefnu oedd Tonypandy, lle gorfu i'r sosialwyr lleol dderbyn athroniaeth Athen y Bumed Ganrif yn hytrach na chredo a fyddai'n fwy cymwys i chwyldrowyr Stepiau Odessa.

A'r cyffro mwyaf sylfaenol a ddigwyddodd erioed yn ein system uwchradd yn mynd rhagddo'n gynyddol gyflym, a oedd gwerthuso cyfatebol yn digwydd ynghylch hyfforddiant athrawon ifanc, a hynny gyda'r un cyflymdra? A oedd y colegau addysg ac, yn enwedig, adrannau hyfforddiant athrawon yn y prifysgolion yn ail-asesu gofynion sylfaenol cyfarparu'r newydd ddyfodiaid i staff ein hysgolion? Yr oedd yr ysgol gyfun ar eu gwarthaf. Yr oedd gofyn bod efrydwyr yn cael eu hyfforddi i weithio ac yn ymgynefino â gwaith mewn sefyllfaoedd heriol, newydd a chyfnewidiol iawn. Byddai *'roaring boys'*[33] (a merched) Edmund Blishen yn ymddangos ymhen dim amser. A barnu o brofiad byr dyn ei hunan mewn coleg addysg yr oedd yn ymddangos bod pellter anfesuradwy—neu arwahanrwydd— rhyngddynt a'r dasg o baratoi ar gyfer yr ysgol gyfun. Yr oedd gan y mwyafrif llethol o'r staff gymwysterau academaidd da iawn a phrofiad o'r ysgol ramadeg yn bennaf. Ar y cyfan, hyfforddi efrydwyr ar gyfer ysgolion cynradd ac uwchradd modern yr oeddent, ac yr oedd yn ymddangos bod perthynas gyfartal rhwng eu cefndir academaidd a'u profiad proffesiynol. Buasai'r prifysgolion yn hyfforddi ar gyfer yr ysgolion gramadeg yn bennaf. Y mae'n ymddangos bod gan y staff gymwysterau academaidd uchel a phrofiad mewn rhan gymharol fechan ond tra phwysig o'r system addysg— yr ysgolion gramadeg. Yr oedd ysgol o fath newydd ar ei thwf ac yr oedd arni angen canllawiau diwygiedig i hyfforddi athrawon i ddelio â sefyllfaoedd cyffrous a chyfnewidiol hyd yn oed. Y mae bwrw golwg dros bapurau arholiad Tystysgrif Addysg Ôl-radd Prifysgol Cymru yn y chwe-degau'n ddiddorol. Rhaid i mi gyfaddef fy mod i'n dal i fynd yn ôl at un cwestiwn a osodwyd yn union cyn Cylchlythyr 10/65. Y mae'n teilyngu ei ddyfynnu'n llawn. *'Discuss how the story of the Gyges Ring illustrates the statement that religion is*

33. E. Blishen, *Roaring Boys. A Schoolmaster's Agony*. Thames a Hudson. Llundain, 1955.

what the individual makes of his own solitariness'.[34] Y mae angen dawn o fath arbennig i ddirnad ei berthynas ag athro ifanc ar fin wynebu dyfodol anodd mewn ysgol gyfun! Y mae Colin Hunter, eto, wedi crynhoi anaddasrwydd hyfforddiant athrawon y cyfnod—*'the keys to the definition of professional competence remained firmly in the hands of traditional gatekeepers'.*[35]

Am gan mlynedd cafodd Cymru fanteision system strwythuredig o ysgolion uwchradd, a ddaeth i fodolaeth drwy benderfyniadau deddfwriaethol ymwybodol er bod ysgolion eraill eisoes wedi tyfu mewn rhai ardaloedd oherwydd amgylchiadau lleol. Er gwaethaf byr-gyraeddiadau gweinyddol ac economaidd a gwendidau o'u mewn, pwy a wâd na fu i'r ysgolion uwchradd a'r ysgolion canolradd yn enwedig—a'r mwyafrif ohonynt wedi goroesi am wyth degawd—fod yn gyfrwng a newidiodd, yn sylfaenol yn y diwedd, ddyheadau llaweroedd o rieni Cymreig gogyfer â'u plant. Yr oedd gwendidau a guddiwyd gan flynyddoedd o ganmoliaeth anfeirniadol yn y trafodaethau am addysg uwchradd. Yr oedd yr ysgolion canolradd yn unigryw. Nid oedd Cymru wedi gweld eu tebyg o'r blaen, ac y mae'r cwestiwn pa un a oeddent yn 'Gymreig' eu hethos neu weithiau'n ddrych o'u cymheiriad Seisnig y tu allan i'm haseiniad. Yr oeddent yn feritocrataidd eu rhagolygon—yn ddigywilydd felly'n aml—ond bu iddynt greu cronfa o dalent a oedd o ddefnydd i Gymru a hithau'n gynyddol ymdebygu i'r gymdeithas a'r genedl ddiwydiannol fodern a adwaenwn heddiw. Yn hanesyddol dichon eu bod o'r unrhyw ddefnydd i Loegr. O ail-feddwl, daw ymadrodd Musgrove i gof, y *'migratory elite'*,[36] gan y bu i'r system uwchradd gynhyrchu mintai o bobl a wasgarodd i Loegr oherwydd diffyg cyfleoedd i ddefnyddio eu medrau gartref. Ategir y pwynt hwn gan y miloedd aneirif a aeth yno o'r pumed dosbarth a thrwy hyfforddiant-athrawon. Yr oedd llawer o'r ysgolion yn ganolfannau addysg da odiaeth. Geill fod eraill yn ddigon cyffredin. Dywedodd yr Athro Evan John Jones, y drylliwr delwau nodedig hwnnw, yn 1947, *'it was a travesty of the truth to say that Wales had an unequalled secondary system'.*[37] Gymaint â hynny am un o'n sefydliadau cysegredig.

Ar ôl bod mewn bodolaeth am gan mlynedd y mae addysg uwchradd yng Nghymru yn wynebu problemau newydd y bydd gofyn am ddyfeisgarwch a mwy nag ychydig o benderfyniad i'w goresgyn. Fel yn y ganrif a aeth heibio, y ffigur canolog yn yr ymdrech i lywio'r ysgolion i fewn i'r ganrif nesaf yw'r pennaeth. Nodwyd yn y ddogfen, *Ten Good Schools* mai *'quality of leadership'*[38] yw'r un ffactor gyson a alluogodd pob ysgol yn yr astudiaeth honno i

---

34. Papurau Arholiad y Dystysgrif Addysg i Raddedigion. Coleg y Brifysgol, Caerdydd. 1963.
35. Colin Hunter, *ibid.*
36. F. Musgrove, *The Migratory Elite.* Llundain, 1963.
37. Gareth Elwyn Jones, *op. cit.*, t. 195.
38. *Ten Good Schools.* t. 35. Gwasg Ei Mawrhydi. Llundain, 1977.

gyrraedd gradd uchel o lwyddiant. Y mae'n wir bod beichiau gweinyddol newydd yn pwyso ar ysgolion ond y mae eu poblogaeth wedi gostwng yn sylweddol dros y degawd diwethaf, ac y mae nifer y staff gweinyddol, hyn wedi aros yn ei unfan i gynorthwyo'r pennaeth i fodloni'r gofynion newydd hyn. Y mae'n bosibl y bydd llawer pennaeth yn gorfod ail-bwyso rhai o'u swyddogaethau hanesyddol ond ni ddylid fyth ddiffinio blaenoriaethau o'r newydd ar draul cadw perthynas ryng-bersonol ar lefel weithredol a gwel-adwy â'r staff, rhieni ac, yn bwysicach na dim hwyrach, y disgyblion. Y mae ansawdd yr '*accessibility*'[39] sydd yn hanfodol i lwyddiant, yn ôl y ddogfen, *Ten Good Schools*, yn awgrymu math ar 'welededd', o ddiffyg gair gwell, yn yr ysgolion, nodwedd y mae rhai penaethiaid wedi ymwrthod â hi, yn anffodus. Ni ddylai'r pennaeth fyth fod yn ffigur rhithiol braidd, i'w ganfod ond yn awr ac yn y man gan y staff a'r disgyblion—dylai ei bresenoldeb fod yn weladwy ac yn gydnabyddedig ar draws campws yr ysgol. Dylai ei swyddogaeth mewn ysgol rychwantu o eithafion ymglymu'n weithredol yn y dasg o gyfarwyddo myfyrwyr y chweched ynghylch mynediad i addysg uwch ar y naill law, i ymyrryd yn briodol mewn ystafell ddosbarth bell i ffwrdd lle y mae athro'n profi beth a alwodd Richard Farley unwaith yn '*cultural Kohima*'[40] (a phryd yr ymddengys mai cynnyrch dychymyg General Slim oedd Imphal). Dichon y gall penaethiaid gyfathrebu ag aelodau staff drwy femoranda ond ni allant fyth gyrraedd at eu disgyblion drwy Fax! Os yw'r lleiafrif yn mynnu mai cartref naturiol y rheolwr cyfoes yw'r stydi, bydded iddynt gofio hefyd am y cyfnewidiadau sylfaenol a anogir gan Ysgolion Busnes parthed ymagweddu tuag at reolaeth effeithiol. Heddiw anogir pob MBA i beidio byth ag anghofio'r rheol hanfodol, MBWA— '*Manage By Walking About*'! Dylai'r pennaeth gymryd safle mor agos at y parapet ag sydd yn bosibl, yn hytrach nag yn niogelwch twyllodrus y gwersyll amddiffynnol. Cyhoeddodd y cyfathrebwr ardderchog hwnnw, y Cadfridog Syr Brian Horrocks, rai blynyddoedd yn ôl, ei fod bob amser wedi ystyried '*the forward edge of the battlefield is the most exclusive club in the world*'.[41] Ymaith â'r lleiafrif, a gwerthfawroger helaethrwydd datganiad Horrocks gan y mwyafrif o benaethiaid Ysgolion Cyfun Cymru, a hwythau'n ymdrechu i roi i'n gwlad ysgolion cyfun a fyddo'n gymunedau gwâr gyda safonau academaidd uchel. Yn anffodus, bydd yn rhaid iddynt argraffu ar y lleiafrif sydd wedi penderfynu i weithredu fel yr athronydd mawr Americ-aniadd, Henry David Thoreau, ac yntau'n encilio i Walden Pond, fod y fath weithredu negyddol yn mynd i ychwanegu at yr anawsterau enfawr sydd eisoes yn gynhenid yn y dasg o greu'r hinsawdd angenrheidiol a fydd yn

39. *Ibid.*
40. Richard Farley, *Secondary Modern Education*. Llundain, 1960.
41. *The Penguin Dictionary of Modern Quotations* (Argraffiad Diwygiedig). Gol. J. M. a M. J. Cohen, t. 158. Penguin Books. Llundain, 1983.

rhoi i Gymru yr ysgolion y mae hi'n eu teilyngu wrth i ni symud i mewn i'r unfed ganrif ar hugain.[42]

Y mae tuedd ramantus ynom—Celtiaid ydym! Dichon y bu gor-ganmol diangen ar ein hysgolion uwchradd a chwyddwyd yn barhaus ac yn aml gan ddatganiadau angerddol o ddoethineb aldramonaidd ar draws ein gwlad. Y mae angen cydnabod, weithiau, bodolaeth yr hyn a alwodd Aneurin Bevan yn *'the invasion of doubt'*.[43] Y mae gofyn i ni weld y cyfan o'n system addysg—ddoe a heddiw—*'warts and all'*. Rhaid claddu'r myth ei bod yn agos ber-ffaith. Ond y mae'n wir fod yr ysgolion, yn ystod eu hesblygiad troellog, *wedi* agor drysau i gynifer o ddisgyblion, ac iddynt yn y diwedd groesi ffiniau rhaniadol cymdeithas. Yr oedd eu hangen ar Gymru. Fe'u cafodd. Byddai Willard Waller, o'i ddwyn drachefn i olau dydd a'i ail-sefydlu'n hapus, yn cytuno iddynt fynd â *'light into dark places'*.[44] Daethant yn obaith ac yn waredigaeth i gynifer o rieni a phlant a geisiodd a alwai oes Victoria yn 'improvement''. Daethant â dechreuad newydd i gynifer—i ffwrdd o'r chwarel, y lofa a ffarmio ymgynhaliol. Y mae'n rhaid i ni barhau i ail-werthuso swyddogaeth a dilysrwydd cymaint yn ein hysgolion heddiw. Anodd yw ymryddhau oddi wrth hen dybiaethau, ac yn fynych bydd egluro a dadansoddi'n amlygu bod mympwy a thybiaeth yn gallu ymgyfnewid. Rhaid i'r gor-ganmol rhoi lle i ystyried digynnwrf, a gall hynny esgor yn hawdd ar brofiad dolurus. Rhaid gochel rhag optimistiaeth nad oes iddo warant yn ein sefyllfa bresennol a sicrhau bod ein hysgolion yn cael stiwardi-aeth deilwng o'n cymunedau. Mewn cwpled, fe grynhodd Idris Davies, Housman y Cymoedd hwnnw, ac athro hefyd a lafuriodd mewn Ysgol Hŷn, yr angen am realaeth a meddwl agored fel sail i'n holl archwilio:

'If you will to Merthyr Tydfil
Ride unarmed of dreams.'[45]

Er ei fod yn cytuno ag ysbryd y gerdd, dymuna'r awdur ddweud iddo gael cymaint cadernid, cefnogaeth a chyngor ym Merthyr yn nyddiau cynnar a chyffrous ei brifathrawiaeth yno.

42. Syweddolir pwysigrwydd hanfodol y Prifathro mewn gweithredu (camweithredu?) ysgol fwyfwy gan ymchwilwyr cyfoes e.e. mae Robert Burgess yn *Comprehensive Schooling, A Reader*, Gol. Stephen Ball *op. cit.* yn gwneud y pwynt bod *'more detailed analyses are needed that take the head, and not the school, as a focus of study'*.
43. Dyfynnwyd gan G. A. Williams, *When was Wales?* Pelican Books. Llundain, 1985. Yn ôl pob sôn, mynnodd Bevan ddefnyddio'r prif lythrennau yn yr ymadrodd.
44. Willard Waller, *The Sociology of Education*. Efrog Newydd, 1932. Ailbrintiwyd 1961. Mae diffiniad Waller o athrawon yn gofiadwy am iddo gael ei ysgrifennu bron trigain mlynedd yn ôl. *Teachers are the paid agents of cultural diffusion. They carry light into dark places.*
45. Idris Davies, *Gwalia Deserta* o *The Collected Poems of Idris Davies*. t. 44. Gol. Islwyn Jenkins. Gwasg Gomer, Llandysul, 1984.

YSTYRIAETHAU O DU DWYREINIOL CLAWDD OFFA

P. H. J. H. GOSDEN

V

Disgrifiwyd Deddf Cau'r Tafarnau ar y Sul yng Nghymru fel gweithred gyfansoddiadol arwyddocaol gan mai hon oedd y Ddeddf arbenigol Gymreig gyntaf gan y Senedd ymerodrol yn San Steffan.[1] Roedd yn nodedig gan hynny am ei bod yn tystiolaethu mewn termau deddfwriaethol i fodolaeth y genedl a hefyd am ei bod yn arddangos dylanwad cynyddol Cymru yn San Steffan a weithredid yn bennaf drwy gyfrwng y mudiadau Rhyddfrydol ac Anghydffurfiol. Yr ail fesur arbenigol Gymreig a basiwyd gan y Senedd yn San Steffan oedd Deddf Addysg Ganolraddol 1889. Yr ydym ni yma heddiw oherwydd pwysigrwydd mawr y rhan a chwaraeodd, ac a gydnabyddir yn gyffredinol, yn nhyfiant a datblygiad y gyfundrefn addysg yng Nghymru yn ystod y can mlynedd diwethaf.

Yn wahanol i'r gyntaf, fe fu gan yr ail o'r deddfwriaethau hyn oedd yn ymwneud yn benodol â Chymru ganlyniadau uniongyrchol a phendant ar gyfer Lloegr yn ogystal â Chymru. Yn wir, fe fu cydymdeimlwyr o Saeson, oedd hefyd yn ymdrefnu ac yn dod yn fwy huawdl yn eu hymdrechion i ddiwygio addysg uwchradd yn gyffedinol, yn defnyddio hynny o ddylanwad a fai modd i'w chefnogi. Gan hynny, wrth fwrw golwg dros y Ddeddf a'r canlyniadau sydd wedi llifo o'r datblygiadau a ddarparodd, mi hoffwn geisio gosod ychydig ystyriaethau ger bron ar draweffaith ac arwyddocâd y mesur hwnnw ar hanes y gyfundrefn addysg ar ochr Ddwyreiniol Clawdd Offa.

Mae'n debyg fod gweinyddiaeth Gladstone a gychwynnodd yn 1868 wedi gwneud mwy na'r un weinyddiaeth arall yn ail hanner y Bedwaredd Ganrif ar bymtheg i alluogi'r wlad i ymaddasu i gyfarfod â heriadau economaidd, cymdeithasol a gwleidyddol yr oes. Y mesur mwyaf cyfarwydd yn ein maes, o bosibl, yw Deddf Forster yn 1870—yn darparu lle mewn ysgol elfennol ar gyfer pob plentyn a hawl ddeddfwriaethol i orfodi mynychiant yn lleol. Ystyrid fod Forster yn perthyn i adain radicalaidd y Blaid Ryddfrydol. Ef oedd yr aelod dros Bradford ac roedd y mesur y cysylltir ei enw ag ef yn rhan o gynllun i ddiwygio a moderneiddio'r gyfundrefn addysg oedd wedi'i lunio gan ddau aelod amlwg o Gyfundeb Rhyddfrydol y West Riding, Forster ei hun ac Ardalydd Ripon. Penododd Gladstone Forster yn Is-Lywydd Pwyllgor y Cyngor ar Addysg ac Ardalydd Ripon yn Arglwydd Lywydd y Cyngor. Roedd y ddeuddyn gan hynny mewn sefyllfa i fwrw ymlaen â'u cynlluniau i ddarparu lleoedd mewn ysgolion elfennol ac uwchradd ar raddfa a allai gyfarfod, yn eu tyb hwy, ag anghenion y gymuned yn rhan olaf y bedwaredd ganrif ar bymtheg. Tra oedd eu cynlluniau'n cynnwys defnyddio arian

1. Kenneth O.Morgan, *Rebirth of a Nation: Wales 1880-1980*, t. 36.

cyhoeddus o drethi lleol yn ogystal ag arian o'r Trysorlys i gynnal ysgolion elfennol, fe dderbyniasant y farn gyffredinol a gofforwyd yn Adroddiad Comisiwn Taunton y dylai'r gwaddoliadau oedd eisoes yn bodoli fod yn ddigonol ar gyfer darparu ysgolion uwchradd o'u defnyddio'n ddoethach a'u symud, pe bai rhaid, i leoedd ag angen mawr ond prin eu gwaddoliant.

Pasiwyd Deddf yr Ysgolion Gwaddoledig yn 1869 a'r bwriad oedd cyrraedd y nod hwn drwy gyfrwng Comisiwn gweithredol a gyfunwyd â'r Comisiwn Elusennau yn 1874 ond a ddaliodd ati i weithio am dri degawd. Byddai mesur pellach a gyflwynwyd gan Forster a Ripon yn Sesiwn Seneddol 1869 wedi trefnu arholiadau allanol ar gyfer ysgolion uwchradd a chofrestru'r athrawon, ond ni chafodd y mesur hwn lawer o lwyddiant ac fe'i gollyngwyd ar ddiwedd y Sesiwn. Petai wedi mynd rhagddo, byddai llawer o'r amser a'r ymdrechion a dreuliwyd dros faterion fel arholiadau ysgolion uwchradd a recriwtio a hyfforddi athrawon yn ystod yr hanner can mlynedd dilynol wedi bod yn ddiangen.

Yn ôl rhagair Deddf yr Ysgolion Gwaddoledig,[2] ei nod oedd 'dod ag addysg ryddfrydig o fewn cyrraedd plant o bob dosbarth'. Dim ond yn rhannol y gwireddwyd y gobaith y byddai'r ysgolion gwaddoledig ynghyd â'r gwaddoliadau a ddargyfeirid er mwyn cyflawni anghenion addysgol yn darparu'r sylwedd angenrheidiol ar gyfer cyfundrefn o addysg uwchradd gyflawn. Roedd dau brif reswm pam na chyflawnwyd amcanion y Ddeddf ond yn rhannol a pham na lwyddwyd i ddarparu cyfundrefn addysg uwchradd gyflawn yn unol â bwriad Ripon a Forster. Roedd y cyfanswm o waddoliadau'n annigonol ar gyfer y dasg yn ogystal â'u bod wedi'u dosbarthu'n anwastad ac nid oedd awdurdodau rhanbarthol nac awdurdodau lleol ar gael a allai gynorthwyo'r comisiynwyr canolog drwy roi mynegiant i'r anghenion lleol a hefyd drwy helpu i hybu cefnogaeth yn lleol ar gyfer cynlluniau'r ardaloedd pan gai'r rheiny eu llunio. Ar ben hynny roedd y gorchwyl a wynebai Comisiynwyr yr Ysgolion Gwaddoledig yn enfawr a gwelwyd ei fod yn fwy o lawer ac yn anos na'r hyn a ragwelwyd gan y Llywodraeth, y Senedd neu'r Comisiynwyr eu hunain. Ar yr adeg y pasiwyd Deddf yr Ysgolion Gwaddoledig y gred oedd y byddai'r Comisiwn yn dod i derfyn ei waith ac y gellid ei roi o'r neilltu ymhen tair neu bedair blynedd. Yn 1892, wrth fwrw golwg yn ôl dros y sefyllfa oedd yn wynebu Comisiynwyr yr Ysgolion Gwaddoledig, crynhodd James Bryce y sefyllfa yn Lloegr a Chymru yn y geiriau hyn:

> lleoli lle'r oedd eu hangen, roedd gormod o gyflenwad mewn rhai mannau tra oedd mannau eraill, llawer yn fwy poblog o bosibl, wedi'u gadael heb ddarpariaeth. Roedd yr addysg a roddid yn aml yn wael ei hansawdd, ac ychydig o gyswllt organaidd a fodolai rhwng gwahanol raddau o ysgolion canolradd, na chwaith rhwng yr ysgolion canolradd fel cyfangorff a'r sefydliadau oedd yn cyfrannu addysg

---

2. 32 & 33 Vict., c.56

elfennol ac addysg brifysgol... roedd yr ysgolion mewn llawer achos
wedi'u hesgeuluso ac wedi mynd yn ddiwerth i raddau helaeth.
Roedd yr athrawon yn ddiog a'r ymddiriedolwyr yn ddifater, ac yn
gyffredinol ychydig o ddiddordeb oedd gan y cyhoedd, oedd wedi'u
cau allan o'r gweithrediadau, yng ngweinyddiad y gwaddoliad.
Roedd dadleuon crefyddol wedi ychwanegu at y drygioni mewn
llawer achos, gan wneud yr ysgol yn amhoblogaidd ar brydiau, ac ar
brydiau'n amddifadu rhan o'r boblogaeth o'i buddion, fel ag yr
oeddynt.'[3]

Y bwriad ar y cyntaf oedd y byddai Comisiynwyr yr Ysgolion Gwaddol-
edig yn ymdrin â'r wlad fesul ardal ac yn trafod pob ysgol unigol ym mhob
ardal yn unol â chynllun trefnus. Fe geisiodd y Comisiynwyr weithio yn unol
â'r patrwm hwn ar y cychwyn ond gorfu iddynt roi'r gorau i'r dull hwn o
weithredu gan ei fod yn golygu anwybyddu tan yn ddiweddarach rai ysg-
olion oedd yn amlwg a gwir angen eu diwygio ar frys, tra oedd ysgolion eraill
oedd yn weddol gymwys fel petaent yn cael eu beirnadu gan eu bod mewn
ardal oedd o dan arolwg. Byddai ymholiadau manwl a pharatoi cynlluniau
gan bwyllgorau rhanbarth neu ardal wedi cyflymu'r broses yn fawr ac wedi
ennill cefnogaeth leol.

Gwelwyd hefyd fod symud gwaddoliadau o'r naill le i'r llall gan y Comis-
ynwyr bron yn amhosibl. Ar wahân i'r elyniaeth a'r gwrthwynebiad a
enynnai unrhyw gynnig yn ardal y 'gwaddolwr', roedd cyfanswm y gwadd-
oliadau ar gyfer addysg uwchradd mor fach fel mai ychydig iawn o leoedd
oedd ag arian y gellid dweud ei fod yn arian dros ben mewn gwirionedd.
Roedd Cymru ymhlith yr ardaloedd prinnaf eu darpariaeth er nad oedd ar
waelod y tabl yn ôl y ffigurau a baratowyd ar gyfer Pwyllgor Dethol 1866.
Dangosodd un o'r Comisiynwyr, Syr George Young, mai'r ardal waethaf
oedd Cernyw a phe dynodid yr ardal honno â ffigur diffyg o 80, yna'r ardal
waethaf nesaf ati oedd Swydd Gaerhirfryn 50, Swydd Durham 50, Swydd
Caer 39, Cymru 37, Swydd Sussex 35 a Swydd Cumberland 32.[4]

Hyd yn oed os nad oedd Cymru yn y safle gwaethaf oll yn ôl ffigurau
Young, roedd yn waeth o lawer o ran ei gwaddoliadau na Lloegr at ei
gilydd. Canlyniad y tyfiant o ran ymwybyddiaeth a gweithgarwch gwleid-
yddol yng Nghymru oedd y cyfle i gwrdd â'r angen am beirianwaith
gweinyddol lleol a mewnlifiant arian ychwanegol er mwyn darparu cyfun-
drefn o ysgolion canolradd neu uwchradd. Yn y modd hwn daeth yn bosibl i
bleidwyr achos addysg uwchradd yn Lloegr droi at esiampl Cymru wrth
geisio sicrhau trefniadau gweinyddol digonol a mewnlifiant arian cyhoeddus
ar gyfer y wlad fwy honno. Mae'r ymgyrch o blaid y diwygio a arweiniodd
at waith Pwyllgor Aberdâr a gweithredu argymhellion y Pwyllgor hwnnw

3. Arthur H.D.Acland a H.Llewellyn Smith (gol.), *Studies in Secondary Education*, 1892,
   Rhagair gan James Bryce, tt. xii-xiii.
4. H.C., Pwyllgor Dethol,1886. Q.631. Tystiolaeth Syr G.Young.

mewn deddfwriaeth wedi'i drafod mewn lle arall. Arweiniodd y cyd-ymdeimlad a deimlai ail weinyddiaeth Gladstone tuag at amcanion addysgol a chenedlaethol Cymru at sefydlu'r Pwyllgor yn fuan wedi i'r llywodraeth ddod i'w swydd. Roedd ei dermau cyfeiriad yn mynnu ei fod yn ymchwilio i addysg ganolradd ac uwchradd yng Nghymru a gwneud argymhellion ar gyfer ei gwella. Gorffennodd y Pwyllgor adroddiad cryf a chadarn o fewn blwyddyn.

Er i Araith y Frenhines ar ddechrau sesiwn 1882 ddweud y byddid yn gweithredu argymhellion Pwyllgor Aberdâr yn ystod y sesiwn honno ac er i'r Adran Addysg baratoi mesur, ni chyflawnwyd dim. Ar wahân i brinder cyrff lleol addas y gellid fod wedi'u cynnwys o ran gweinyddu cyfundrefn o ysgolion canolradd, fe rwystrwyd unrhyw gynnydd gan wrthwynebiad y Trysorlys i ddarparu arian cyhoeddus. Mundella oedd Is-Lywydd Pwyllgor y Cyngor ar Addysg yn ystod ail weinyddiaeth Gladstone o 1880 tan 1885 ac fe wnaeth amryw ymdrechion taer i ddod â'r maen i'r wal. Rhaid fod swyddogion y Trysorlys wedi mwynhau ymarfer â'u doniau wrth ysgrifennu cofnodion negyddol mewn ymateb i ddeisyfiadau oddi wrth yr Adran Addysg. Mae'r Athro Webster wedi dyfynnu rhai o'r rhain yn ei erthygl ar y Ddeddf a gallwn sawru hyd yn oed heddiw o bosibl y blas a gâi rhyw swyddog yn y Trysorlys wrth wneud ei ddyletswydd drwy nodi y 'Byddai'n arbennig o anghyson ac anamddiffynadwy i sefydlu cymorthdaliadau newydd ar adeg pan fyddid yn ystyried dileu cymorthdaliadau sydd mewn bodolaeth'.[5] Arweiniodd ymyriad Gladstone yn 1885 ar ôl pwyso mawr gan bleidwyr addysg uwchradd o Gymry a rhai Saeson at derfynu gwrthwynebiad y Trysorlys i'r grant o gwmpas £15,000 y bernid y byddai ei angen. Fodd bynnag, er i Mundella gyflwyno mesur newydd, fe rwystrwyd Llywodraeth Gladstone rhag pasio'r mesur gan y sefyllfa yn Iwerddon a'r anawsterau gwleidyddol a ddeilliai o hynny yn ystod y 1880au. Mae'r Athro Webster wedi dangos sut y cafodd Deddf Addysg Ganolradd Cymru ei phasio ymhen hir a hwyr gan lywodraeth Geidwadol pan oedd Hart-Dyke yn Is-Lywydd. Yn y diwedd fe lwyddwyd i basio'r mesur oherwydd y pwyso trwm o Gymru lle rhoddodd Aelodau Seneddol Ceidwadol eu cefnogaeth hefyd, ynghyd ag agwedd parod ac adeiladol yr Is-Lywydd.[6]

Yn ddiamheuaeth, fe wnaeth creu'r cynghorau sir o dan fesur 1888 y Ddeddf Gymreig a gynigid yn fwy dichonadwy drwy greu cyrff lleol i gynnal y strwythur newydd. Ond dylid nodi hefyd fod cefnogaeth gadarn Comisiynwyr yr Ysgolion Gwaddoledig fel y mynegwyd hi gan Syr George Young wedi helpu i rwyddhau hynt y mesur. Roedd y comisiynwyr wedi gwneud llai o gynnydd yng Nghymru nag y gellid fod wedi'i wneud oherwydd yr anhawster o sefydlu cyrff llywodraethol lleol yn y fath fodd ag i gwrdd â phwysau o du anghydffurfwyr lleol ac osgoi gwrthwynebiad yr esgobion,

5. J.R.Webster, *The Welsh Intermediate Education Act of 1889, Welsh History Review*', IV, 280-1.
6. Ibid.

pan fyddai cynlluniau'n cyrraedd Tŷ'r Arglwyddi yn y pen draw. Y tu fewn—a thu hwnt—i gylchoedd swyddogol roedd y Comisiynwyr yn gryf o blaid ehangu addysg uwchradd yn Lloegr ac yng Nghymru.

Mae hefyd yn arwyddocaol fod y llywodraeth wedi rhoi'i chefnogaeth i'r mesur ar adeg pan oedd y mudiad o blaid addysg ganolradd a thechnegol wedi magu ymdrech nerthol yn Lloegr. Sefydlwyd y Gymdeithas Genedlaethol i Hybu Addysg Dechnegol ac Uwchradd (N.A.P.T.S.E) yn 1888 ac un o'i llwyddiannau cynnar oedd neilltuo arian i addysg dechnegol ac uwchradd drwy Ddeddf Trethiant Lleol (Tollau Tramor a Chartref) 1890.[7] Mae hanes neilltuo'r arian a fwriadwyd yn wreiddiol i ad-dalu deiliaid oherwydd dileu trwyddedau diod gadarn at ddibenion addysg dechnegol yn adnabyddus, ond dylid cofio mai pleidwyr seneddol a chefnogwyr y N.A.P.T.S.E., gan gynnwys dynion fel Arthur Acland, James Bryce a Henry Hobhouse, a sicrhaodd y newid yn bennaf. Acland a gynigiodd yn Nhŷ'r Cyffredin y dylid gorfodi'r cynghorau sir i wario'r arian ar addysg dechnegol ac fe gynigiodd welliant i'r perwyl hwnnw. Er iddo golli'r rhan fwyaf eglur o'r gwelliant a fyddai wedi mynnu gwario'r arian yn y modd hwn, fe lwyddodd i newid y mesur er mwyn caniatáu gwariant o'r fath ac fe gytunodd Goschen, Canghellor y Trysorlys, i hysbysu'r cynghorau sir 'y gosodir gorchmynion arnynt o bosibl yn y dyfodol ynglŷn ag addysg ganolradd'. Rhoddodd y llifeiriant annisgwyl hwn o arian y tollau fywyd yn narpariaethau'r Ddeddf Addysg Dechnegol yn Lloegr a gwnaeth yr arian hwn gyfraniad pwysig dros ben hefyd i weithredu'r Ddeddf Gymreig.[8]

Roedd aelodau'r N.A.P.T.S.E. yn benderfynol o wneud y mwyaf o'r sefyllfa newydd yng Nghymru. Roedd y pwerau a gynhwyswyd yn y Ddeddf Gymreig, ynghyd â chymorth grant y Trysorlys ac arian y tollau a gynigid, yn rhoi cyfle i ddangos yr hyn y gellid ei gyflawni o dan yr amodau iawn. Er mwyn cefnogi'r achos yng Nghymru fe gyhoeddodd y Gymdeithas lyfryn, *Deddf Addysg Ganolraddol Cymru: Beth ydyw a pha beth a wna?* (yn Gymraeg a Saesneg) a Llawlyfr gan T.E.Ellis A.S. ac Ellis Griffiths, *Deddfau Addysg Ganolradd a Thechnegol.* Gwastraff geiriau fyddai imi ddadansoddi neu ddisgrifio'n fanwl weithrediad y Ddeddf, ond oherwydd y diddordeb eang ynddi, mi ganolbwyntiaf ar yr argraff a wnaed yn Lloegr wrth ei gweithredu a'i dylanwad y tu hwnt i Gymru.

Yn 1892 cyhoeddodd y N.A.P.T.S.E. gyfrol o astudiaethau a fwriedid i ddangos y cynnydd a wnaed oddi ar Ddeddf yr Ysgolion Gwaddoledig a phwysleisio diffygion y mesur hwnnw, gan ddangos beth y gellid ei gyflawni a chymorth y Ddeddf Addysg Dechnegol (1889) a'r arian chwisgi. Y thema oedd yr angen i wneud mwy o lawer i gywiro diffygion parhaol addysg uwchradd. Er iddi gael ei chyhoeddi dair blynedd yn unig ar ôl y Ddeddf Gymreig, dyfynnwyd y cynnydd yng Nghymru fel enghraifft gan James Bryce

7. 53 & 54 Vict. c.60.
8. Keighley Institute, *An Address by D.B.Fearon at the Distribution of Prizes*, 28 Ionawr 1898, t.13, (Keighley, 1898).

yn ei ragair gan nad oedd y siroedd Cymreig wedi dangos unrhyw amharod-
rwydd i ddefnyddio'u pwerau trethiannol. Dangosodd hyn fod angen
awdurdod cynrychioliadol lleol gyda phwysau barn oleuedig y tu cefn iddo i
wthio addysg uwchradd ymlaen yn Lloegr hefyd.[9]

Roedd y gyfrol yn cynnwys adran sylweddol gan Acland ei hun ar
weithrediad y Ddeddf Addysg Ganolraddol yng Nghymru. Wrth basio'r
Ddeddf hon roedd y llywodraeth wedi cydnabod am y tro cyntaf yr angen i
ddarparu addysg uwchradd yn systematig a threfnus gyda chymorth arian
cyhoeddus. Ni ellid amau na fyddai'r gwaith oedd yn mynd rhagddo o dan y
Ddeddf yng Nghymru, 'sydd yn meddu ar fantais ddiymwad dros weddill y
Deyrnas Unedig, yn gynsail diddorol fydd yn haeddu astudiaeth fanwl'.[10]
Elfennau hanfodol y drefn o dan y Ddeddf oedd y dylai fod cyd-bwyllgor
addysg o bum aelod, tri ohonynt wedi'u henwebu gan y cyngor sir a dau gan
yr Arglwyd Lywydd, ym mhob sir. Nid oedd rhaid i enwebeiau'r cyngor fod
yn aelodau ohono er eu bod yn aelodau fynychaf, tra dylai'r Arglwydd
Lywydd roi blaenoriaeth i drigolion o fewn y sir wrth ddewis ei enwebeiau.
Darpariaeth arall oedd y byddai cynrychiolydd y Comisiynwyr Elusennau
yn mynychu cyfarfodydd y cydbwyllgorau. Dyletswydd y cyd-bwyllgorau
addysg oedd gwneud ymholiadau ynglŷn â chyflwr addysg ganolradd,
llunio cynlluniau ar gyfer addysg y trigolion a chynnig y cynlluniau i'r
Comisiynwyr Elusennau. Yr awdurdod trethiannol ei hun (y cyngor sir) a
ddylai benderfynu a fyddid yn rhoi cymhorthdal o'r trethi hyd at ddimai yn
y bunt. Dim ond hyd at y swm a roddid o ran cymhorthdal trethiannol y
byddai grant y Trysorlys ar gael ac yr oedd y tair sir ar ddeg i gyd a'r tair
bwrdeisdref sirol wedi pleidleisio o blaid rhoi'r swm cyfan, a thrwy hynny
hawlio cymhorthdal llawn oddi wrth y Trysorlys. Roedd rheolau'r Trysorlys
ynglŷn â thalu'r cymhorthdal yn mynnu hefyd y câi ei dalu'n unig os oedd y
llywodraeth yn fodlon fod y gwahanol ysgolion yn 'effeithlon' o ganlyniad i
arolygiad blynyddol. Lle defnyddid cymhorthdal trethiannol i gynorthwyo
ysgol neu i gynnal ysgoloriaethau iddi, rhaid i'r cyngor sir gael cynrych-
iolaeth ar gorff llywodraethol yr ysgol. Rhennid siroedd yn ardaloedd a lle'r
oedd ysgol waddoledig eisoes yn bod, hi gan amlaf fyddai ysgol sir yr ardal.
Os nad oedd un yno ac os oedd angen ysgol ar yr ardal, yna fe sefydlid un
gyda chymorth rhoddion gwirfoddol o arian a thir.

O fewn ychydig iawn o flynyddoedd daeth Cymru'n fath o arddangosfa a
model ar gyfer addysg uwchradd yn lle bod y wlad waelaf o ran ei darpar-
iaeth. Roedd wedi codi o'r safle a ddisgrifiwyd gan Bwyllgor Aberdâr o fod a
27 o ysgolion uwchradd neu ganolradd, ar gyfer bechgyn yn unig a thua
1,540 o ddisgyblion, hyd at fod a 95 o ysgolion yn 1896, dim ond naw o'r
rheiny heb eu rheoli gan gynlluniau o dan y Ddeddf, ac roedd y mwyafrif
mawr o'r 86 arall yn sefydliadau newydd. Ar ben hynny, yn wahanol i'r

9. Acland a Llewellyn Smith, op cit.. t.xxi.
10. Ibid., t. 107.

ddarpariaeth yn Lloegr ar y pryd, ceid darpariaeth gyflawn ar gyfer merched. Felly o'r 86 ysgol, roedd 19 ar gyfer bechgyn yn unig a 19 ar gyfer merched, roedd 42 yn ddeuol a chwech yn ysgolion cymysg. Roedd gan yr ysgolion o gwmpas 7,000 o ddisgyblion. Yr oeddid wedi sicrhau cwricwlwm mwy cytbwys o dipyn yn yr ysgolion na'r hyn a welid yn gyffredinol gan Gomisiwn Bryce mewn ysgolion mwy Dwyreiniol ar y pryd, oblegid yng Nghymru gellid dod â'r elfennau llenyddol, gwyddonol, technegol a masnachol ynghyd heb ddioddef yr arafwch a berid gan gyfyngiadau hen waddoliadau neu'r gwyriant a ddeilliai o orddibyniaeth ar ennill grantiau drwy gyfyngu dosbarthiadau i'r gwahanol gyrsiau arholiadol a nodid yng nghalendr blynyddol yr Adran Wyddoniaeth a Chelf. Ar ben hynny, roedd cyswllt organig wedi'i sicrhau rhwng y gyfundrefn hon o addysg uwchradd a chyfnodau blaenorol a dilynol addysg drwy gyfrwng cynrychiolwyr ar y cyrff llywodraethol ac ysgoloriaethau rhwng yr ysgolion elfennol cyhoeddus i'r naill gyfeiriad a cholegau Prifysgol Cymru i'r cyfeiriad arall.

Erbyn canol y naw-degau roedd y Comisiynwyr Elusennau yn amlwg o'r farn fod y drefniadaeth ar gyfer addysg uwchradd yng Nghymru yn llwyddiant ac yn dangos y ffordd ymlaen yn Lloegr. Dywedodd diweddglo adroddiad arbennig a baratowyd ar gychwyn a gweithredu'r Ddeddf Addysg Ganolraddol yng Nghymru yn groyw 'Gyda sefydlu'r cynlluniau sirol ar gyfer addysg uwchradd, gellir dweud fod y gwaith o drefnu addysg uwchradd wedi gorffen.' Yr angen nesaf oedd datblygu'r gyfundrefn i'w llawn dwf yng ngoleuni profiad, 'o hyn ymlaen fe ganolbwyntir sylw fwyfwy ar gwestiynau ynglŷn â'r cwricwlwm a dulliau.'[11] Efallai mai ychwanegu corff ar wastad y cyngor sir, gan uno ynni ymwthiol yr elfen lywodraeth leol ag arbenigedd aelodau a enwebwyd a swyddog y Comisiynwyr Elusennau W.N.Bruce, mab Arglwydd Aberdâr -, a alluogodd llawer o gynlluniau da eu cynllun a chyda chefnogaeth leol i fynd drwy beirianwaith yr ysgolion gwaddoledig a chyflymdra anarferol ac a fu'n fodd i ddangos y ffordd ymlaen yn Lloegr.

Yn ôl y Comisiynwyr Elusennau, cafodd y sefydliadau ar wastad sirol 'eu cwblhau a rhoddwyd egwyddor gyfunol iddynt drwy sefydlu Bwrdd Canol Cymreig ar gyfer Addysg Ganolradd'. Lluniwyd y cynllun ar gyfer y Bwrdd gan y cyd-bwyllgor addysg drwy gyfrwng cyfres o gynadleddau. Yn dechnegol aeth at y Comisiwn Elusennau fel cyfres o gynigion hollol debyg i'w gilydd oddi wrth bob un o'r pwyllgorau. Prif amcan y cynllun a seiliwyd ar y cynigion hyn oedd sefydlu corff Cymreig a allai ymgymryd â'r gwaith arholi ac arolygu a fynnid gan y Trysorlys. Yn ieithwedd gweision sifil y llywodraeth ganolog byddai hyn yn 'dileu'r perygl, a allai ddigwydd wrth dderbyn cymorth gan y wladwriaeth, y gorfodid cod addysg anhyblyg ar yr ysgolion

---

11. Adran Addysg, *Special Reports on Educational Subjects*, cyf. 2, 1898, *The Welsh Intermediate Education Act, 1889: Its Origin and working*, Comisiynau Elusennau ar gyfer Lloegr a Chymru, par. 92.

newydd gan awdurdod a fyddai'n anghyfarwydd ag amodau lleol neill-tuol'.[12] Sut bynnag yr ymddangosai'r Bwrdd i weision sifil yn Llundain, nid oes amheuaeth na chwaraeodd yr hyn a alwodd Pwyllgor Aberdâr yn 'sentiment cenedlaetholdeb' ei ran. Wrth edrych yn ôl, ychydig iawn a wnaeth y Ddeddf Addysg Ganolraddol yng Nghymru i greu peirianwaith sefydliadol ar wastad cenedlaethol yn hytrach nag ar wastad sirol. Cafodd ystyriaethau ieithyddol a chrefyddol ddylanwad pendant ar safle addysgol y wlad a bu rhaid eu cymryd i ystyriaeth.

Fodd bynnag, gwleidydd Rhyddfrydol o Sais, cymrawd er anrhydedd o Goleg Balliol, Rhydychen, ac ysgrifennydd cyffredinol y Gymdeithas Genedlaethol i Hyrwyddo Addysg Dechnegol ac Uwchradd, Arthur Acl-and, a wnaeth gymaint â neb i greu Bwrdd Canol Cymru. Byddai Acland yn gwasanaethu fel Is-Lywydd Pwyllgor y Cyngor Addysg yn y llywodraeth Ryddfrydol o 1892-95 ac, ar ôl Deddf Addysg 1902, fe fyddai'n gadeirydd y pwyllgor addysg uwch yng nghadarnle anghydffurfiaeth a Rhydfrydiaeth yn Swydd Efrog, West Riding. Ond cyn hynny fe fu'n gadeirydd cyd-bwyllgor addysg Sir Gaernarfon. Roedd ganddo enw eisoes fel dyn o allu mawr ac fel un a fedrai gyflawni ei amcanion. Yn ei gyflwyniad i Lawlyfr Deddf Addysg Ganolraddol (Cymru)(1889), yr oedd wedi ysgrifennu fod angen i drefniadaeth leol dda 'gael ei chyfarwyddo gan arolygaeth awdur-dod uwch'. Uwchlaw'r rheolwyr lleol a'r pwyllgor sir roedd angen 'bwrdd rhanbarthol yn cynrychioli grŵp o siroedd neu Gymru gyfan a fyddai'n medru darparu arolygaeth ddigonol a mwy o lawer o ddarbodusrwydd ac effeithlonrwydd na siroedd unigol'. Gallai bwrdd o'r fath ymgymryd â swyddogaethau fel gwneud adroddiadau blynyddol yn dangos beth oedd ar waith a beth oedd angen ei gyflawni eto, a rhoi gwybodaeth ystadegol gyflawn ynglŷn â'r ysgolion, gan gynnwys yr ysgoloriaethau, niferoedd y disgyblion, cymwysterau'r athrawon, ac yn y blaen. Byddai'r adroddiad blynyddol yn ddefnyddiol i'r genedl gyfan am y byddai'n gosod beth bynnag a wneid ger bron y cyhoedd o flwyddyn i flwyddyn ac yn cadw'r diddordeb cyffredinol yn fyw'.

Nid oedd yn syndod llwyr gan hynny fod cyd-bwyllgor Sir Gaernarfon wedi pasio cynnig yn ei gyfarfod cyntaf yn awgrymu cynhadledd o chwe chyd-bwyllgor Gogledd Cymru. Derbyniwyd y cynnig gan y chwe chyd-bwyllgor arall a chynhaliwyd y gynhadledd gyntaf yng Nghaer yn Ebrill, 1890. Yn ogystal â'r cynrychiolwyr o'r chwe sir (Môn, Caernarfon, Dinbych, Fflint, Meironnydd, Trefaldwyn) roedd y Dirprwy Gomisiynydd Bruce yno. Cyflwynodd yntau bapur ynglŷn â'r gwaddoliadau oedd ar gael yn unig ar sail genedlaethol yn hytrach nag ar sail sirol. Penderfynodd y cyfarfod ymhlith pethau eraill y byddai 'o fudd mawr i gael corff canolog ar gyfer Gogledd Cymru at ddibenion addysgiadol'. Cynhaliwyd tair cynhad-ledd o bwyllgorau Gogledd Cymru ac yn ystod y drydedd, yng Ngorffennaf

12. Ibid., par.59.

1890, penderfynwyd awgrymu i'r siroedd eraill y dylid cynnal cynadleddau ar gyfer Cymru gyfan. Erbyn i Acland ddod yn weinidog addysg i bob pwrpas ym Mhedwaredd Gweinyddiaeth Gladstone yn 1892, yr oedd pum cynhadledd ar gyfer Cymru a Mynwy gyfan wedi'u cynnal yn yr Amwythig.[13] Cyhoeddwyd adroddiadau llawn o'r materion a drafodwyd yn y cynadleddau hyn ac roedd Acland yn dra awyddus fod gwybodaeth am y problemau a'r cwestiynau a'r penderfyniadau a wnaed ynddynt ar gael yn rhwydd i'r sawl a fyddai ag angen 'deall y problemau y bydd rhaid eu hwynebu pan lunier unrhyw Ddeddf debyg i'r un ar gyfer Cymru ar gyfer rhannau eraill o'r Deyrnas Unedig.'[14] Nid oedd amheuaeth na welai Acland Gymru fel model ar gyfer cynlluniau ehangach eu defnydd.

Ffurfiwyd Bwrdd Canol Cymru yn 1896, ond mor gynnar ag 1891 sef-ydlwyd pwyllgor arbennig gan y drydedd gynhadledd yn yr Amwythig i ystyried cyfansoddiad a swyddogaethau Bwrdd Addysg canolog i Gymru. Yn 1892 yr oedd yn arwydd o agwedd hyderus Acland pan ysgrifennodd nad oedd achos i amau y ffurfid y Bwrdd Canol, y câi'i gynnal gan gyfr-aniadau gan bob sir yn ogystal â chan waddoliadau ac y byddai'i waith yn cynnwys, ymhlith pethau eraill, arolygu ac arholi ysgolion.[15] Mewn gwirion-edd, cafwyd peth gwahaniaeth barn yng Nghymru cyn mabwysiadu cynllun Bwrdd Canol Cymru gan y Comisiwn Elusennau. Yn 1893 daeth Prifysgol Cymru i fodolaeth a derbyniodd siartr fel prifysgol a fyddai'n addysgu ac yn arholi'n gyflawn. Mae cyfraniad Acland i'r pwyso llwyddiannus ar y prif weinidog a'r llywodraeth ynglŷn â hyn wedi'i ddweud mewn man arall.[16] Ond fe gododd rhoi'r siartr yn 1893 y cwestiwn a oedd angen Bwrdd ym meddwl y Prifathro, Viriamu Jones. Roedd prifysgolion Rhydychen, Caer-grawnt, Llundain a Victoria (Manceinion, Leeds, Lerpwl) i gyd yn rhedeg arholiadau ar gyfer ysgolion uwchradd erbyn hyn ac yn arolygu'r ysgolion uwchradd a geisiai hynny. Gyda hyn o gefndir, awgrymodd y Prifathro y gellid osgoi'r rhaniad dichonol oedd yn gynhenid o gael dau gorff cened-laethol gyda chyfrifoldeb mewn addysg uwch (fel y diffinnid hi ar y pryd) petai'r Brifysgol yn sefydlu corff dethol ar gyfer arholi ac arolygu ysgolion uwchradd yn null y prifysgolion siartredig eraill. Yn y pen draw, wrth gwrs, fe sefydlwyd y Bwrdd a bu'r ddau gorff yn cyd-fodoli am amryw flynydd-oedd. Eto i gyd mae datblygiad arholiadau ysgol o dan nawdd y prifysgolion yn Lloegr yn egluro i raddau helaeth pam na ddaeth yr awdurdodau rhanbarthol a fwriadwyd gan Acland ar fodel Bwrdd Canol Cymru i fod-olaeth yn y parthau Dwyreiniol, pan oedd cymaint arall wedi'i arloesi yng Nghymru yn sgîl Deddf 1889.

13. Acland a Llewellyn-Smith, op.cit., tt. 125-9.
14. Ibid., p. 140.
15. Ibid.
16. Kenneth O.Morgan, *Wales in British Politics*, 1868-1922,1963, tt. 129-32.

Erbyn degawd olaf y bedwaredd ganrif ar bymtheg roedd Cymru wedi cael gafael ar gyfundrefn o ysgolion uwchradd gyda chyfranogiad cynrychiolwyr lleol ac wedi'i hariannu gan gymorthdaliadau gan y llywodraeth ganol ac o'r trethi lleol. Erbyn 1897 roedd yr holl incwm cyhoeddus ar gyfer addysg uwchradd a thechnegol o gwmpas £92,000. O'r swm hwn deuai £55,000 o'r Trysorlys (£17,000 o dan Ddeddf 1889 a £38,000 o arian Tollau Cartref a Thramor) a £37,000 o'r trethi lleol (£20,000 a godwyd o dan Ddeddfau Addysg Dechnegol a £17,000 o dan y Ddeddf Addysg Ganolraddol). Effaith Deddf Bwrdd Addysg 1899[17] a Gorchymyn yn y Cyngor a wnaed o dan y Ddeddf honno yn 1900[18] oedd trosglwyddo pwerau'r Comisiynwyr Elusennau dros waddoliadau a reolid gan y Ddeddf Addysg Ganolraddol i'r Bwrdd Addysg o Dachwedd 1 1900. Roedd hyn nid yn unig ynglŷn â chyflawni'r dyletswyddau eu hunain, ond hefyd i baratoi'r Bwrdd ar gyfer defnyddio pwerau tebyg dros weddill y wlad. Ar yr un pryd roedd disgwyl i'r Bwrdd yn Neddf 1899 barhau'r trefniadau ar gyfer arolygu'r ysgolion a sefydlwyd o dan y Ddeddf Ganolraddol drwy gyfrwng Bwrdd Canol Cymru.

Ym mlynyddoedd cynnar y ganrif hon, ysgrifennodd Graham Balfour, Cyfarwyddwr Addysg Swydd Stafford, 'Cafodd Cymru yn 1889 Ddeddf Addysg Ganolraddol y bu'r wlad hon yn edrych arni a golygon cenfigennus tan 1903'.[19] Gellid ystyried geiriau Balfour fel sylwadau ar lwyddiant y bobl hynny yn Lloegr oedd wedi ffurfio'r Gymdeithas Genedlaethol i Hyrwyddo Addysg Dechnegol ac Uwchradd neu wedi'u cysylltu'u hunain â hi. Roedd y Ddeddf Addysg Ganolraddol wedi rhoi cyfle iddynt ddangos y ffordd ymlaen ac i arddangos cymaint mwy y gellid ei gyflawni drwy ddefnyddio sefydliadau cynrychioliadol yn y siroedd a thrwy ddefnydd cyson o gymorthdaliadau cymhedrol y Trysorlys. Roedd y wers honno eisoes wedi'i dysgu pan ysgrifennodd Balfour ei sylwadau.

Yn fuan wedi i Acland ddod yn Is-Lywydd Pwyllgor y Cyngor Addysg darbwylloddd y llywodraeth i sefydlu Comisiwn Brenhinol i holi ynglŷn â chyflwr addysg uwchradd gyda James Bryce—un arall o gefnogwyr y N.P.T.S.E.—yn gadeirydd. Roedd yn hollol naturiol i'r Comisiynwyr dynnu sylw at y digwyddiadau yng Nghymru gan eu bod yn dangos y ffordd ymlaen. Adroddasant y dylid rhoi sylw i'r Ddeddf Addysg Ganolraddol '...wrth iddi leihau arwynebedd lleol y broblem y mae Eich Mawrhydi wedi ein cyfarwyddo i ymchwilio iddi, mae wedi ein cynorthwyo drwy ddarparu tystiolaeth o brofiadau newydd a ffynhonnell newydd o awgrymiadau'. Aethant ymlaen 'Er mai ers pum mlynedd yn unig y bu'r Ddeddf hon yn gweithredu, mai digon wedi'i gyflawni eisoes ganddi i ddangos y pwysigrwydd o ganolbwyntio a chyd-drefnu'r gwahanol gyrff a dylanwadau lleol y gellir eu defnyddio i hyrwyddo addysg, ac yn benodol i arddangos y budd

17. 62 & 63 Vict. c.33.
18. Gorchymyn (Pwerau) y Bwrdd Addysg, CD.328, t. 7.
19. Graham Balfour, *The Education systems of Great Britain and Ireland*, 1903, t. 187.

sydd i'w ddisgwyl o sefydlu awdurdodau cynrychioliadol gyda chyfrifoldeb am swyddogaethau ynglŷn â hi.[20] Mewn gwirionedd fe argymhellodd yr Adroddiad fframwaith ar gyfer gweinyddu addysg uwchradd a fyddai wedi dilyn nodweddion hanfodol y trefniant Cymreig mewn llawer ffordd.[21] Roedd termau cyfeiriad y Comisiwn yn ei gyfyngu i addysg uwchradd; ni allai fod wedi gwneud argymhellion ynglŷn ag addysg elfennol hefyd a byddai unrhyw ymgais i gyfuno gweinyddu addysg elfennol ac addysg uwchradd wedi ymddangos yn wleidyddol annerbyniol i'r sawl oedd yn ceisio creu cyfundrefn fwy digonol o ysgolion uwchradd. Roedd eu tasg yn ddigon pwysig heb fentro i ganol dadleuon ynglŷn ag ysgolion Bwrdd ac ysgolion gwirfoddol.

Nid yw'n bosibl inni roi hanes neu restru enghreifftiau o'r defnydd a wnaed o'r profiad Cymreig yn ystod yr holl bwyso am gyfundrefn addysg uwchradd fwy digonol yn Lloegr, ond ceir un enghraifft o hyn a allai gyfleu peth o flas yr ymgyrch. Roedd y pwerau a roddwyd i'r siroedd a'r bwrdeis-drefi gan Ddeddfau Addysg Dechnegol 1889 ac 1891 a'r grantiau o'r Tollau Tramor a Chartref wedi'u defnyddio'n anwastad gan yr awdurdodau lleol. Roedd nifer fach wedi defnyddio'r pwerau a'r adnoddau hyd yn oed i'r graddau o ailgyfeirio cyfran helaeth o gymorth i ysgolion uwchradd gwadd-doledig oedd eisoes yn bod er nad oedd ganddynt hawl i sefydlu ysgolion uwchradd. Ymhlith y lleiafrif hwn oedd Cyngor Sir Lludain, lle'r oedd Sidney Webb yn un o aelodau arweiniol y bwrdd addysg dechnegol, Gwlad yr Haf, lle'r oedd Henry Hobhouse yn ddylanwadol a'r West Riding yn Swydd Efrog lle'r oedd traddodiad Forster a Ripon yn dal yn fyw ac wedi cael mynegiant cadarn ym maes addysg uwchradd a thechnegol ar ôl sefydlu Cyngor Sir y West Riding. Yn wleidyddol yr oedd dylanwadau Rhydd-frydol ac Anghydffurfiol yn dominyddu. Tra oedd Acland yn ysgrifennydd i'r N.A.P.T.S.E. yr oedd hefyd yn Aelod Seneddol dros Rotherham. Yr oedd tref weadwaith Keighley wedi ennill tipyn o enw yn y sir am ei chefnogaeth frwd i'r mudiad oedd i raddau helaeth yn ffrwyth ymdrechion ychydig unigolion. Roedd Swire Smith yn Rhyddfrydwr o fri ac yn wneuthurwr gwlanen ac fe roes gychwyn i waith arloesol o bwys mewn addysg dechnegol yn y Sefydliad yn Keighley o'r 1870au cynnar ymlaen. Bu'n aelod o'r Comisiwn Brenhinol ar Hyfforddiant Technegol (1881-84), ysgrifennodd nifer o bapurau ar addysg a chafodd gryn ddylanwad ar y cyngor sir yn ei blynyddoedd cynnar. Cadeirydd rheolwyr Sefydliad Keighley yn yr 1890au hwyr oedd John Brigg, oedd hefyd yn ffigur cenedlaethol, yn Aelod Sennedd-ol dros y dref ac yn farchog wedyn. Am rai blynyddoedd bu'n Is-Gadeirydd i bwyllgor hyfforddiant technegol y sir.

Gyda hyn o gefndir, nid yw'n syndod mai'r siaradwr gwadd ar gyfer Diwrnod Gwobrwyo Sefydliad Keighley yn Ionawr 1898 oedd D.R.Fearon,

20. Adroddiad y Comisiwn Brenhinol ar Addysg Uwchradd, 1895, cyf.I, t. 13.
21. Ibid., cyf. V, tt. 47-54.

Ysgrifennydd y Comisiwn Elusennau. Llongyfarchodd ei gynulleidfa ar yr hyn a gyflawnwyd yn Keighley ac yn y West Riding ac fe aeth rhagddo i ddisgrifio'r nod y dylid anelu ato nesaf, sef i ddynwared 'yr hyn y mae'r Cymry hyn wedi'i wneud yn ystod y 15 mlynedd diwethaf i wella a threfnu eu Haddysg Ganolraddol a Thechnegol'.[22] Mewn araith a gymerodd dros awr i'w thraddodi, mae'n siŵr, adroddodd Fearon hanes y datblygiadau yng Nghymru cyn y Ddeddf Addysg Ganolraddol ac wedyn i enillwyr disgwylgar y gwobrau a'u rhieni a chorff llywodraethol oedd yn cynnwys John Brigg a Swire Smith. Yn Keighley nid oedd angen ennill y gynulleidfa i'r achos ond pwysleisiodd Fearon mai yn unig drwy gyfrwng 'gweithredu brwd a diflino'r Cymry' y pasiwyd Deddf 1889. 'Drwy gydol y blynyddoedd 1886, 1887 ac 1888 , drwy gyfrwng dirprwyaethau, drwy eu cynrychiolwyr yn y Senedd, a thrwy ymdrechion preifat i gychwyn deddfwriaeth, fe fuont yn pwyso'r cwestiwn ar sylw llywodraethau Rhyddfrydol a Cheidwadol dro ar ôl tro, yn barhaus ac yn unfrydol, hyd nes, yn haf 1889,.... iddynt gael Deddf oddi wrth ail weinyddiaeth yr Arglwydd Salisbury i hyrwyddo Addysg Ganolraddol a Thechnogol ar gyfer y ddwy ryw.'[23] Dangosodd fod Devonshire, yr Arglwydd Lywydd ar y pryd, wedi dweud yn ddiweddar, mewn ymateb i'r ceisiadau am ddeddfwriaeth ar addysg uwchradd yn Lloegr, na weithredai'r llywodraeth hyd nes y dangosai'r wlad ei bod yn 'weddol unfrydol ac yn hollol o ddifrif'. Yr oedd wedi dweud stori Addysg Uwchradd yng Nghymru wrthynt oherwydd os oedd y bobl am i'r llywodraeth weithredu, byddai rhaid iddynt ddwyn mwy o bwysau i weithredu, byddai rhaid iddynt ddwyn mwy o bwysau arni. Gan fod Swydd Efrog wedi bod yn ardal arloesol yn Lloegr yn y mater hwn, 'Rwy i wedi dweud y stori hon wrthych nid yn unig i ddangos i chi, os ydych yn dymuno cyrraedd y nod hwn, pa ffordd sy'n arwain ato, ond hefyd am eich bod ymhlith y dynion hynny sydd ar mwyaf o allu yn Lloegr gyfan i gychwyn ar y ffordd honno a dal ati.' Yn olaf, yr oedd wedi dweud 'y stori hon o ymdrech a hunan-aberth y Cymry' wrthynt oherwydd pwysigrwydd llwyraf yr achos.[24]

Gellid gwneud sylwadau ar sefyllfa gwas y cyhoedd, Ysgrifennydd y Comisiwn Elusennau, yn cymryd safbwynt gwleidyddol cryf yn gyhoeddus wrth annog ymgyrch i gymell llywodraeth anfoddog i weithredu. Anos fyth, o bosibl, yw dychmygu hynny heddiw. Ond y pwynt a bwysleisiwn i yn y cyd-destun hwn yw arwyddocâd cyflwyno'r gweithredoedd yng Nghymru a'r model Cymreig yng nghyd-destun Lloegr gan Fearon. Ni all fod amheuaeth na fu gan hynny ran bwysig wrth ddod â'r cynghorau sir a'r cynghorau bwrdeisdrefi sirol yn llwyr i mewn i addysg uwchradd o 1902 ymlaen.

Ond ar wahân i ddeddfwriaeth, bu gan ddigwyddiadau yng Nghymru ddylanwad ar waith pwyllgorau hyfforddiant technegol siroedd Lloegr cyn 1902. Bu cylchgrawn yr N.A.P.T.S.E., y *Record* yn dwyn erthyglau yn

22. Keighley Institute, op.cit., t. 9.
23. Ibid., t. 12.
24. Ibid., t. 21.

dangos beth a gyflawnid yng Nghymru, beth oedd angen ei wneud a'r hyn y gellid ei gyflawni o fewn fframwaith mwy cyfyng y Deddfau Hyfforddiant Technegol a Deddf yr Ysgolion Gwaddoledig 1869 yn siroedd Lloegr. Ar wahân i'r ymdrechion bwriadol hyn i ddefnyddio'r profiad Cymreig fel enghreifftiau, symudodd nifer o ddynion oedd wedi dod yn gyfarwydd â gweithrediad y gyfundrefn uwchradd yng Nghymru o dan Ddeddf 1889 i swyddi yn Lloegr, gan fynd â'u profiad gyda hwy. Cyfeiriodd Percy Watkins yntau, oedd wedi symud o ysgrifenyddiaeth Bwrdd Canol Cymru i swydd prif glerc Adran Addysg y West Riding yn 1904, at nifer o'r rheiny yn ei hunangofiant.[25]

Yn y Bwrdd Addysg ei hun y prif ysgrifennydd cynorthwyol cyntaf ar gyfer addysg uwchradd oedd W. N. Bruce o Adran yr Ysgolion Gwaddoledig gyda'r Comisiwn Elusennau lle bu ganddo gyfrifoldeb dros Gymru a lle'r oedd wedi mynychu cyfarfodydd dirifedi o gyd-bwyllgorau addysg sirol a Bwrdd Canol Cymru. Cafodd ei olynu gan neb llai na Robert Morant fel cynrychiolydd y Bwrdd Addysg yng nghyfarfodydd Bwrdd Canol Cymru a'i Bwyllgor Gwaith hyd nes iddo symud ymlaen yn ei dro i fod yn ysgrifennydd parhaol a mynd yn gyfrifol am Ddeddf 1902. Daeth J.W.Headlam yn brif arolygydd ar gyfer ysgolion uwchradd gyda'r Bwrdd ar ôl bod yn arolygydd achlysurol ar ran Bwrdd Canol Cymru. Roedd Frederic Spencer wedi addysgu yng Ngholeg Prifysgol Bangor, a wedi arolygu ieithoedd modern ac wedi gwasanaethu fel prif arholydd mewn Ffrangeg ar gyfer Bwrdd Canol Cymru cyn mynd yn arolygydd ieithoedd modern mewn ysgolion uwchradd gyda'r Bwrdd. Un arall a ddaeth yn Arolygydd Ei Mawrhydi ar gyfer ysgolion uwchradd oedd T. W. Phillips oedd wedi bod yn brifathro ar Ysgol Uwchradd Casnewydd i Fechgyn ac yn aelod o Fwrdd Canol Cymru. Ar wahân i'r Bwrdd Addysg, daeth Lloyd Snape yn gyfarwyddwr addysg cyntaf Sir Gaerhirfryn ar ôl bod yn addysgu yn Aberystwyth ac arholi ar gyfer Bwrdd Canol Cymru. Ond y mwyaf adnabyddus o'r rhai a ddaeth â'r profiad a enillodd yng Nghymru i Loegr oedd Arthur Acland, wrth gwrs. Fel y crybwyllwyd, bu'n gadeirydd ar gyd-bwyllgor addysg Caernarfon ac ef hefyd oedd y prif ysgogydd o ran rhoi cychwyniad i'r digwyddiadau a arweiniodd at sefydlu Bwrdd Canol Cymru ac fe geisiodd yntau mewn gwirionedd dynnu Lloegr i'r un cyfeiriad drwy sefydlu Comisiwn Bryce pan oedd yn Is-Lywydd Pwyllgor y Cyngor.

Yn 1901 fe ymunodd â Phwyllgor Hyfforddiant Technegol y West Riding a dod yn ffigur pwerus wrth lunio'r polisi addysg uwchradd yn un o'r awdurdodau mwyaf (y boblogaeth tua 1,400,000) ym mlynyddoedd cynnar yr ugeinfed ganrif. Yr oedd mor argyhoeddedig mai trefnu a chyflenwi addysg uwchradd oedd y mater brys pwysicaf fel nad oedd yn syndod braidd fod y West Riding wedi penderfynu, tra oedd Mesur Addysg 1902 yn cael ei baratoi, i argraffu ar y llywodraeth mai hon oedd 'y broblem addysgol

25. Percy E.Watkins, *A Welshman Remembers*, 1944, tt. 84-5.

bwysicaf o flaen y wlad ar hyn o bryd'.[26] Cyn bo hir penodwyd Acland i bwyllgor dau-aelod i adolygu'r ddarpariaeth o addysg uwchradd yn y Riding. Cymerodd yr ymchwiliad ddwy flynedd a darganfuwyd mai 1,500 yn unig o'r 4,300 o ddisgyblion mewn ysgolion gwaddoledig oedd yn ferched ac nad oedd darpariaeth ar eu cyfer o gwbl i'r de o Wakefield. Argymhellodd Acland y dylid adeiladu lleoedd ar gyfer 2,500 o leiaf o ddisgyblion ychwanegol, yn bennaf ar gyfer merched gyda deg o ysgolion uwchradd newydd ar gyfer merched mewn gwahanol leoedd. Dylid codi'r mynychiant cyfan yn yr holl ysgolion uwchradd i 8,000.[27] O 1903 ymlaen roedd Acland yn gadeirydd y Pwyllgor Addysg Uwch ac fe roddwyd cychwyn i'r rhaglen ehangu. O ganlyniad i'w brofiad pan oedd yn gadeirydd cynadleddau'r cydbwyllgorau addysg yng Nghymru, galwodd Acland gynifer a 27 o gynadleddau gyda chynrychiolwyr o wahanol ardaloedd lleol i drafod trefniadau manwl ar gyfer gweithredu'r rhaglen.[28] Cyfiawnhawyd yr enw yr oedd yntau wedi'i greu fel rhywun a fyddai'n sicrhau canlyniadau oblegid, erbyn iddo roi'r gorau i'w safle fel henadur pan gafodd ei benodi'n Gadeirydd Pwyllgor Ymgynghorol y Bwrdd Addysg yn Hydref 1907, yr oedd dau ddeg yn rhagor o ysgolion uwchradd yn y sir, ac roedd 8,000 o ddisgyblion a thua hanner o'r rheiny'n ferched. Yr oedd tua 50% o'r cyfanswm yn ddeiliaid ysgoloriaethau o'u cymharu a ffigur cyffredinol ar gyfer Lloegr a Chymru o 35%.

Gweithiai Watkins, o Fwrdd Canol Cymru, yn agos ag Acland yn ystod y blynyddoedd hyn. Cawsai William Loring ei benodi'n Gyfarwyddwr Addysg yn 1903; daeth yno o fod yn Arholydd Uwch gyda'r Bwrdd Addysg. Bu gwrthdaro dybryd rhyngddo a rhai o aelodau mwyaf pwerus y Cyngor a gorfodwyd ef i ymddiswyddo ym Mai 1904. Gwrthododd y sir benodi prif swyddog arall tan 1929. Pwyllgor o bedwar arolygydd sir gyda Watkins yn glerc a grwp o bedwar aelod o'r cyngor, a Watkins eto'n clercio, oedd yn gweinyddu materion. Roedd disgwyl i ddau o'r pedwar arolygydd oedd yn trafod addysg uwchradd a thechnegol 'ymgynghori â'r Henadur Sirol Acland' mewn materion o frys.[29] Gan hynny roedd dyletswyddau a chyfleoedd Acland i ryw raddau'n helaethach nag y byddent wedi bod, o bosibl, petai'r cyngor heb benderfynu hepgor swydd prif swyddog addysg. Honnodd Acland mewn araith yn neuadd tref Leeds iddo gael mwy o ddiddordeb yn ei swydd fel Cadeirydd Pwyllgor Addysg Uwch y West Riding nag a gawsai yn ei swydd fel gweinidog yn y Cabinet.[30] Er fod hynny y tu hwnt i fater addysg uwchradd, perthnasol yw sylwi mai'r West Riding oedd yr unig sir y tu allan i Gymru i barhau ei wrthwynebiad i ariannu ysgolion eglwys o drethi lleol am gyfnod hir. Aeth â'r ddadl i'r Llys Apêl ac i Dŷ'r Arglwyddi.

26. Pwyllgor Hyfforddiant Technegol y West Riding, Cofnodion, Rhagfyr 17, 1901.
27. W.R.E.C., *Report on Secondary Schools*, 1904, t. 2.
28. W.R.E.C., *Handbook*, Adran VIII, Ysgolion Uwchradd, 1906, t. 358.
29. W.R.E.C., Is-bwyllgor arbennig ynglŷn ag ymddiswyddiad y Cyfarwyddwr, Mai 31 1904.
30. Watkins, op. cit., t. 83.

Un agwedd ar y brwdfrydedd ar gyfer addysg uwchradd na ellid ei drawsblannu o Gymru i Swydd Efrog oedd unrhyw barodrwydd i gynnig tanysgrifiadau gwirfoddol ar gyfer adeiladu ysgolion. Bu gan gasgliadau o ddrws-i-ddrws a rhoddion ran bwysig yn ariannu costau cyfalafol rhai o'r ysgolion sir newydd yng Nghymru. Yn Swydd Efrog ni feddyliwyd am y peth. Yn wir, gwnaeth Watkins y sylw iddo gael ei daro, fel un a ddaeth a phrofiad Cymru gydag ef, gan ddiffyg unrhyw gyfeiriad at danysgrifiadau gwirfoddol ar ran dynion cyfoethog dros ben.[31]

Dangoswyd absen cyfundrefn effeithiol o ysgolion uwchradd yn Lloegr a Chymru a'r angen am ddiwygiad yn hollol eglur yn y dystiolaeth enfawr a gasglwyd gan Gomisiwn Taunton. Darparodd Deddf yr Ysgolion Gwaddoledig yn 1869 beirianwaith ar gyfer delio â hynny oedd yn hynod o feichus ac yn anabl, fel y digwyddodd hi, i ddarparu ateb cyffredinol i'r problemau a berid oherwydd prinder gwaddoliadau mewn llawer o leoedd, yn enwedig yng Nghymru. Yn y pen draw fe gynhyrchodd y pwysedd o Gymru a'r pryder a deimlid gan bobl Cymru ateb ar gyfer Cymru a gorfforwyd yn Neddf 1889 ac a sylfaenwyd ar dair egwyddor newydd: corff i gynllunio a chychwyn pethau ar sail gynrychioliadol a sirol, defnyddio cymorthdaliadau o'r trethi lleol a darparu cymorthdaliadau gan y Trysorlys ar gyfer cynnal ysgolion uwchradd. Yn y dull a fabwysiadwyd yng Nghymru gwelodd y N.A.P.T.S.E. ac eraill fodel ar gyfer yr ateb ehangach y dymunent ei gynnig yn Lloegr ar sail yr un tair egwyddor. Cynigiai llwyddiant y Ddeddf Addysg Ganolraddol ddadleuon cryfion a phrofiad a arweiniodd yn y pen draw at fabwysiadu'r un tair egwyddor yn 1902 mewn deddfwriaeth oedd yn ymwneud â Lloegr yn ogystal â Chymru—er fod gwahaniaethau manwl yn y peirianwaith gweinyddol, yn enwedig ar wastad y siroedd a'r bwrdeisdrefi sirol. O edrych arni o'r tu draw i Glawdd Offa, arwyddocâd Deddf 1889 oedd fod Cymru a'r Cymry wedi arloesi ateb oedd yn seiliedig ar egwyddorion yr oedd eu hangen ar Loegr hefyd.

31. *Ibid* t. 84.

SAFLE'R GYMRAEG YNG NGHWRICWLWM YR YSGOLION CANOLRADDOL CYNNAR

GWILYM ARTHUR JONES

VI

Byddai sylwedydd diduedd o'r sefyllfa ieithyddol yng Nghymru yn ystod degawd olaf y ganrif ddiwethaf yn debygol o ddod i'r casgliad nad oedd tynged yr iaith—o leiaf ar gorn tystiolaeth ystadegol—yn achos pryder. Rhwng 1780 a 1901 fe gynyddodd y boblogaeth bum gwaith o ryw 400,000 i 2,000,000 gydag ychydig o dan filiwn yn siarad Cymraeg. Erbyn diwedd y ganrif yr oedd 25 o newyddiaduron, 28 o fisolion, dau chwarterolyn a dau gyhoeddiad deu-fisol. Gwerthid dros 120,000 a gyfnodolion ac yr oedd cylchrediad cylchgronau'n 150,000—y cyfan yn anelu at ddiwallu gwanc am ddeunydd darllen Cymraeg.

Erbyn 1882, y flwyddyn pan gynhwysid y Gymraeg yn y cwricwlwm fel pwnc i ennill grant, yr oedd yr hunan-addysgedig Barchedig Thomas Levi yn hawlio bod gwerthiant misol *Trysorfa y Plant* (a gychwynnwyd ganddo yn 1862) yn 40,000—ddeng mlynedd cyn i O M Edwards sefydlu ei *Cymru'r Plant*. Yr oedd canolfannau argraffu siroedd Caernarfon, Dinbych, Caerfyrddin a Morgannwg yn dra llewyrchus ac yn gallu denu i'w rhengoedd argraffwyr mwyaf crefftus a gwŷr llên dyheus y dydd. Nid annisgwyl felly oedd deall bod un o'r prif gwmnïau Cymreig (mewn dyfyniad yn y *Royal Commission Report on Land in Wales and Monmouthshire 1896*) wedi amcangyfrif bod gwerth blynyddol yr holl gyhoeddiadau Cymraeg yn £200,000. (*Atodiad c* tt 195-7)

Fe allasai'r un sylwedydd dystio i ddiwylliant cyfoethog a chreadigol nid yn unig yn ardaloedd glofaol De Cymru ond ym mroydd chwareli'r Gogledd. Parhâi'r capeli ymneilltuol—er gwaethaf dylanwad yr '*English Cause*' - i lynu wrth y drefn unieithog draddodiadol o gynnal yr oedfaon a hyrwyddo, drwy eu llyfrgelloedd, cymdeithasau llenyddol ac eisteddfodau, ddiwylliant afieithus. Yn ystod y degawd dilynol, fodd bynnag, o ganlyniad i ddylifiad o 100,000 o fewnfudwyr o'r tu allan i Gymru a lleihad net i 38,000 o fudwyr o'r ardaloedd gwledig, gostyngodd cyfartaledd siaradwyr Cymraeg drwy'r wlad o 49.9% yn 1901 i 43.5% yn 1911. Parhaodd y duedd nes cyrraedd 18.8% yn 1981. Ymhelaethodd yr Athro Emeritws Brinley Thomas ar y thema hon yn ei Ddarlith O Donnell 1986. Ond er gwaethaf y ffaith y gallasai nifer y siaradwyr Cymraeg gyfiawnhau cynllun goleuedig a blaengar i ddysgu Cymraeg dim ond lleiafrif o addysgwyr a deimlai'r cymhelliad i ymgodymu o ddifrif â'r broblem. Yr oedd y dasg o ledaenu'r Gymraeg ac o drwytho cenhedlaeth ar ei phrifiant gyda mesur o barch tuag ati yn un a hawliai ymroddiad a gweledigaeth; ond gyda phrinder affwysol o lyfrau testun addas ychydig o athrawon a deimlai'n gymwys i dderbyn y sialens. Ar ben hyn yr oedd y patrwm *argumentum ad crumenam* yn dal i fod a difrawder cyffredinol ynglŷn â chydnabod Cymraeg fel cyfrwng hyfforddi. Ni chafwyd ymdrech fwriadol ar y pryd i gwtogi ar ddefnyddio Cymraeg: ni ddilynwyd mo'r polisi a fynegwyd yn Neddfau Uno 1536 a 1542 (lle y datganwyd mai Saesneg oedd iaith swyddogol gweinyddiaeth) i'w derfyn rhesymegol. Er hynny, ni ellir gwadu nad oedd y bwriad *'utterly to extirpate all and singular the sinister usages and customs differing ...'* yn ddim amgen na ffordd arall o ddymuno tranc yr iaith.

Ychydig, os o gwbl, o ymateb a achosodd y newid ymhlith y beirdd. Fodd bynnag, fe gynhyrfodd yr amod na châi neb ddal swydd gyhoeddus yng Nghymru onibai ei fod yn gallu siarad Saesneg, ymlyniad cynyddol wrth bopeth Saesneg, ymhlith y cyn noddwyr sef yr uchelwyr. Yn fwy na hynny, fe gadarnhaodd a chryfhau eu statws fel y dosbarth llywodraethol yng Nghymru. Caent eu denu i'r ysgolion breiniol gorau, yr *inns of court* a phrifysgolion Lloegr fel y gallent, yr un ffunud ag uchelwyr Gorllewin Ewrop, eu cymhwyso'u hunain yn well ar gyfer dyletswyddau a gwobrau llywodraeth. Darllenwn, er enghraifft, am un ysgweier o Ogledd Cymru yn cynghori ei fab, *'to speak no Welsh to any that can speak English, no not to your bedfellows, that thereby you may attain ... and freely speak the English tongue perfectly'*.

Tynnwyd sylw aelodau'r Tŷ'r Cyffredin at agwedd arall o'r esgeuluso difrifol a'r driniaeth anghyfiawn o addysg Gymraeg gan Thomas Edward Ellis (yr Aelod Rhyddfrydol dros Sir Feirionnydd) yn ystod ail ddarlleniad Mesur Addysg Ganolraddol (Cymru) ar Fai 15 1889. Yn sgîl diddymu'r mynachlogydd, o ganlyniad i'r Diwygiad, meddiannwyd cyllidau Cymreig gan segur-swyddogion didrugaredd. Er iddo ddod â rhyddid a chynnydd i Loegr, *'to the Welsh it brought nothing but robbery and retrogression'*. Datgelodd Ellis (y cyfeirir ato eto yn y man) fod gwerinwyr sir Drefaldwyn wedi talu £800,000 i addysgu aristocratiaid Seisnig yng ngholeg Eglwys Crist Rhydychen. Cymerwyd degymau pedwar plwyf yn sir Feirionnydd, a fu'n cynnal lleiandy yn Essex, nid i gynorthwyo crefydd ac addysg yng Nghymru ond i greu a chyllido Esgobaeth Caerlwytcoed. Wrth gyferbynnu ffyniant addysg Seisnig â chyflwr diraddiol a thlodaidd y sefyllfa yng Nghymru, aeth rhagddo i ddyfalu:

> *'If even a tithe of this money which Wales has had to pay out of its public revenue for English purposes had been devoted to Welsh purposes, we should have had an educated clergy, colleges of higher education and good parochial schools for the peasantry of Wales.'* (*Speeches and Addresses* t. 220)

Yn 1829, yn ystod ei dystiolaeth gerbron y *Commissioners on the Practice and Proceedings of the Superior Courts of Common Law* dywedodd John Jones AS, bargyfreithiwr a Chadeirydd Sesiwn Chwarter sir Gaerfyrddin fod, *'the manners and habits of Wales were rapidly assimilating with those of England ....'*. Teimlad a gydweddai'n hapus â dyheadau gwŷr cyhoeddus eraill y cyfnod o gyffelyb anian. Yn y cylchoedd eglwysig yr oedd D Ambrose Jones (1926) wedi tynnu sylw at sefyllfa y bu cymunwyr unieithog yr eglwys sefydledig yn ddarostyngedig iddi ers dros hanner canrif sef, *'no bishop in Wales from 1714 to 1870, as far as can be ascertained, knew enough Welsh to ordain and confirm in the language of the people. Worse than that they deliberately neglected those that did minister to the people in their native tongue'* (t. 208). Er nad ymddangosai fod a wnelo hynny ddim â bwriad yr ymholiad, fe fynegodd John Jenkins, yn rhinwedd ei swydd fel Comisiynydd Cynorthwyol, ei sylwadau ar yr iaith gerbron y Comisiwn ar *The State of Popular Education in England 1861 (Adroddiad Newcastle)* gan ychwanegu, *'it is in English that the Welshman must ultimately be instructed in order to enter on the competition of life on anything like fair terms or with anything like equal chances of success'*. Mewn gwirionedd, nid oedd hyn ond adlais o farn dynion fel *Symons* (un o Gomisiynwyr Adroddiad y Llyfrau Gleision yn 1847) a fynegodd fod y Gymraeg, *'a constant and almost insurmountable obstacle to the Welshman's advancement in life'*. Erbyn 1848 yr oedd Adroddiad y *British and Foreign Schools Society* wedi dod i'r casgliad a ganlyn, *'the importance of establishing English schools in Wales can scarcely be over-rated'*. Pa ryfedd felly, fod John Jenkins (op. cit.) ymhen tair blynedd ar ddeg, yn gallu proffwydo'n hyderus i'r perwyl y byddai, *'The continual and necessary progress of the English language among the population of Wales should lead inevitably to the final extinction of the old language of the country'*. Un o brif achosion y broses hon o seisnigeiddio ydoedd yr ysgolion gramadeg gwaddoledig.

Adroddiad Taunton (1868) a ysbardunodd yr ymdrech gyntaf i ddiffinio'r gwahaniaeth rhwng addysg elfennol ac addysg uwchradd. I Matthew Arnold (ar ôl iddo ymweld ag ysgolion yn Ffrainc yn 1859) y rhoddir y clod am ddefnyddio'r ymadrodd 'secondary schools' gyntaf. Yn unol â'r canllawiau a luniwyd gan yr Adroddiad, yr oedd yr ysgolion uwchradd i'w graddoli yn ôl gwahanol haenau cymdeithas. Yr oedd y radd gyntaf i ddarparu ar gyfer meibion rhieni a allai fforddio i'w hanfon i brifysgol. Darparai'r ail ar gyfer rhai a oedd â'u bryd ar yrfa yn y fyddin, meddygaeth neu, hyd yn oed beirianneg, ond nid at safon prifysgol. Denai'r drydedd, feibion ffermydd, crefftwyr medrus, tenantiaid bychain a masnachwyr. Yn hyn oll nid oedd i'r iaith Gymraeg le o gwbl. Yr oedd anhyblygrwydd addysg glasurol o fewn *milieu* Seisnig yn anghydweddol mewn ardal lle'r oedd trwch y trigolion yn siarad Cymraeg. Dosberthid yr ysgolion fel a ganlyn:

Gogledd Cymru

    a. CLASUROL
        1. Sir Fôn—Biwmares
        2. Sir Gaernarfon—Bangor

    b. LLED-GLASUROL
        1. Sir Gaernarfon—Botwnnog
        2. Sir Ddinbych—Gwrecsam, Dinbych
        3. Sir y Fflint—Llanelwy, Penarlâg
        4. Sir Feirionnydd—y Bala

c. ANGHLASUROL
1. Sir y Fflint—Treffynnon, Trelawnyd
2. Sir Feirionnydd—Dolgellau, Llanegryn
3. Sir Drefaldwyn—Deythur, y Trallwng

De Cymru

a. CLASUROL
1. Sir Frycheiniog—Aberhonddu
2. Sir Aberteifi—Llanbedr Pont Steffan, Lledrod ac Ystrad Meurig, Aberteifi
3. Sir Gaerfyrddin—Llanymddyfri
4. Sir Forgannwg—Abertawe, y Bont-faen
5. Sir Benfro—Hwlffordd, Tŷ Ddewi

b. LLED-GLASUROL
Sir Gaerfyrddin—Caerfyrddin

c. ANGHLASUROL
Sir Faesyfed—Cwmteuddwr, Llanandras

Yn 1884 enillasai Thomas Hudson-Williams, yr ysgolhaig clasurol, ieithydd enwog, brodor o Gaernarfon ac un a lanwodd Gadair Groeg Coleg Prifysgol Gogledd Cymru yn ddiweddarach, ysgoloriaeth gwerth £20 o'r *British School*, Caernarfon i Ysgol Friars, Bangor. Y prifathro oedd William Glynn Williams, graddedig yn y clasuron o Goleg Ioan Sant, Caergrawnt. O dan ei brifathrawiaeth, meddai Hudson-Williams, '*To be heard speaking Welsh was the worst of crimes*'. Disgrifia (Syr) Wynn Wheldon ei gyfnod ef rhwng 1892 a 1895 gan fanylu,

> '*The teaching was based on the old fortifying curriculum of the Classics and Mathematics but did include French, History and Scripture. There were no laboratories or science teaching and, of course, no Welsh. I remember little, if any, attention to English but we were expected to buy and study a little manual on the pronunciation of English compiled by the Headmaster called 'A Dozen Hints' to rid us of any Welsh accent in our spoken English .... it is strange that Mr Glynn Williams the son of the poet 'Nicander' had little command of Welsh*'. (*The Dominican* tt 91-3)

Dyma agwedd meddwl a heriai resymeg ac eto fe'i caniatawyd i oroesi ymhell i'r ganrif bresennol. Yr oedd angen gwroldeb moesol i gyflwyno cwricwlwm llai sylfaenedig ar y clasuron a chaniatáu i'r iaith o leiaf urddas cydnabyddiaeth.

Ymddengys mai ystadegydd o'r enw E G Ravenstein mewn erthygl yn *Transactions of the Statistical Society Cyf. XLII* 1875 (t. 622) a alwodd sylw at wrthuni sefyllfa o'r fath. Ffigur allweddol fodd bynnag, yn y trafodaethau a arweiniodd, at basio'r Ddeddf Addysg Ganolraddol Gymreig yn 1889 oedd H A Bruce (Arglwydd Aberdâr). Manteisiodd ar ail ethol

Gladstone fel Prif Weinidog ym mis Ebrill 1880 i gynnig bod sefydlu Pwyllgor Adrannol, '*To inquire into the present condition of Intermediate and Higher Education in Wales and to recommend the measures which they may think advisable for improving and supplementing the provision that is now or might be made available for such education in the principality*'. Cymeradwywyd y cynnig a phenodi Arglwydd Emlyn, H G Robinson, Henry Richard, John Rhys a Lewis Morris, ynghyd ag Arglwydd Aberdâr fel cadeirydd, yn aelodau o'r Pwyllgor a gyhoeddoedd yr Adroddiad yn 1881.

Yn ei dystiolaeth gerbron y Pwyllgor tynnodd y Parchedig H T Edwards, Deon Bangor (a brawd y Parchedig A G Edwards, Archesgob cyntaf Cymru) sylw at y rhwyg a fodolai rhwng yr offeiriaid a siaradai Saesneg a'r werin. Priodolai eu methiant i ddod at ei gilydd i agwedd glaear y naill lywodraeth ar ôl y llall a'r ymdrech gan Gymry, o fwriadau da, i ddiwygio'r Eglwys. Wedi llunio llythyr maith eisoes i'r perwyl yn 1869, atgofiodd aelodau'r Pwyllgor:

> '*It is well known that the English language is spoken by the upper class in Wales, and some men have a great tendency to ape the manners of their superiors, and to give up the use of the Welsh language because it is not spoken by their upper classes ....*'.

Mae'n debyg fod y sefyllfa hon yn nodweddiadol o Gymru ar y pryd ond rhanedig oedd yr athrawon ynglŷn â'i hymhlygiadau. Prifathro Academi Willow Street Croesoswallt (*Oswestry High School* yn ddiweddarach) ydoedd Owen Owen (a ddaeth yn Brif Arolygydd y Bwrdd Canol Cymreig yn 1897) pan gynhaliwyd yr Arolwg ac eglurodd fod ugain, o blith y 23 o fechgyn a fynychai'r Academi, yn abl i siarad Cymraeg. Ni welai Prifathro Ysgol Ramadeg y Bont-faen fod unrhyw anfantais o ennill gwybodaeth o'r Gymraeg; barnai'r Parchedig Thomas Briscoe, Ficer Caergybi (ysgolhaig Hebraeg) fod i'r iaith sylfaen ddigonol yn y cartref fel nad oedd angen ymboeni yn ei chylch yn yr ysgol. Ar y llaw arall, mynnai'r Parchedig Joshua Hughes (Esgob Llanelwy) y dylid dysgu'r iaith yn effeithiol yn yr ysgolion a dymunai'r Canon R W Edwards weld cyflenwi llawlyfrau. '*so that acquaintance with English and Welsh might well be made part of the subsequent course at the grammar schools and colleges*'.

Cafodd Esgob Llanelwy gyfle i gyfarfod y Frenhines Victoria ym mis Awst 1889 ar achlysur ei hunig ymweliad brenhinol â Chymru. Ddeugain mlynedd ynghynt (3 Mawrth 1849) mynegasai'r Frenhines, mewn llythyr a anfonodd at (Syr) James Kay-Shuttleworth, nid yn unig ei gobaith o weld dysgu Gaeleg yn ysgolion ucheldiroedd yr Alban, '*as it is really a great mistake that the people should be constantly talking a language which they often cannot read and generally not write*' ond fod y Gymraeg hefyd yn cael yr un sylw, '*The Queen thinks equally that Welsh should be taught in Wales as well as English*'. (*Nat. Society Monthly Paper* Ion. 49)

Bu'r Frenhines a'i gosgordd yn westeion i deulu tra chyfoethog Robertson, Neuadd Pale, Llandderfel, Sir Feirionnydd. Yn ôl yr *Illustrated London News* (1889) darparwyd difyrrwch '*of the most pleasing kind*' gan naw mab y gwesteiwr—pob un â'i delyn. Ac yntau, yn ôl y sôn, wedi ei atgyfnerthu gan ei bedwerydd gwydriad o siampaen plygodd yr Esgob ymlaen ac yngan, '*Maybe Paradise will be like this your Majesty, a long row of angels in white tie and tails with just their heavenly instruments*'. Wedi sibrwd jôc yng nghlust y Frenhines yr oedd ei arglwyddiaeth ond 'does dim awgrym i gryndod ymddangos yn ei gwefl isaf. (Knox-Mawer).

Y gwir oedd nad oedd gan y teulu brenhinol rithyn o ddiddordeb yng Nghymru fel y bu Thomas Gee, Cadeirydd Cyngor Sir Dinbych, cyhoeddwr llwyddiannus, pregethwr lleyg a pherchennog y newyddiadur radical wythnosol, *Baner ac Amserau Cymru* yn esgud i atgofio'r rhai a fynychodd Durbar Cymreig 1889. Yr oedd y Frenhines a Thywysog Cymru wedi gwrthod pob gwahoddiad i ymweld â'r Eisteddfod Genedlaethol meddai. Fel sylfaenydd y *Welsh Land League* yn 1886, a ffigur amlwg yn y mudiad gwrth-ddegwm, gofynnodd '*Why should the Non Conformist Welsh farmers be forced to pay tithes to an alien tyrannical Church of England against their conscience?*' Yr oedd yn ddadl a barhaodd heb ei datrys nes pasio Deddf y Degwm yn 1891. Yn y cyfamser yr oedd rhai llyfrau testun i gynorthwyo dysgu Cymraeg wedi ymddangos ac ym mlwyddyn Adroddiad Aberdâr fe ymddangosodd *Camrau mewn Gramadeg* Emrys ap Iwan.

Cyfeiriasai William Spurrell, yr argraffydd a chyhoeddwr o Gaerfyrddin yn ei dystiolaeth gerbron y Pwyllgor, at gynnydd yn y gofyn am ddeunydd darllen yn Gymraeg. Gwelodd y flwyddyn 1881 hefyd gyhoeddi ei lyfr testun ar Gymraeg; ymddangosodd ei eiriaduron Cymraeg/Saesneg, Saesneg/Cymraeg yn 1846 a 1853 yn olynol. Rhoes yr Adroddiad sylw dyladwy i arolwg gan E G Ravenstein, *Census of the British Isles 1876* lle y datgelwyd bod 1,006,100 allan o boblogaeth o 1,426,516 yn 1871 yn gallu siarad Cymraeg.

Er cydnabod bodolaeth a chyffredinedd yr iaith Gymraeg gofynnodd yr Adroddiad, '*What effect did this produce upon the education of the Welsh child?*' Gallai brofi, '*that such prevalence was very disadvantageous to proficiency in those branches of knowledge, such as classics, philosophy etc where a copious command of English was necessary to success in competing for the prizes and honours of the University ...*'.

Yr oedd y math hwn o ddiffyg parch tuag at yr iaith eisoes wedi ysgogi adlach yn ysgrifeniadau'r Parchedig David Jones Davies, (ar un adeg Cymrawd o Goleg Emmanuel, Caergrawnt, 13eg *Wrangler* ac Arolygydd Esgobaethol St Albans o 1879 i 1892). Mewn llythyr a anfonodd at Isambard Owen ar Fai 8 1886 hawliodd Dan Isaac Davies, a oedd ar dân dros hyrwyddo amcanion *Cymdeithas yr Iaith Gymraeg* ac a blediodd yn ddiarbed dros bolisi grymus o addysg ddwyieithog, mai mewn gwirionedd, '*this Churchman who first drew attention to the utilization of the Welsh language as the one serious omission in the enquiry*'.

Anerchodd y Parchedig D Jones Davies aelodau o'r Cymmrodorion ar 25 Ionawr 1882 ar *The Advisability of Teaching English through the Medium of Welsh in Elementary Schools in Welsh Spoken Districts* lle y condemniodd yr arfer o ddysgu'n gyfangwbl yn yr iaith Saesneg. Ar 28 Chwefror 1884 cyflwynodd Anrhydeddus Gymdeithas y Cymmrodorion *Memorial* i A J Mundella, Is Lywydd Pwyllgor y Cyngor ar Addysg yn barchus erfyn, *'on Her Majesty's Government the pressing need for the immediate introduction of their long promised measure for Intermediate Education ...'.* Wrth ymateb i'r *Memorial* mynegodd Mundella ei awydd i gyflwyno Mesur ar y cyfle cyntaf ond yn anffodus ni lwyddodd. Ar 15 Mai 1889, fodd bynnag, wedi ymgorffori gwelliannau, llwyddodd Stuart Rendel i sicrhau dadl ar ail ddarlleniad y Mesur a siaradodd T E Ellis yn huawdl o'i blaid. Daeth y Ddeddf i rym ar y dydd cyntaf o Dachwedd 1889. Dyma'r tro cyntaf i'r egwyddor o grant Trysorlys, er budd addysg ganolraddol, fod yn gorfforedig mewn Mesur Llywodraeth ar wahân i daliad o'r dreth sirol, o swm heb fod yn fwy na dimau yn y bunt o swm gyfanrhed gwerth ardrethol eiddo yn y sir.

Cyn belled ag yr oedd dysgu Cymraeg yn y cwestiwn yr unig gyfeiriad a gaed oedd yr un yng nghymal 17 lle y diffinid 'addysg ganolraddol' fel ag i gynnwys *'instruction in Latin, Greek, the Welsh and English language and literature, modern languages, mathematics, natural and applied science or in some of such studies, and generally in the higher branches of knowledge ...'* Ar 7 Tachwedd 1889 dechreuodd y Cynghorau Sir ar y gorchwyl o benodi cynrychiolwyr ar y Cyd Bwyllgorau ac, yn eu plith yn Sir Gaernarfon, yr oedd A H D Acland AS. Gwahoddodd ef ddyrnaid o wŷr gyda diddordeb yn y pwnc i'w dŷ ym Mhlas y Bryn, Clynnog i gyfarfod T E Ellis, AS, Y Parchedig, Is Brifathro Ellis Edwards, y Bala; John Powell, Wrecsam; R A Jones, Lerpwl; Cadwaladr Davies, Bangor a'r Athro Henry Jones, Bangor a ddwynodd i gof yn *Old Memories* (1922), *'We were well aware that we were indulging ourselves in constructing a scheme that was ideal I do not think any of us believed it to be attainable'.*

Ym mis Medi 1891, yn ystod Eisteddfod daleithiol Blaenau Ffestiniog, manteisiodd T E Ellis ar yr achlysur i ennyn cefnogaeth i'r pedwar ugain o ysgolion canolraddol yr oedd ym mwriad y Pwyllgorau Addysg i'w sefydlu. Atgofiodd aelodau'r Pwyllgor fod Iaith a Llenyddiaeth Cymru wedi cael blaenoriaeth ar y Saesneg, *'so that the nation's language might be accorded its rightful place'.* Efallai i hyn fod yn newydd calonogol i eisteddfodwyr Sir Feirionnydd ond ni chrybwyllwyd mai Lladin a Groeg oedd ar ben y rhestr. Yn wir pan agorwyd drysau'r ysgol sir ganolraddol gyntaf yn Stryd yr Eglwys, Caernarfon ar 19 Chwefror 1894 nid oedd unrhyw gyfeiriad at y Gymraeg yn y cwricwlwm.

Bu'r Prifathro, J Trevor Owen, yn athro am gyfnod yn Ysgol All Hallows, Dyfnaint. Brodor o Lannerchymedd, Sir Fôn ydoedd. Ysgolor o Goleg Sidney Sussex, Caergrawnt lle y daeth yn *Wrangler* ac ennill anrhydedd yr ail ddosbarth mewn gwyddor naturiol. Teithiai llawer o'r disgyblion o Beny-groes, Llandudno a Llanberis i'r ysgol. Ar Orffennaf 23 a 24 1894 ymwelodd Owen M Edwards, Cymrawd o Goleg Lincoln, Rhydychen â'r ysgol yn rhinwedd ei swydd fel arholwr. Y pynciau a ddysgid oedd, Saesneg, Ffrangeg, Lladin a Groeg, Ysgrythur, Hanes, Daearyddiaeth, Rhifyddeg, Algebra ac Euclid, Cemeg, Cerddoriaeth a Dylunio. Ar ôl 'arholiad *viva voce* gofalus' awgrymodd O M Edwards *'that it would not be impossible, with little effort to make it the best intermediate school in Wales'*. Yr oedd 44 o fechgyn yn bresennol o 64 o enethod. Ymhlith y rhai cyntaf a dderbyniwyd yr oedd W J Gruffydd, Bethel a oedd wedi cyrraedd y brig yn rhestr yr ysgoloriaeth. Tybed a oedd Gruffydd yn bresennol ar ddydd yr arolwg. Disgrifia y bechgyn fel, *'the brightest and most promising of their age'*. Er, ' *they nearly all think in Welsh and translate mentally their thoughts in English ... I am glad to be able to report that the staff is thoroughly capable of understanding the children's difficulties and of making use of the native tongue in teaching them others'*.

Cynhaliwyd yr arolwg 13 mlynedd cyn penodi O M Edwards yn Brif Arolygydd Addysg Cymru—swydd a'i galluogodd i gysegru bron ei holl egni i wella pob agwedd ar addysg Cymru heblaw ar lefel Prifysgol. Yr oedd eisoes wedi ysgrifennu llyfrau yn Gymraeg ac, er gwaethaf gofynion trwm ei ddiwtoriaeth yng Ngholeg Lincoln ac, yn ddiweddarach, yng Ngholegau Corpus Christi, Balliol, Trinity, Pembroke a Somerville. Cyn ymadael â'r ysgol fe lwyddodd i dynnu sylw at wall amlwg yn y cwricwlwm a dod i'r casgliad, *'that the teaching of Welsh and the occasional teaching of subjects like History in Welsh, would greatly tend in developing the children's minds'* (t. 393). Nid ysgogodd y sylw unrhyw ymateb boddhaol gan y Prifathro.

Drannoeth fe deithiodd O M Edwards i *The Bottwnog County School* , ym mherfedd gwlad Llŷn. Ysgol ramadeg waddoledig o'r math lled glasurol a fu Botwnnog. Yr oedd newydd ddechrau codi ffioedd am y tro cyntaf ac, o ganlyniad, nid oedd ond 16 o fechgyn a 18 o enethod yn bresennol. Y pynciau a ddysgid oedd Saesneg, Ffrangeg, Lladin, Ysgrythur, Hanes, Daearyddiaeth, Ffysiograffi, Rhifyddeg, Algebra ac Euclid, Cemeg, Ffiseg ac Amaethyddiaeth. Fe sylwyd bod, *' The boys who have only just come in can hardly put an English sentence together or correct the most evident mistakes in English composition ...'*. Hawdd y gallai O M Edwards gydymdeimlo â disgyblion uniaith yn gorfod dioddef sarhad cwricwlwm wedi ei gyfeirio'n gyfangwbl at Saesneg. Dyma arolygydd, gwahanol i'r mwyafrif o arolygwyr y dydd, a ymdrechodd nid yn unig i amgyffred yr anawsterau hyn ond a weithiodd yn ddiarbed i'w goresgyn. O wybod yn iawn mai o gartrefi a osodai gryn bwys ar eu cyfarwyddo â llenyddiaeth Gymraeg y deuai'r disgyblion, meddai, *'I told the girls that in correcting idioms literally translated—eg 'to keep a sound' - they might, if they liked, explain the mistakes by reference to Welsh. I found from their answers that they could write excellently in Welsh'*. (t. 394)

Fel pwnc dewisol yr ystyrid Cymraeg yn y cynllun sirol ac, fel yn y mwyafrif o'r ysgolion canolraddol cynnar, ni ddysgid mohono yn y naill ysgol na'r llall. Ni ddylid anghofio mai yn 1889 y cymeradwywyd y darpar-iaethau cyffredinol ar gyfer y Cod Newydd a gydnabu Cymraeg fel pwnc penodol mewn ysgolion elfennol. Cyflwynwyd y *Scheme of Instruction* a ddar-parwyd ar gyfer ei ddefnyddio mewn ysgolion elfennol gan *Gymdeithas yr Iaith Gymraeg* ac yn unol â gofynion y Cod Newydd, gan y Gwir Anrhydeddus A H D Acland (Is Lywydd Pwyllgor y Cyngor ar Addysg) ar 11 Chwefror 1893. Cyfeiriodd y rhagymadrodd at yr *'inherent absurdity'*, oddi ar pasio Deddf Addysg 1870, o esgymuno'r iaith Gymraeg yn gyfan gwbl o'r cynllun hyfforddi a bod y 'gyfundrefn draddodiadol' wedi cael dylanwad rhag-farnllyd ar foral plant a siaradai Gymraeg *'whose sense of self-respect and self-confidence is liable to be wounded by finding the language, which is inextricably bound up with associations of home, parentage, country and religion, placed under a sort of official ban, and treated with contempt and neglect'*. Ond eto nid oedd Robert Lowe y bu condemnio cyffredinol ar ei bolisi o 'dalu yn ôl y canlyniadau' mewn addysg elfennol—ac yn arbennig yng Nghymru—yn selog dros ddemocratiaeth gan gredu y byddai cymryd cam i gyfeiriad democratiaeth *'the strangest and wildest proposition that ever was broached by man'*. (Robert Lowe, *Speeches and Letters on Reform* 1867). (tt. 57-8)

Yn 1885, pedair blynedd cyn pasio'r Ddeddf Addysg Ganolraddol, anerchodd (Syr) Herbert Isambard Owen, un o'r rhai a fu'n bennaf gyfrifol am Siarter y Brifysgol ac a ddaeth yn Uwch Ddirprwy Ganghellor cyntaf Prifysgol Cymru, aelodau o Anrhydeddus Gymdeithas y Cymmrodorion yn ystod Eisteddfod Genedlaethol Aberdâr. Yr oedd wedi amlygu ei fod yn gefnogydd cywir i *Gymdeithas yr Iaith Gymraeg*. Wedi ei eni yng Nghas-gwent ei dad yn Gymro a'i fam o dras Ffrengig, a'i addysgu yn Lloegr (Caerloyw, Rossall a Choleg Downing, Caergrawnt) daeth Isambard Owen yn ffisegydd ymgynghorol tra pharchus yn Llundain. Er na ddaeth y cyfle i ddysgu Cymraeg i'w ran fe deimlai, ers llawer blwyddyn, yr ysfa i hyrwyddo dysgu Cymraeg yn yr ysgolion ac mewn gwirionedd, nid yn unig fe baratôdd Adroddiad y Pwyllgor a benodwyd gan Anrhydeddus Gymdeithas y Cymmrodorion i ymholi i *'The Advisability of the Introduction of the Welsh Language into the Course of Elementary Education in Wales'* ond ef hefyd a wynebodd draul argraffu'r atebion a ymddangosodd ar 27 Awst 1885.

Yn Eisteddfod Genedlaethol Bangor 1890 anerchwyd adran Gymmrod-orol yr Eisteddfod unwaith yn rhagor gan Isambard Owen ar *Linguisitic Training in Welsh Intermediate Schools* a phlediodd dros ddefnyddio'r Gymraeg yn effeithiol *'as an education agent in most parts of Wales .... (since) the material is ready; the vocabulary and phraseology are known; facilities for teaching children to read and write the language have been granted to the elementary school. The intermediate teacher needs but to ask for pupils ready grounded in Welsh, and pupils grounded in Welsh he can have'*. Yn anffodus—er i'r syniad fod y Gymraeg yn gymwys i gymryd lle'r ieithoedd clasurol mewn addysg ennill sêl bendith yr Athro John Rhys, Rhydychen—parheid i lynu'n draddodiadol wrth y clasuron.

Ystyriai Thomas Owen, Prifathro y *'Commercial and Grammar School'*, Aberystwyth, wrth ysgrifennu yn *Young Wales* (1895) y dylai'r Gymraeg fod *'an integral part of the education of every child in the Principality'* a thynnodd sylw at bedwar gwendid sylfaenol *'in the present system of secondary education'* sef:

   i. 'bod y dull yn addysgol anghywir oherwydd bod symud o'r gwybyddus i'r anwybyddus—o'r syml at y cymhleth—yn sail pob addysgu gwyddonol a chywir,

  ii. wrth anwybyddu Cymraeg yn yr ysgol bydd y gyfundrefn yn niweidiol i ddiddordebau aruchelaf a gorau plant,

 iii. bod y gyfundrefn fel y mae yn fethiant llwyr yn y mwyafrif o achosion,

 iv. bod y gyfundrefn ar y pryd o ddibrisio Cymraeg, yn cael effaith anfoesol iawn ar gymeriad plant.'

Dyma Brifathro a gydnabyddai ddilysrwydd y Gymraeg ond ni theimlai Prifathro Ysgol Sir Bethesda (D J Williams) fod angen cynnwys Cymraeg yn y cwricwlwm. Ymrestrodd deunaw ar hugain o 'ddisgyblion ysgoloriaeth (26 o fechgyn a 12 o enethod)' yn yr adeiladau newydd ar Ebrill 2 1895. Yn ei adroddiad i Fwrdd y Llywodraethwyr dywedodd, *'The great difficulty I find is the lack of knowledge of English; to meet this I have formed a small school library which now contains 60 volumes'*. Yr un modd ym Motwnnog mynegodd y Prifathro (E J Lloyd) y farn, *'No great progress can be expected of a pupil till he has gained some mastery over English'*. Yr oedd y ddau safbwynt yn ddealladwy ond unwaith yn rhagor, ystyrid y Gymraeg yn llai o ran pwysigrwydd.

Byddai'n anghywir, fodd bynnag, tybio fod pob ymgeisydd am swydd prifathro ysgol wledig yng Nghymru yn ddigydymdeimlad tuag at yr iaith. Ar Galan Ionawr 1885 dechreuodd H H Herring ar ei ddyletswyddau fel prifathro Ysgol Llanafan, sir Aberteifi a synnu wrth ganfod bod,

> *'Welsh was rigorously excluded. There was an Infants Class of about 45 and everything was carried on entirely in English. I consulted the class teacher and drew up a scheme for the class in Welsh and English ... At the same time I came to the conclusion that I must learn Welsh or take my departure ... In all classes Welsh was used as the channel of instruction in such subjects as History, Geography, Nature Study etc and questions were afterwards asked in English. Everything was explained in Welsh. This I insisted upon with all teachers, though some were very 'Seisnigol'* '. (NLW 9355E Memo.)

Byddai athro'n meddu'r fath ddealltwriaeth a *nous* wedi sirioli calonnau'r Arolygiaeth yng nghyfnod O M Edwards.

Ym mis Mai 1896 cymeradwywyd cynllun a luniwyd gan y Pwyllgorau Addysg ar y cyd, ar gyfer cyfansoddiad y Bwrdd Canol Cymreig. Ei swyddogaethau oedd arolygu ac arholi. Owen Owen a benodwyd yn Brif Arolygydd. Tynnwyd sylw at rai o wendidau sylfaenol cyfundrefn a reolai'n gaeth Addysg Uwchradd Gymreig—gan G Perrie Williams yn ei *Welsh Education in Sunlight and Shadow* (1918)—cyfundrefn yr oedd ganddi wybod-aeth uniongyrchol ohoni fel disgybl a myfyriwr. Gofynnid i brifathrawon neu brifathrawesau gyflwyno i'r Bwrdd adroddiad ar faes llafur y dosbarth-iadau a bwriad y gwaith—gosodid y papurau arholiad yn unol â hynny. Ar un adeg darperid gymaint â 365 o bapurau gwahanol gan y Bwrdd. Yn 1915 yr oedd pedair dystysgrif BCC sef *'Junior, Senior, Higher'* ac *'Honours.'* Parheid i feirniadu agwedd y Bwrdd tuag at y Gymraeg drwy ganiatáu, fel a wneid, glystyru pynciau, ac felly anghefnogi astudio Cymraeg. Eglurodd Dr Perrie Williams (a feddai radd Anrhydedd mewn Ffrangeg, a oedd yn Gymrawd o Brifysgol Cymru ac yn D Litt (Paris)) fel y bu raid iddi ollwng y Gymraeg er mwyn cymryd Lladin. *'I might,'* meddai *'have continued to study Welsh had I been willing to give up French. Yet—Welsh was my native language, the language I spoke both at home and with my friends'.*

Erbyn 1901, gydag agor Ysgol y Merched ym Mangor a'r Ysgolion Sir ym Mhen-y-groes a Brynrefail torrwyd ar draws gwaith Ysgol Sir Caernarfon dros dro. Ymadawodd J Trevor Owen i fod yn Brifathro ar Ysgol Ramadeg Abertawe a dilynwyd ef gan J de Gruchy Gaudin, brodor o Jersey, yr athro Ieithoedd Modern a gŵr gradd o Brifysgol Caergrawnt. Yn 1902 ymatebodd y Llywodraethwyr i'r feirniadaeth mai dim ond ar gyfer lleiafrif bychan yr oedd y ddarpariaeth, drwy sefydlu adran fasnachol. Gwelodd y flwyddyn 1903 hefyd gyhoeddi Adroddiad y BCC am 1902 a denodd hyn golofn a hanner o sylwadaeth ddadlennol gan y golygydd yn y *North Wales Observer and Express* (3 Ebrill 1903). *'In the official list of subjects 'Welsh', apparently, is placed a long way down, above Spanish and book-keeping fortunately, but below Greek and the Differential Calculus, to say nothing of Algebra and Scripture and of course, immeasurably below English composition, language and history'.* Datgelwyd na chyflwynwyd yr un disgybl ar gyfer yr arholiad diwethaf yn Gymraeg o Ysgol Friars ac yng Nghaernarfon un yn unig a safodd yr arholiad ar ôl derbyn hyfforddiant o'r tu allan. Yr oedd absenoldeb Cymraeg o'r cwr-icwlwm yng Nghaernarfon wedi ysgogi nifer o gwynion yn y wasg leol ac, mewn cyfarfod o'r Llywodraethwyr, amddiffynnodd y prifathro ei bender-fyniad i derfynu dysgu'r iaith ar y sail, *'some of the pupils knew nothing of the subject, a few did not like Welsh, though they could cope with it ... and Welsh was not taught in 8 or 9 elementary schools in the district'.* Penderfynodd felly o blaid iaith dramor yn hytrach na Chymraeg.

Mewn ateb i gwestiwn a achosid llawer o anhrefn i'r cwricwlwm pe rhoddid hyfforddiant yn Gymraeg i ddau ddisgybl yn unig, dywedodd y Prifathro y byddai'n achosi anhrefn sylweddol. Yr oedd yn amlwg, yn ôl y Cadeirydd, nad oedd gwir alw am ddysgu Cymraeg. Yn 1897 dim ond 31 o ysgolion allan o 97 a gyflwynodd ymgeiswyr ar gyfer arholiad y BCC yn Gymraeg ac mor ddiweddar â 1907 dim ond 49 o ysgolion allan o 95. Ond erbyn 1924 yr oedd 131 allan o 140 o ysgolion wedi llwyddo i ddenu ymgeiswyr i gymryd yr arholiad Cymraeg.

Un o'r Arolygwyr Cymreig mwyaf goleuedig oedd Thomas Darlington. Yn frodor o Nantwich, yn glasurydd ac ieithydd, ymgartrefodd yn Aberystwyth ar ei benodi yn AEM dros Ganolbarth Cymru. Dysgodd i siarad ac ysgrifennu Cymraeg yn rhugl. Mewn erthygl o'i eiddo ar *Language and Nationality* a ymddangosodd yn *Young Wales* (1899), ysgrifennodd, '*the loss of the Welsh language would involve all that is most characteristically Welsh*'. (tt 282-6) Yr oedd wedi ei galonogi gan y diddordeb newydd yn yr iaith 'a'i phwysigrwydd yng ngŵydd y byd ac ni phregethid Seisnigiaeth mwyach fel efengyl gymdeithasol Cymru'. Parhaodd yr optimistiaeth hon yn rhan o Darlington ar hyd ei oes ac fe'i hail fynegodd ychydig cyn ei farw yn 1908. '*If Wales abandons her national language she will merge her separate existence in that of her English neighbour .... The prospect is far more hopeful than it was 20 years ago*'. *(Wales* (1912)). Ysgrifennodd hyn chwe blynedd ar ôl pasio Deddf Addysg Balfour a alluogodd yr Awdurdodau Addysg Lleol i roi cychwyn ar gynlluniau ar gyfer dysgu Cymraeg. Dangosodd ffigurau'r Cyfrifiad am 1901 gynnydd net o 30,910 yn nifer y siaradwyr Cymraeg oddi ar 1891. Bu lleihad, fodd bynnag, yn nifer y siaradwyr Cymraeg yn siroedd Caernarfon, Meirionnydd, Trefaldwyn, Aberteifi, Mynwy a chynnydd ym Môn, Dinbych, Fflint, Brycheiniog, Caerfyrddin, Morgannwg, Penfro a Maesyfed. Er i Forgannwg ddangos cynnydd yn y boblogaeth o 166,859 nid oedd y cynnydd yn nifer y siaradwyr Cymraeg ond 28,821. Ac eto, yn ôl yr ystadegau a gynhyrchwyd gan Fwrdd Ysgol Ystradyfodwg (1902) yr oedd nifer y plant a fynychai ysgolion yn y Rhondda Fawr a'r Rhondda Fach ddwywaith gymaint â'r nifer a siaradai Saesneg. Rhaid priodoli llawer o'r clod am hyn i ymroddgarwch dyrnaid o athrawon o frwdfrydedd Arolgwyr fel Dr Abel J Jones. Yn sgîl ei benodi i'r Arolygiaeth yn 1910 gofynnwyd iddo gan y Prif Arolygydd, O M Edwards, wneud arolwg arbennig o addysgu Cymraeg yng Nghaerdydd, y Barri a Phontypridd. Gwnaeth waith cyffelyb yn y Rhondda yn 1912 lle'r oedd yr Awdurdod ymhlith y cyntaf yn y wlad i roi ei phriod le i'r iaith Gymraeg. Mor bell yn ôl â 1897 yr oedd Awdurdod y Rhondda wedi mabwysiadu maes llafur Cymraeg ar gyfer pob ysgol ac am lawer blwyddyn fe ddysgid Cymraeg fel pwnc gorfodol yn y dosbarthiadau isaf.

Ers tro byd yr oedd William Edwards, a benodasid yn AEM yn 1877, yn argyhoeddedig bod angen dysgu Cymraeg yn fwy effeithiol ac y dylid ei mabwysiadu fel cyfrwng hyfforddiant. Mynnai nad oedd yn ddigon, '*that the child should receive lessons ON the mother tongue; the lessons themselves should be given IN it*'. (*The Direct Method of Teaching—A Suggestion in the Interest of Education in Wales* (1899)) yn ôl ei farn ef byddai mabwysiadu'r Dull Union yn arwain at *sprachgefühl*—egwyddor y byddai'r un mor rhwydd ei chymwyso at yr ysgolion uwchradd. Gyda'r math hwn o bwyslais ar yr agwedd ymddiddanol, a oedd eisoes yn amlwg yn nulliau blaengar Gouin a Vietor, ategodd Edwards ei gred drachefn, '*Anything less than the acquisition of the poor to read, write and SPEAK Welsh is not worth aiming at*'. Yr oedd Thirion, er enghraifft, a oedd yn athro Ffrangeg yn Lloegr wedi ysgrifennu yn 1888 mai'r pedwar amcan, yn nhrefn briodol dysgu iaith, ddylai fod—gwrando, siarad, darllen, ac ysgrifennu'.

Cyhoeddodd S J Evans, Prifathro Ysgol Sir Llangefni ei *Welsh Language Notes* yn *The Welsh Leader* yn ystod 1905-1906. Ef oedd awdur *The Elements of Welsh Grammar* (1899) a *Welsh Parsing and Analysis* (1907). Ar Ragfyr 9 1925 traddododd anerchiad gerbron cynhadledd addysg ym Mangor ar y testun *On the Teaching of Welsh in Secondary Schools*. Pwysleislai'r cysyniad o *realien* a arferid yn yr Almaen a chefnogai'r Dull Union cyn belled nad oedd nifer y disgyblion yn ormodol. Mynnai mai aneffeithiol oedd y dulliau dwyieithog a oedd mewn grym ar y pryd a dymunai ymgorffori drama, ysgrifennu creadigol, cyfieithu a'r *lecture expliquée* yn y cwricwlwm. Credai William Rowland, Prifathro Ysgol Sir Porthmadog ac ysgolhaig Cymraeg arall o fri, yng ngwerth Cymraeg ymddiddanol. Daliai y dylid treulio cyfran o amser bob dydd i sgwrsio â phlant. Yr oedd yn feirniadol o'r diffyg unffurfiaeth yn y meysydd llafur gan alw am fabwysiadu cyfres o wersi graddedig sylfaenedig ar Ddull Gouin. Bu ef yn athro Cymraeg yng Nghwmsyfiog, Bedwellte, Ysgol Ganol Abersychan ac Ysgol Ramadeg Abertawe, darlithiodd mewn Ysgolion Haf o dan nawdd *Cymdeithas yr Iaith Gymraeg* ac yr oedd yn awdur nifer o lyfrau testun a mynd mawr arnynt. Yn Aberystwyth yn 1903 y cynhaliwyd y gyntaf o'r Ysgolion Haf hyn gyda David James (Defynnog) yn drefnydd a daeth iddi athrawon o bob cwr o Gymru. Mesur o'u hatyniad a'u llwyddiant oedd eu cynnal yn flynyddol mewn gwahanol ganolfannau am dros chwarter canrif. Yr oedd Defynnog yn un o blith nifer o ysgolfeistri ymroddedig a gysegrodd amser ac ynni i ddysgu Cymraeg yn y Rhondda.

Y mae'n bwysig sylweddoli mai cymysglyd iawn oedd y sefyllfa yng Nghymru. Gallai Iorwerth C Peate fyfyrio gyda pharch ar ei addysg yn Ysgol Sir Machynlleth o 1912-18 a chymeradwyo cwricwlwm a ddarparai ar gyfer dysgu Cymraeg, Lladin a Ffrangeg o'i wrthgyferbynnu â'r cyfyngiadau ieithyddol yr oedd y mwyafrif o ysgolion yn ddarostyngedig iddynt. Yn Ysgol Sir Abergwaun (erbyn dechrau'r dauddegau) lle y darganfuwyd fod 53% o'r disgyblion yn siaradwyr Cymraeg, fe benderfynwyd dysgu'r iaith i bob disgybl yn yr ail a'r drydedd flwyddyn ond yn y bedwaredd, y bumed a'r chweched flwyddyn fe gynigid Ffrangeg fel dewis arall. Parhâi hanner y disgyblion i ddewis Cymraeg. Ar y llaw arall, yr oedd y sefyllfa yn Ne Sir Benfro yn gwbl anobeithiol. Yn Ysgol Sir Doc Penfro yr oedd angen i'r disgyblion ddewis rhwng Cymraeg a Lladin ac, ymhen amser, disgwylid i'r Gymraeg ddiflannu o'r cwricwlwm. Mewn gwirionedd, yr oedd Sir Benfro wedi mabwysiadu cynllun ar gyfer dysgu Cymraeg yn Rhagfyr 1906 ond claear oedd agwedd yr Awdurdod gan bledio bod y cyfleusterau a oedd eisoes ar gael yn ddigonol a heblaw hynny yr oedd yn rhan o bolisi'r Pwyllgor, '*not to dictate to school the minutiae of syllabuses*'. Yr oedd William George hyd yn oed, aelod ar hyd ei oes o Gyngor Sir Gaernarfon ac aelod o'r Bwrdd Canol Cymreig, yng nghwrs ei femorandwm i'r Pwyllgor Adrannol a gynhyrchodd yr adroddiad *Welsh in Education and Life* (1927), wedi tynnu sylw at gyflwr yr iaith: '*If Wales is really in earnest on the question of the preservation of the language it must, without a moment's delay, see that it is henceforth taught effectively in the secondary schools of the country*'.

Er cydnabod ymdrechion y BCC a'r gwaith rhagorol a wneid yn rhai ysgolion tynnodd Adroddiad y Bwrdd Addysg am 1917 sylw at, '*the other evil effect of excessive external examining viz. the tendency to map out a rigid curriculum, each subject being made severely separate from each other, the same number of hours being given to every subject under the circumstances ...*'. Yr oedd yn barod i dderbyn bod nifer yr ysgolion, nad oedd yn dysgu Cymraeg o gwbl, yn llai na chwech '*it is far from getting its proper place ... wrong methods often militate against the success of Welsh teaching ... the lessons are given in English, the examination questions are set in English and answers written in English even in the higher forms. Such methods should be condemned; it is almost impossible to explain why they have survived so long*'.

Priodolodd William Rowland y diffyg argyhoeddiad ymhlith athrawon i'r ffaith nad oedd addysgwyr Cymreig wedi rhoi arweiniad pendant yn y mater. Ni ellid dannod hynny yn erbyn yr aelodau mwyaf goleuedig o'r Arolygiaeth: yr oedd nifer ohonynt cyn ac yn ystod adeg Syr O M Edwards wedi ymdrechu'n ddiflino i anadlu bywyd newydd i addysgu Cymraeg. Eto fe barhâi'r agweddau sylfaenol y cyfeiriodd Syr John Edward Lloyd, yr hanesydd Cymreig hyglod, atynt ar ddechrau'r sgwrs a ddarlledodd ar Ragfyr 14 1935 i ddathlu hanner canrif sefydlu *Cymdeithas yr Iaith Gymraeg*. Yr oedd ei ddadansoddiad yn fwy na hanesyddol. Canolbwyntiodd sylw ar agweddau meddwl a fodolai adeg geni'r Gymdeithas yn 1885 ac yn ystod pasio Deddf Addysg Ganolraddol Cymru. Rhannodd yr agweddau yn dri grŵp.

Mynnai'r dosbarth cyntaf mai'r prif rwystr yn ffordd awydd y Cymro i fwynhau breintiau'r Ymerodraeth Brydeinig yn llawn ac elwa ar y gorau o ddiwylliant Seisnig, oedd yr iaith Gymraeg. Gorau po gyntaf iddi ddiflannu oddi ar wyneb y ddaear. Ymhlith yr ysweiniad yr oedd yr agwedd hon ar ei hamlycaf a denodd gymeradwyaeth nid yn unig y wasg Seisnig—'*Their antiquated and semi-barbarous language shrouds them in darkness*'. *The Times* 8/9/ 1866—ond hefyd rhai entrepreneuriaid Cymreig cefnog.

Gŵr felly oedd Syr Llewelyn Turner, brodor o Gaernarfon a fu'n faer y dref am ddeng mlynedd ac yn berchen ar diroedd yn Buenos Aires. Ysgrifennodd i'r *North Wales Observer and Express* yn Rhagfyr 1887 i esbonio pam ei fod yn credu nad oedd Cymraeg o unrhyw werth mewn na busnes na gwaith cynhyrchu, '*It is no reflection upon Welshmen or the Welsh language*', ysgrifennai, *to say that being the language of so very small a portion of those whose lot is irrevocably cast amongst the English speaking races of Great and Greater Britain the only road by which they can obtain the full advantages of that connection is by the broad highway of the language of the majority*'.

Adlewyrchai'r ail ddosbarth agwedd fwy cydnaws. Math o ymlyniad sentimental wrth yr iaith ond eto'n credu fod ei dyddiau wedi eu rhifo gan fod y dylanwadau arni'n rhy gryf iddi oroesi.

Yr oedd y trydydd dosbarth yn awyddus i ddyrchafu eu brwdfrydedd a'u sêl ysol i wastad aberth. Yn anffodus, ychwanegai Syr John, fel ffanaticiaid yr edrychid arnynt gan iddynt ganiatáu i'w calonnau reoli eu pennau. Ymwrthodent â gwrando ar reswm ac felly minimal a fu eu dylanwad.

Ymhlith y rhai a oedd yn fwg ac yn dân dros hyrwyddo dull "mwy effeithiol o addysgu Cymraeg yr oedd D J Williams, yr awdur storïau byrion adnabyddus. Yr oedd wedi graddio mewn Saesneg yn Aberystwyth a Choleg Iesu, Rhydychen. Yn yr ugeiniau cynnar bu'n athro Saesneg yn Ysgol Sir Abergwaun ond am lawer blwyddyn fe deimlasai y dylai'r iaith Gymraeg fod fwy-fwy yn iaith yr ysgol—yn y cynulliad, yr ystafell ddosbarth ac wrth chwarae. Galwodd ar athrawon i wneud defnydd o'r dull union, *'as much as possible in order to familiarise sounds to the ears of those who do not speak it and to arouse in them the proper mental curiosity for new words and phrases which is the surest step to progress'*. Mewn erthygl arall (*The Welsh Outlook 1925*) dadleuodd o blaid cydnabod y Gymraeg yn bwnc *matriculation* gorfodol ar gyfer disgyblion ysgolion canolraddol. Ar ôl ei ryddhau o garchar am ei ran yn llosgi'r Ysgol Fomio ym Mhenrhos, dychwelodd D J Williams i Abergwaun i ddysgu Cymraeg yn hytrach na Saesneg.

Rhaid cydnabod, gydag ychydig eithriadau, mai dirmygus ydoedd agweddau tuag at ddysgu Cymraeg yn yr ysgolion canolraddol cynnar. Nid bod awgrymiadau na chynlluniau gan athrawon ac arolygwyr yn brin. Rhwyddhaodd Prifysgol Cymru, y rhoddwyd siarter iddi yn 1893, y ffordd i ysgolorion dyheus ddilyn cyrsiau Gradd Anrhydedd yn y Gymraeg a chynhyrchu peth o lenyddiaeth greadigol fwyaf ffrwythlon y Gymraeg. Eto fyth nid oedd unfrydedd rhagolwg ymysg addysgwyr.

Tynnodd Frank Smith, darlithydd ar staff Adran Addysg Coleg Prifysgol Cymru, Aberystwyth, sylw at ddifrifoldeb y sefyllfa yn ei erthygl ar *Welsh Schools and the Language Problem (The Welsh Outlook 1917)*. Cyfeiriodd at *'the pernicious and harmful form of verbalism'* a oedd ar arfer mewn llawer ysgol yn 1916 sef *'of actually teaching Welsh to Welsh children through the medium of English—an amazing spectacle'*. Pwysleisiodd yr angen am lynu'n gaeth wrth yr iaith frodorol yn y blynyddoedd cynnar er cydnabod anawsterau amgylchynnol 'opiniwn croes' a 'rhagfarn genedlaethol'. *'It would be charitable*, ychwanegodd, *'to describe the Welsh teaching of many schools as half-hearted; in very truth it is grotesquely inadequate and mischievously amateur'* (t. 27). Fe allesid cymhwyso'r cyhuddiad hwn at flynyddoedd cynnar yr ysgolion canolraddol—cyfnod nad oedd yn llai diffrwyth o safbwynt yr iaith Gymraeg na'r un a adolygwyd gan Smith.

Os gallwn ddwyn y sefyllfa i ganolbwynt heddiw. Ym mis Mehefin 1989 fe ymddangosodd y gyfrol ymgynghorol statudol yn cynnwys cynigion i alluogi Ysgrifennydd Gwladol Cymru gynhyrchu Gorchmynion drafft o dan

Ddeddf Diwygio Addysg 1988 a'i gynghori ynglŷn â thargedau cyrhaeddiad priodol a rhaglenni astudiaeth ar gyfer Cymraeg. O dan y Ddeddf fe gydnabyddir y Gymraeg fel pwnc craidd yn y cwricwlwm cenedlaethol ar gyfer ysgolion lle y siaredir Cymraeg ac a ddiffinnir fel rhai lle y dysgir mwy na hanner y pynciau sylfaenol ar wahân i Gymraeg (yn gyfan gwbl neu rannol) yn Gymraeg. O dan gadeiryddiaeth yr Athro Gwyn Thomas cynhyrchodd y Gweithgor Cymraeg, ymysg argymhellion rhagorol eraill, set o Dargedau Cyrhaeddiad interim o Raglen Astudio—Sylfaen Cymraeg (Uwchradd) ar gyfer disgyblion ysgolion uwchradd nad oedd wedi astudio Cymraeg yn yr ysgolion cynradd. Gydag ewyllys dda, brwdfrydedd ac adnoddau digonol y mae'r targedau a osodwyd i gyd yn gyraeddadwy: deuant i lawn ffrwyth ddyheadau a breuddwydion yr arloeswyr hynny yn nyddiau cynnar yr ysgolion canolraddol.

Terfynaf gyda geiriau un nad oedd yn eithafwr na phenboethyn—na hyd yn oed yn Gymro—ond yn addysgwr o Sais, Syr Stanley Leathes—aelod o'r Pwyllgor Adrannol a gynhyrchodd yr Adroddiad *Welsh in Education and Life*.

'*There is nothing petty or sectional or provincial or separatist or obscurantist in the maintenance of Welsh*'.

Pe bai agwedd o'r fath wedi ffynnu byddai safle'r Gymraeg yng nghwricwlwm yr ysgolion canolraddol cynnar wedi bod yn dra gwahanol.

CYFEIRIADAU : (yn ychwanegol at y rhai a enwyd eisoes)

Elementary Education Act 1870.
Welsh Intermediate Education Act 1889.
Education Act 1902.
A Manual to the Intermediate Education (Wales) Act 1889 and the Technical Instruction Act 1889 by Thomas Ellis MP and Ellis Griffith, 1889.
Welsh in Education and Life 1927.
Y Gymraeg mewn Addysg a Bywyd 1927.
Ellis, T E *Speeches and Addresses* 1912.
Jones, Sir Henry *Old Memories* 1922.
Jones, R Ambrose *History of the Church in Wales* 1926.
Knox-Mawer, Ronnie *Queen of the Joneses (The Daily Telegraph* 26/8/1989).
Saer, D J, Smith, Frank, & Hughes, John, *The Bilingual Problem* 1924.
Williams, G Perrie *Welsh Education in Sunlight and Shadow* 1918.
Williams, Jac L (gol) Addysg i Gymru 1966.
Webster, J R *The First Reports of Owen M Edwards on Welsh Intermediate Schools.* (Cylchgrawn Llyfrgell Genedlaethol Cymru (Cyf. XIV) 1958).
Claridge, S A, *The First of the County Schools* (Trafodion Cymdeithas Hanes Sir Gaernarfon (Cyf XIX) 1958).
The Dominician (Fourth Centenary Number) Friars School Magazine 1957.
Thomas, Brinley A *Cauldron of Rebirth: Population and the Welsh Language in the Nineteenth Century* (Cylchgrawn Hanes Cymru (13) 1987).
Traethodau ymchwil Prifysgol Cymru heb eu cyhoeddi:

J R Webster PhD 1959. *The Place of Secondary Education in Welsh Society* 1800-1918.

G A Jones, MA, 1969. *The Life and Work of Sir Isambard Owen (1850-1927) with particular reference to his contribution to Education in Wales.*

G A Jones, PhD 1978. *Dysgu Cymraeg rhwng 1847 a 1927.*

DEDDF ADDYSG GANOLRADDOL A THECHNEGOL CYMRU 1889 AC ADDYSG MERCHED:

Unffurfiaeth yn y Cwricwlwm a'r ymgyrch dros Wahaniaethu

W. GARETH EVANS

Hanner can mlynedd yn ôl ar Awst 7 1939 yn yr Eisteddfod Genedlaeth-ol a gynhaliwyd yn Ninbych, trafodwyd arwyddocâd Deddf Addysg Ganolraddol a Thechnegol Cymru 1889 mewn cyfarfod o dan nawdd Anrhydeddus Gymdeithas y Cymmrodorion. Er nad oedd heb ddiffygion, dehonglwyd Deddf 1889 fel un o lwyddiannau mawr Cymru Oes Fictoria. 'Rydym yn ymateb o hyd yn 1939 i Deddf 1889', meddai'r Prifathro Emrys Evans. 'Rydym heddiw yn cofio gyda diolch y gwŷr a gyfranogodd yn llwyddiant adeiladol mawr y ganrif ddiwethaf ... . Ein tasg ni yw cadarnhau, addasu, ymestyn, coethi ac weithiau symleiddio'r adeiladwaith a godwyd ... . Rhoddasant hwy ysgolion da i'w plant, ein tasg ni yw eu gwneud yn well ysgolion i'n plant ninnau.'[1] Ni wnaeth ef, na'r Athro W Moses Williams, wneud unrhyw gyfeiriad penodol tuag at arwyddocad deddfwriaeth 1889 i enethod. Yn fwy rhyfeddol, efallai, gwnaeth y trydydd siaradwr yn y cyfarfod, yr Athro Olive Wheeler, Caerdydd, dim ond cyfeirio wrth fynd heibio at oblygiadau Deddf 1889 i addysg genethod.

'... Wrth adolygu pum deg mlynedd o addysg uwchradd yng Nghymru, rwy'n dechrau, yn naturiol gyda nodyn o ddiolchgarwch. Ni allaf fynegu'n ddigonol fy nyled bersonol i system o addysg, mor eang ei nôd ac mor ddemocratig ei natur, fel na wnaeth ffawd na rhywogaeth achosi rhwystrau ar fy llwybr er sicrhau y cyfleoedd addysgol llawnaf posibl.'[2]

Erbyn 1939, roedd sylfeini system addysg y Gymru fodern wedi eu gosod yn gadarn. I fechgyn, ac yn arbennig i enethod, roedd y gwagle addysgol a fodolai yng Nghymru yn yr 1880au wedi ei lenwi. Roedd cyflenwad addas o addysg uwchradd ac uwch i ferched wedi peidio â bod yn destun dadleuol yng Nghymru ers tro. Serch hynny, camddehongli'r sefyllfa byddai cymryd yn ganiataol bod yr holl rwystrau ar lwybrau addysgu, rhyddfreinio a chyflogi'r ferch wedi eu goresgyn. Yn ddiweddar, cawsant sylw brwdfrydig gan haneswyr ffeministaidd modern yn eu hymgyrch am dystiolaeth o ragfarn rywiol yn y system addysg.[3]

Tra yn fyfyriwr yn Aberystwyth yn negawd gyntaf y ganrif newydd, roedd yr Athro Wheeler wedi bod yn gefnogwr pybyr dros ryddfreinio'r ferch.

1. *The Welsh Intermediate Education Act* 1889, Anerchiadau gan y Prifathro Emrys Evans, Yr Athro Oliver Wheeler a'r Athro W. Moses Williams, Trafodion Anrhydeddus Gymdeithas y Cymmrodorion, 1939, tt. 101-131.
2. *Ibid.*, tt. 124-5.
3. Deirdre Beddoe, *Discovering Women's History* (1983).

Cymerodd ran ym mhrotest y myfyrwyr yn 1908 yn erbyn y rheolau caeth a luniwyd i Neuadd Alexandra gan y 'Lady Principal', Miss Carpenter.[4] Roedd yn anhebygol o fod heb wybod am ymgyrchion y 'Gymdeithas er Hyrwyddo Addysg Merched Cymru' o 1886 hyd 1901 a gyfrannodd yn arbennig tuag at y trawsnewid a welwyd yn y ddarpariaeth o addysg uwchradd ac uwch i ferched Cymru yn ystod degawdau olaf Oes Fictoria.

Am y rhan fwyaf o'r bedwaredd ganrif ar bymtheg yng Nghymru, roedd llai o gyfle i ferched i sicrhau addysg uwchradd na hyd yn oed i fechgyn. Yn ôl tystiolaeth Adroddiad Aberdâr 1881, nid oedd ond 263 merch yn y tair ysgol gwaddoledig—Ysgolion Howell Llandaf a Dinbych, a Dr. Williams' Dolgellau—a oedd i barhau fel y sefydliadau pwysicaf ar gyfer addysgu merched y dosbarth canol yng Nghymru hyd nes yr agorwyd yr ysgolion canolraddol.[5] Yn ogystal, roedd nifer o ysgolion dirwaddol i ferched, o ansawdd amrywiol, yn bennaf yn y canolfannau trefol ac ar yr arfordir. Yn ddios, roedd rhai ohonynt yn haeddu beirniadaeth am eu gorbwyslais ar ddoniau a medrau cymdeithasol a hefyd am eu safonau academaidd isel. Ond gwnaeth eraill ohonynt gyfraniadau teilwng tuag at addysgu cenedlaethau o enethod yng Nghymru cyn sefydlu'r rhwydwaith o ysgolion canolraddol yn yr 1890au.

Bu rhwystrau mawr i ddarparu mwy o gyfle addysgol i enethod. Roedd traddodiad, ceidwadaeth a rhagfarn o sawl cyfeiriad gan gynnwys yr eglwysi a'r capeli, y gyfraith a meddygaeth, yn bwerau dylanwadol yng Nghymru Oes Fictoria. Cafodd anerchiad y llywydd, y Dr. Withers Moore, i gynhadledd y *British Medical Association* yn Brighton, yn 1886, lle y mynegwyd amheuon ynglŷn ag addasrwydd merched i ddilyn cyrsiau addysg uwch, ei ledaenu'n eang. Cafodd gryn ddylanwad ar y trafodaethau ynglŷn ag addysg canolraddol ac addysg uwch i ferched yng nghyfarfod y Cymmrodorion yn Eisteddfod Genedlaethol Caernarfon 1886. Fe'i condemniwyd am ddadlau

'. . . nid yw er lles yr hil ddynol bod merched yn derbyn addysg a fwriedir i'w paratoi i ymarfer grym ymenyddol mewn cystadleuaeth â dynion . . . Bydd ar Addysg Uwch yma yn rhwystro'r rhai a fyddai wedi bod y mamau gorau rhag bod yn famau o gwbl.'[6]

Ym 1885, mewn un o nifer o erthyglau golygyddol grymus yn y *Cambrian News*, tanlinellwyd dylanwad traddodiad a rhagfarn yng Nghymru gan y golygydd, John Gibson:

'Mae merched yn parhau naill ai yn gaethweision neu nid ydynt yn bod—yn gyfreithiol, cymdeithasol a gwleidyddol. Yma ac acw, mae rhai merched yn cwyno ynglŷn â'u hisraddoldeb; ond yn gyffredinol

4. *University College of Wales Magazine*, Cyf. 29, 1906-7.
5. *Aberdare Report: Report of the Committee appointed to inquire into the condition of Intermediate and Higher Education in Wales*, Cyf. 1, tt. L-LXV.
6. *Sixth Annual Report, National Eisteddfod Association*, 1886, tt. 63-9.

nid ydynt yn sylweddoli natur na maint eu caethiwed ac mae llawer hyd yn oed yn gorfoleddu yn eu caethiwed. Roedd safle israddol merched yn ganlyniad "canrifoedd o wneud cam â hwy" '[7]

Yn ogystal, tueddodd Darwiniaeth-Gymdeithasol a'i bwyslais ar swyddogaeth gymdeithasol gwahanol y ddwy ryw i gadarnhau'r agweddau traddodiad tuag at addysg merched. Roedd y ferch yn wahanol i ddyn yn ffisiolegol ac yn feddygol, yn wannach nag ef.[8] Gellir honni mai traddodiad, a atgyfnerthwyd gan yr ideoleg gyfoes o fenywaeth a gysylltai merch â'r cartref, oedd y rhwystr mwyaf i ddarparu mwy o gyfle addysgol yng Nghymru Oes Fictoria.[9] Roedd dylanwad y ddelwedd dosbarth canol o'r ferch yn fawr. Roedd y pwyslais ar wahaniaethu rhwng rôl y gwryw a'r fenyw mewn cymdeithas yn clustnodi'r ferch i fod gyda'i theulu yn y cartref a'r gŵr wrth ei waith yn y gweithdy. Edrychid ar fenywaeth, awdurdod, a hyd yn oed natur angylaidd y fam fel nodweddion hanfodol y teulu delfrydol yn Oes Fictoria. Fe'u hamlygwyd yn rheolaidd yn y wasg yng Nghymru ac mewn cylchgronau megis *Y Frythones* (1879-91) lle y portreadwyd y fam dda fel y swyddogaeth mwyaf mawrfrydig i'r ferch. Roedd yn swyddogaeth angylaidd.[10]

Mae astudiaethau diweddar wedi cywiro'r dehongliad gor-ramantaidd o'r ferch Gymreig a'i safle yn y cylch teuluol trwy ein hatgoffa o'r niferoedd mawr o ferched Cymru a weithiai tu allan i'r cartref, mewn diwydiant trwm yn ogystal ag amaethyddiaeth.[11] Ond mae hefyd yn glir bod gwaith cyflogedig i'r ferch tu allan i'r cartref dosbarth canol a'r dosbarth gweithiol yn cael ei ystyried yn anfenywaidd yn ystod ail hanner y ganrif. Ystyriwyd ymddatodiad y teulu fel y canlyniad anochel a ddibynai o gyflogi gwragedd priod. Ar drothwy'r Ddeddf Addysg Ganolraddol roedd rhagfarn rhywiol eisoes yn amlwg yn yr ysgolion elfennol lle rhoddwyd sylw i'r angen i addysgu'r ferch ar gyfer ei swyddogaeth diweddarach fel gwraig a mam. Hyd ymhell yn yr ugeinfed ganrif roedd y pwyslais ar swyddogaeth teuluol i'r ferch i gael effaith niweidiol ar agweddau tuag at addysg genethod. Ymddangosai addysgu'r ferch yn llai pwysicach nag addysgu'r mab.

Yn 1918 yn *Rhamant y Nos* ac yn 1927 yn *Cwrs y Lli*, beirniadodd 'Moelona', a oedd wedi ei thrwytho yn nhraddodiad Cranogwen, y ffermwyr hynny yng nghefn gwlad Cymru a oedd yn parhau i feddwl am addysg yn llai pwysig i enethod nag i fechgyn. Pwysleisiwyd yr angen i sicrhau yr un cyfle addysgol i'r ddwy ryw. Yn nofel Emyr Humphreys, *Flesh and Blood* (1974), gwelir adlewyrchiad o syniadau'r 1920au yng Nghymru ynglŷn â

7. *The Cambrian News*, 26 Hydref 1885.
8. Brian Harrison, '*Women's Health and the Women's Movement*' yn Charles Webster (Gol.) *Biology, Medicine and Society 1840-1940* (1981), t. 51.
9. J. D. Burstyn, *Victorian Education and the Ideal of Womanhood* (1980).
10. R. Tudur Jones, Coroni'r Fam Frenhines: Y Ferch yn Llenyddiaeth Oes Fictoria, 1835-60 (1976).
11. Siân Rhiannon Williams, 'Y Frythones: Portread Cyfnodolion Merched y Bedwaredd Ganrif Ar Bymtheg o Gymraes yr Oes', Llafur, Cyf. 4, Rhif 1, 1984, tt. 43-57.

swyddogaeth gymdeithasol addysg prifysgol ac addasrwydd cwrs i'r ferch yn y celfyddydau yn hytrach na'r gwyddorau yng nghyngor y Rheithor i Amy:-

> 'Mae addysg Brifysgol yn rhywbeth o'r pwysigrwydd pennaf. Rydych yn gwybod hynny onid ydych? . . . Yn gymdeithasol rwy'n ei feddwl. Mae yr unig ysgol ddiogel i symud i fyny o un dosbarth i'r nesaf . . . Pa fath o radd yr ydych yn ei chwennych? . . . Roedd gwg ar wyneb y Rheithor. Nid oedd wedi ei fodloni o gwbl.'
> B.Sc. yw hynny, meddai. Byddai B.A. yn well i ferch. Yn fwy gweddus. Mae'n swnio yn fwy diwylliedig rhywfodd.'

Serch hynny, roedd agweddau tuag at addysgu genethod wedi bod yn newid yn raddol yng Nghymru yn niwedd Oes Fictoria. Erbyn 1889, disgwylid cyfle cyfartal i enethod yn ogystal â bechgyn o Ddeddf Addysg Ganolraddol. Roedd hyn yn gynnyrch sefyllfa a grewyd gan nifer eang o ffactorau—unigolion a grwpiau o ewyllys cryf a goleuedig eu hagwedd, yn ogystal â dylanwadau crefyddol, cymdeithasol ac economaidd. Chwaraewyd rhan allweddol gan y 'Gymdeithas er Hyrwyddo Addysg Merched Cymru' 1886-1901. Dylanwadodd yr aelodau amlycaf, Mrs Dilys Glynne Jones, Dr. Sophie Bryant a Miss Elizabeth P Hughes yn fawr ar hynt a helynt addysg ganolraddol i enethod ac addysg uwch i ferched yng Nghymru trwy gyfrwng y Gymdeithas, yn ogystal â'r Anrhydeddus Gymdeithas y Cymmrodorion a'r Eisteddfod Genedlaethol a roddodd lawer o gefnogaeth yn ystod trafodaethau allweddol yr 1880au. Roedd yr arloeswyr hyn, ynghŷd â Dr. Frances Hoggan—tyst deallus i Bwyllgor Aberdâr yn 1881—yn ddiwygwyr o'r un pwysigrwydd â Miss Emily Davies, Miss Buss a Miss Beale. Mae eu henwau yn haeddu ers tro i gael eu cynnwys yn y cofnod o lwyddiant addysgol Cymru yn Oes Fictoria.

Yn dilyn y wybodaeth a ddatgelwyd yn Adroddiad Aberdâr 1881, dadleuwyd, yn egnïol, yr achos dros ddarparu cyflenwad addas o addysg i ferched gan alltudion o Gymru yn Llundain. Daeth Arglwydd Aberdâr, I. Marchant Williams, Isambard Owen a Lewis Morris yn gefnogwyr selog i ymgyrch y ferch. I Thomas Gee, T. E. Ellis, A.S., a nifer eraill yng Nghymru, roedd darparu ysgolion canolraddol anenwadol i enethod yn rhan annatod o'r ymgyrch ryddfrydol-anghydffurfiol dros gydraddoldeb crefyddol ac addysgol. Yn hollol deg, edrychid ar Ysgolion Howell yn Llandaf a Dinbych ac Ysgol Ashford fel sefydliadau a ymgorfforai rhagorfraint Anglicanaidd. Roedd yr ymgyrch dros addysg ganolraddol i enethod yn bennaf yn fudiad dosbarth canol a wnaeth elwa yn fawr o'r ymgyrch ehangach i ryddfreinio'r ferch yn wleidyddol, cymdeithasol ac economaidd. Roedd llyfr John Gibson, *The Emancipation of Women* (1891) a ddylanwadodd ar y trafodaethau addysgol yng Nghymru, yn un o'r ysgrifau mwyaf grymus dros ryddfreinio'r ferch ers cyhoeddi llyfr J. S. Mill, '*On the Subjection of Women*' (1869) a gafodd gryn sylw yn y wasg Gymreig. Mewn cyfnod o newid economaidd a mwy o gyfle yn y swyddi proffesiynol, hyr-wyddwyd addysg ganolraddol ac uwch fel cymhwyster economaidd hanfodol i'r ferch o'r dosbarth canol. Erbyn diwedd y ganrif, roedd y ddelwedd o'r 'wraig a'r fam berffaith' yn cael ei newid yn raddol i gynnwys y 'ddynes newydd' a oedd yn chwennych addysg, gwaith cyflogedig a hawliau cyfreithiol a gwleidyddol.

Derbyniwyd yr egwyddor o gyfle cyfartal i'r ddwy ryw yn Neddf 1889. Un o gefnogwyr selocaf addysg ganolraddol i enethod oedd T. E. Ellis, A.S. a gymerodd ran amlwg yn y ddadl seneddol allweddol ar y mesur ynglŷn ag Addysg Ganolraddol ym Mai 1889. Erbyn Chwefror 1890, roedd yn gwella o afiechyd yng Ngwesty Luxor yn yr Aifft. Oddi yno anfonodd lythyr wedi ei ysgrifennu yn Gymraeg i'r papur lleol yn y Bala—*Y Seren*—yn mynegi gofid am ei absenoldeb o Gymru ar adeg pan roedd cario allan amcanion Deddf 1889 mor hanfodol i addysg genethod yn ogystal â bechgyn[12] Eisoes, roedd ymgyrch egnïol wedi bod yn Lloegr a Chymru i wrthbrofi'r rhagdybiaeth ynglŷn â deallusrwydd israddol genethod. Mewn ysgolion fel Dr. Williams' Dolgellau ac Ysgolion Howell, rhoddwyd llai o bwyslais yn y cwricwlwm ar ddoniau a medrau cymdeithasol a mwy o sylw i bynciau academaidd ac arholiadau allanol. Sylweddolodd prifathrawon ysgolion uwchradd i ferched yn Lloegr a Chymru bwysigrwydd uniaethu'r cwricwlwm a'r arholiadau i'r ddwy ryw os oedd genethod i gael eu hystyried i fod yn berchen â'r un galluoedd deallusol â bechgyn. Roedd y gorbwyslais ar ddoniau a medrau benywaidd a oedd yn un o'r prif feirniadaethau o addysg genethod yn y bedwaredd ganrif ar bymtheg wedi ei danseilio gan yr ymgyrch am gydraddoldeb rhywiol, fel y ceisiai'r ysgolion uwchradd i ferched efelychu'r cwricwlwm academig yn yr ysgolion gramadeg i fechgyn.

Erbyn 1900, roedd 3,513 o enethod a 3,877 o fechgyn yn y 93 ysgol canolraddol yng Nghymru. Roedd 22 o'r rhain yn ysgolion i fechgyn, 21 yn ysgolion i enethod, 43 yn ysgolion deuol a 7 yn ysgolion cymysg. Gwnaeth-pwyd ymdrech fwriadol i sefydlu delwedd addysgol dda drwy fabwysiadu traddodiad cwricwlar yr ysgolion gramadeg i fechgyn a'r bwyslais academ-aidd a ddatblygwyd yn ddiweddar yn yr ysgolion uwchradd i ferched yn Lloegr. Roedd yr ymgyrch am gyfle addysgol cyfartal i enethod wedi arwain arloeswyr yr ymgyrch dros addysg y ferch tuag at y model cydnabyddedig o addysg ryddfrydol i fechgyn. Ystyrid Lladin, Almaeneg a mathemateg fel pynciau rhagorol i hogi'r pwerau deallusol. Yn 1898, cyhoeddodd y 'Gym-deithas er Hyrwyddo Addysg Merched Cymru' bamffled yn dwyn y teitl '*The Teaching of Literature in our schools*' a bwysleisiai bwysigrwydd llenydd-iaeth yn addysg deallusol genethod. Roedd y cwricwlwm i enethod mewn ysgolion canolraddol ac uwchradd erbyn 1914 yn rhoi pwyslais mawr ar bynciau academig. Roedd yr ymgyrch am gyfle addysgol cyfartal i enethod wedi arwain tuag at fabwysiadu'r cwricwlwm i fechgyn yn hytrach na

---

12. Llythyr dyddiedig 3 Chwefror 1890, *Y Seren*, 22, Chwefror 1890.

cheisio gwahaniaethu yn sylweddol rhwng bechgyn a genethod. Yn arwydd-ocaol, roedd y patrwm hwn wedi datblygu er gwaethaf y pwyslais ar wah-aniaethu yn y cwricwlwm gan y "Gymdeithas er Hyrwyddo Addysg Merched Cymru' yn yr 1890au a chan y Bwrdd Addysg a Bwrdd Addysg Canol Cymru. Yn ogystal, roedd wedi datblygu er gwaetha'r rhagfarn rhywiol a oedd yn bodoli yn y gymdeithas Gymreig.

Daeth y Ddeddf Addysg Ganolraddol a Thechnegol yn gyfraith gwlad ar adeg pan roedd dadlau dwys yng Nghymru a Lloegr ynglŷn â natur y cwricwlwm a oedd yn addas i ferched mewn ysgolion uwchradd. Er bod pwysigrwydd addysg ryddfrydol, academig ei naws, yn cael ei ystyried yn hanfodol er sicrhau parchusrwydd academic, dylanwadwyd yn fawr ar y trafodaethau yn ogystal gan yr ideoleg benywaidd gyfoes a'i bwyslais ar waith yn y cartref. Dylanwadwyd yn ogystal ar agweddau a pholisiau gan y rhwymedigaeth yn ôl Deddf 1889 i ddarparu addysg dechnegol yn ogystal ag addysg ganolraddol. Hefyd, dylanwadwyd ar y dadleuon yn y sector canolraddol gan y pwysigrwydd cynyddol a roddid yn y 1890au i bynciau yn ymwneud â chadw tŷ yn addysg genethod y dosbarth gweithiol mewn ysgolion elfennol.

Ar y pryd, roedd yr Adran Addysg trwy gyfrwng newidiadau yn y Cod yn ceisio sicrhau bod genethod yn yr ysgolion elfennol yn derbyn rhywfaint o 'addysg dechnegol'. Yn wir, byth er mabwysiadu'r Cod Diwygiedig un o'r amodau i sicrhau derbyn grantiau'r llywodraeth oedd ei bod yn ofynnol i ddysgu gwniadwaith i enethod. Cadarnhawyd y trefniant hwn yn y Cod Newydd yn 1890 a ychwanegodd gwaith golchi fel pwnc y gellid hawlio grant am ei ddysgu. Roedd coginio wedi bod yn bwnc dewisol ers 1893 ac economi'r cartref yn bwnc 'penodol' gorfodol i enethod ers 1878. Yn 1893 gwnaethpwyd gwaith llaethdy a chrefft cadw tŷ, ac yn 1896, economi'r cartref, yn bynciau dewisol y gellid hawlio grantiau am eu dysgu.

Roedd y duedd yma yn y cwricwlwm, a ddaeth hyd yn oed yn fwy amlwg yn negawd gyntaf yr ugeinfed ganrif, yn adlewyrchu polisi'r Adran Addysg bod angen i addysg genethod y dosbarth gweithiol gynnwys hyfforddiant mewn gwaith cadw tŷ. Roedd cynnwys pynciau yn ymwneud â'r cartref yn adlewyrchu'r syniadau cyfoes am berthynas rhwng dosbarth cymdeithasol a benywaeth. Byddai dysgu pynciau yn ymwneud â chadw tŷ yn gwella cymhwyster y ferch fel mam ac fel morwyn. Mae ymchwil diweddar gan Carol Dyhouse a June Purvis wedi rhoi sylw i'r ymdrechion a wnaethpwyd yn Lloegr yn niwedd y bedwaredd ganrif ar bymtheg a dechrau'r ugeinfed ganrif i ogwyddo addysg genethod, yn arbennig mewn ysgolion elfennol, tuag at bynciau yn ymwneud â chadw tŷ, a bod yn fam effeithiol. Yn ogystal, gellir dehongli hyn fel enghraifft o wahaniaethu yn y cwricwlwm a oedd yn adlewyrchu dylanwad syniadau Darwiniaeth-Gymdeithasol. Ysty-rid hi'n bwysig bod genethod yn cael eu dysgu'n briodol ar gyfer eu swyddogaeth fel mamau yn eu cartrefi.

Yn arwyddocaol, pan gyhoeddodd yr Adran Addysg y gyfrol gyntaf o'r *Special Reports* yn 1896-7, roedd yn cynnwys penodau ar 'Dysgu economi'r cartref yn Lloegr' ac 'Addysg Dechnegol i enethod'. Yn y cyflwyniad, dywedodd Syr Michael Sadler fod y gyfrol yn ymdrin ag '... agweddau o addysg y rhoddir llawer o sylw iddynt ar hyn o bryd yn ein gwlad'. Roedd lleihad yn y nifer o enedigaethau, marwolaethau niferus ymhlith plant bach, colledion milwrol yn y Rhyfel yn erbyn y Bweriaid, yn ogystal â chyflwr iechyd gwael milwyr ifainc, wedi arwain i gryn sylw erbyn troad y ganrif i ddyfodol 'yr hil Brydeinig' a'r berthynas rhwng addysg a chyflwr iechyd y genedl. Yn y 1890au, roedd yr Adran Addysg a'i holynydd, y Bwrdd Addysg, yn galw am fwy o sylw i bynciau yn ymwneud â chadw tŷ yn addysg genethod mewn ysgolion uwchradd, yn ogystal ag mewn ysgolion elfennol. Arweiniodd hyn i wrthwynebiad o gyfeiriad y *Girls' Public Day Schools Trust* a oedd yn ffafrio addysg academaidd traddodiadol ac a oedd yn esgeuluso pynciau yn ymwneud â chadw tŷ.

Roedd y lladmeryddion o blaid cynnwys pynciau yn ymwneud â'r cartref a phynciau technegol yn y sector addysg elfennol uwch yn galw am ddefnyddio'r arian a gasglwyd o dan y Ddeddf Hyfforddiant Dechnegol 1889 a Deddf y Dreth Leol 1890 i ddarparu hyfforddiant mewn coginio, gwaith golchdy, gwniadwaith, ffisioleg ac economi'r cartref. Roedd newidiadau yn y cwricwlwm yn cael eu cyfiawnhau yn 1897 yn nhermau cynyddu medrusrwydd y ferch yn y cartref. Yn 1892 mynegwyd boddhad gan y 'Gymdeithas er Hyrwyddo Addysg Genethod yng Nghymru' am fod pynciau yn ymwneud â'r cartref a gwaith teuluol wedi eu cynnwys yn y cynlluniau a baratowyd ar gyfer addysg ganolraddol. Ond buan y diflanodd yr optimistiaeth yma, a thrwy gydol y degawd, roedd beirniadu cyson ar unffurfiaeth cwricwlwm yr ysgolion canolraddol a'r sylw ymylol a roddid i anghenion arbennig merched.

Yn 1894, mewn pamffled a gyhoeddwyd gan y Gymdeithas er Hyrwyddo Addysg Merched yng Nghymru, pwysleisiodd Miss E P Hughes yr angen i sicrhau darpariaeth o addysg gyffredinol effeithiol cyn darparu hyfforddiant dechnegol.[13] Roedd cadw tŷ yn waith medrus ac roedd angen hyfforddiant dechnegol ar ferched mewn coginio, nyrsio, gwniadwaith, magu plant, a glendid cyffredinol. Yn ddelfrydol, credai Miss Anna Rowlands fod angen colegau technegol i hyfforddi merched yn y grefft o gadw tŷ ar ôl iddynt ymadael o'r ysgol. Ond gan nad oedd hyn yn debygol o fod yn ymarferol yng Nghymru, roedd yn hanfodol bod cwricwlwm yr ysgol ganolraddol yn cynnwys coginio, gwaith llaethdy, gwniadwaith ac agweddau o ffisioleg, addysg iechyd a glendid. Os nad oedd yn bosibl sefydlu dosbarthiadau

---

13. Pamffled Rhif 13, *Manual Training for Girls in Wales. The Association for Promoting the Education of Girls in Wales* (1894).

technegol estynedig mewn cysylltiad â'r ysgolion, dylid cynnwys yr hyff-orddiant yma yng nghwricwlwm arferol yr ysgolion. Sylwyd bod y cwricwlwm yn y tri dosbarth uchaf yn ysgol Dr Williams' wedi cynnwys coginio ers nifer o flynyddoedd tra roedd yr ysgolion elfennol hefyd wedi dysgu gwyddor tŷ. Apeliodd am gwricwlwm a fyddai'n gwneud yn bosibl i gynnig addysg ryddfrydig a hyfforddiant dechnegol ar y cŷd.

Yn yr un flwyddyn, 1894, cyhoeddodd y Gymdeithas bamffled—*Addysg Dechnegol i Ferched*—gan Miss Hester Davies, prifathro Coleg Hyfforddiant Mewn Coginio De Cymru a Mynwy. Dadleuodd ' . . . nad oedd addysg dechnegol i ferched wedi cael y sylw roedd ei bwysigrwydd yn ei hawlio yn ystod yr ehangu mawr mewn addysg yng Nghymru yn ystod y degawd olaf.' Pwysleisiodd ei bod yn hanfodol sicrhau hyfforddiant ymarferol effeithiol mewn celfyddydau tŷ yn yr ysgolion canolraddol. Roedd yn angenrheidiol sylweddoli er gwaetha'r cynnydd sylweddol yn niferoedd y merched mewn gwaith cyflogedig, mai 'yn eu cartrefi y mae'r mwyafrif o hyd yn darganfod y gwaith a bery ar hyd eu hoes.' Yn ogystal, roedd yn hanfodol bod yr ysgolion canolraddol yn rhoi sylw digonol i theori a hyfforddiant ymarferol mewn celfyddydau tŷ. Roedd y Gymdeithas i ail-fynegu ei bryder yn rheolaidd yn y 1890au. Yn y cyfarfod blynyddol yn Llanelli yng Ngorffennaf 1895, cytunwyd ar benderfyniad yn galw ar Bwyllgorau Hyfforddiant Technegol Cymru i hyrwyddo dysgu celfyddydau tŷ.

Daeth yr ymgyrch am sylw digonol i gelfyddydau tŷ—a gyffelybid â hyfforddiant technegol i enethod—yn gysylltiedig â phynciau eangach yn cynnwys y berthynas rhwng addysg ganolraddol a gwaith, a'r dadleuon parthed unffurfiaeth a gwahaniaethu yn y cwricwlwm. Yn y gwahanol gynlluniau sirol ar gyfer addysg ganolraddol, ceisiwyd sicrhau bod y cwricwlwm yn cynnig sylfaen cadarn o addysg gyffredinol. Rhoddwyd yr hawl i'r byrddau llywodraethol lleol i benderfynu blaenoriaethau a'r sylw a roddid i'r gwahanol grwpiau o bynciau. Roedd y cyfrifoldeb am natur y dysgu ym mhob ysgol yn dibynnu'n hollol ar y llywodraethwyr a weithredai gyda sylw i'r cynlluniau lleol. Roedd gan bob ardal yr hawl i ymateb i ofynion y bobl leol. Serch hynny, erbyn 1900, er bod y cynlluniau addysg canolraddol sirol yn caniatáu rhywfaint o ryddid ynglŷn â'r cwricwlwm i'r ysgolion, unffurfiaeth yn hytrach na amrywiaeth oedd yn nodweddu'r patrwm o addysg ganolraddol a oedd yn datblygu yng Nghymru. Yn gyffredinol, roedd celfyddydau tŷ yn parhau ar ymylon y cwricwlwm a d'oedd fawr o wahaniaethu wedi digwydd yn y cwricwlwm ar sail rhywogaeth, heblaw mewn rhai siroedd megis Sir Gaerfyrddin lle y gellid dysgu economi'r cartref gan gynnwys gwniadwaith ac addysg iechyd, i enethod yn lle gwyddoniaeth.

Yng nghyfarfod y Cymmrodorion yn Eisteddfod Genedlaethol Blaenau Ffestiniog 1891, traddodwyd anerchiad gan R. E. Hughes, A. E. M. ar y testun 'Hyfforddiant gwaith llaw, technegol a gwyddonol yng Nghymru a Thramor'. Cyferbynnodd yr esgeulustra o addysg gwaith llaw a thechnegol i ferched yng Nghymru gyda'r sefyllfa yn yr Almaen, Ffrainc, yr Iseldiroedd a Gwlad Belg lle'r rhoddwyd llawer mwy o sylw i goginio, gwniadwaith a chrefft cadw tŷ. Yn ogystal, dangosodd y gwahaniaeth rhwng unffurfiaeth y cwricwlwm yn ysgolion Cymru a'r gwahaniaethu a'r amrywiaeth a oedd i'w weld ar y cyfandir mewn ysgol dechnegol i enethod yn Brwsel ac 'ysgol waith' i ferched yn Würtemburg. Roedd angen sicrhau bod addysg ganolraddol i enethod yng Nghymru yn cynnwys hyfforddiant gwaith llaw ac yn sefydlu cysylltiadau gyda diwydiannau lleol. Byddai addysg o'r fath yma yn llawer mwy defnyddiol na 'ychydig wybodaeth o ieithoedd marw ac ymarferion deallusol syml'.

Sut bynnag, nid oedd yr holl ferched yn y byd addysg yng Nghymru yn cytuno'n llwyr gyda'r safbwynt hwn. Credai Miss Dobell, prifathrawes Ysgol Ganolraddol Ffestiniog, bod tuedd mawr ymhlith dynion i orbrisio gwerth celfyddydau tŷ a oedd 'yn ymarferol yn hytrach nag yn addysgol eu natur.' Mynnai nad oedd economi'r cartref 'ond ychydig yn fwy na dim byd o gwbl', tra'r oedd coginio o fawr o werth ac ni ddylid ei gynnwys yn amserlenni'r ysgolion canolraddol os nad oedd yn cael ei ddysgu mewn modd gwyddonol. Nid oedd am i enethod gael eu dysgu mewn modd gwahanol i fechgyn oherwydd bod meddwl merch yn debyg iawn i feddwl bachgen. Swyddogaeth addysg ganolraddol i fechgyn ac i enethod oedd hogi'r galluoedd meddyliol. Yn yr un modd, yn Ysgol Ganolraddol y Merched, Caerfyrddin yn 1897, pwysleisiodd y brifathrawes Miss Holme, mai nod addysg ganolraddol oedd lledaenu diwylliant a meithrin 'dynoliaeth neu wreictod . . . â chysylltiad â'r meddwl gorau yn y byd'.

Gwnaeth cwricwlwm yr ysgolion canolraddol ac uwchradd ddenu llawer o sylw yn nechrau'r ugeinfed ganrif. Arweiniodd yr unffurfiaeth ar anhyblygedd honedig i ystyriaeth o'r posibilrwydd o wahaniaethu, yn bennaf rhwng ysgolion, ond yn ogystal rhwng bechgyn a genethod. Roedd Adroddiad Adran Gymreig y Bwrdd Addysg 1909 yn arbennig o feirniadol a surodd y berthynas â'r Bwrdd Canol Cymreig am nifer o flynyddoedd. Awgrymodd 'fod angen yn awr i'r Bwrdd Canol Cymreig ystyried i ba raddau y gallai ei system arholiadau anhyblyg fod yn gyfrifol am y math o feddwl ystyfnig ac anneallus y cwynai'r arholwyr amdano. Mae sicrhau ystwythder a hyblygrwydd yn y cwricwlwm, a datblygu amrywiaeth ymhlith ysgolion yn anodd pan mae'r system arholi wedi ei chanoli gymaint.' Mewn amddiffyniad enwog o'r Bwrdd Canol Cymreig mynnodd Edgar Jones, prifathro ysgol ganolraddol y Barri, mai Rheoliadau y Bwrdd Addysg i Ysgolion Uwchradd ei hun oedd yn gyfrifol am lawer o'r unffurfiaeth yn y cwricwlwm. Mewn datganiad yn gwrthbrofi cyhuddiad y Bwrdd Addysg o unffurfiaeth, eglurebwyd yr amrywiaeth yn y gyfundrefn o ysgolion canolraddol drwy gyfeirio at y trefniadau yn y cwricwlwm i enethod:

'. . .Fel enghraifft arall o wahaniaethu, mae'n ddigon cyffredin mewn rhai o'r Ysgolion Canolraddol i ddysgu bechgyn a genethod gyda'i gilydd, tra mewn ysgolion eraill fe'u dysgir mewn adrannau arwahân neu mewn ysgolion arwahân . . . Mewn un ysgol i enethod mae adran dechnegol arbennig lle mae'r genethod yn paratoi a choginio'r cinio canol dydd a hefyd dysgu gwaith llaethdy.'

Yn ogystal, dywedwyd ei bod yn arferiad mewn nifer o ysgolion merched i'r disgyblion a ddangosai fwy o gymhwysder mewn gwyddor tŷ na phynciau academig i dderbyn hyfforddiant ychwanegol mewn gwniadwaith, coginio ac addysg iechyd. Mewn rhai ysgolion i ferched, dysgid llysieueg yn lle cemeg, ond mewn ysgolion eraill, roedd genethod yn parhau i astudio cemeg a ffiseg. Yn y rhagarweiniad i'r Rheoliadau Ysgolion Uwchradd Cymru 1908, awgrymwyd y gellid cynnig cwrs hyfforddiant cydnabyddedig mewn celfyddydau tŷ yn lle gwyddoniaeth i enethod dros 15 oed. Cydnabuwyd mai'r pwrpas oedd tanlinellu pwysigrwydd hyfforddiant ar gyfer gwaith tŷ.

Cafodd y gogwydd academig yng nghwricwlwm ysgolion i ferched ei feirniadu'n rheolaidd yn y blynyddoedd cyn y Rhyfel Byd Cyntaf. Yn dilyn arolygiad o Ysgol Uwchradd Fwrdeisiol Howard Gardens yn 1912, cafwyd rhybudd gan y Bwrdd Addysg (Adran Gymreig) o'r perygl o orbwysleisio'r ochr academig i waith yr ysgol. 'Gall anghenion y mwyafrif o'r plant sydd ddim yn paratoi ar gyfer arholiadau Prifysgol fod yn cael eu aberthu er budd yr ychydig sydd.' Mewn rhai pynciau, roedd dylanwad arholiadau allanol yn arwain i 'effaith braidd yn farwaidd ar y dysgu'. Felly hefyd yn 1909, tynnwyd sylw'r ysgol at y perygl 'o feddwl mwy am ganlyniadau arholiadau yn hytrach na sicrhau bod y plant yn cael y wybodaeth mwyaf buddiol'. Un o'r canlyniadau oedd bod Ffrangeg yn cael 'llawer gormod o sylw' yn ysgolion Cymru. 'Mae'n anodd gweld bod defnyddioldeb neu werth addysgol y pwnc yn gymesur â'r sylw a roddir iddo'. Yn yr un modd yn Ysgol Uwchradd Fwrdeisiol Canton i Ferched, lle'r oedd y mwyafrif helaeth o'r disgyblion yn mynd ymlaen i ddilyn crefft, neu waith diwydiannol neu waith llaw neu waith tŷ, y casgliad y daethpwyd iddo yn 1912 oedd bod yr ysgol wedi datblygu ar linellau academaidd, traddodiadol. Roedd Canton ac ysgolion uwchradd bwrdeisiol eraill yng Nghaerdydd yn ceisio bod yn ysgolion uwchradd academig eu naws 'gyda gogwydd amlwg tuag at baratoi ar gyfer y Prifysgolion'. Yn Canton ac mewn mannau eraill yng Nghaerdydd, roedd angen llunio cwricwlwm a fyddai'n cynnig cydbwysedd o astudiaethau academig a galwedigaethol. '. . . D'oes nemor ddim wedi ei wneud eto i ymdrin â'r broblem hon yn Ysgolion Uwchradd Fwrdeisiol Caerdydd'.

Cafwyd beirniadaeth gyffelyb o'r gogwydd academaidd yn Adroddiad Cyffredinol y Bwrdd Addysg (Adran Gymreig) yn 1913 ar ysgolion uwchradd Sir Aberteifi. Ystyriwyd pynciau yn ymwneud â gwyddor tŷ tu hwnt i gyfrifoldeb ysgolion a geisiai gyflawni anghenion yr arholiadau mynediad i'r prifysgolion. '. . . Ymddengys mai'r un nod dylanwadol yw'r arholiad

mynediad i brifysgol neu arholiad o'r un fath . . . Mae'r syniad o 'ddringo'r
ysgol' wedi gwneud i lawer anghofio bod gan ysgol gyfrifoldebau sydd yr un
mor bwysig tuag at y lliaws sydd ddim yn paratoi ar gyfer y proffesiynau ag
sydd ganddynt tuag at y rhai sydd yn mynd ymlaen i brifysgol.' Yn yr un
flwyddyn, cafwyd cylchlythyr o'r Bwrdd Addysg yn beirniadu'r ysgolion
merched hynny a oedd yn israddoli amcanion y cwricwlwm a'r ysgol gyfan,
er mwyn rhoi sylw i'r lleiafrif o ddisgyblion a oedd yn paratoi ar gyfer
mynediad i brifysgol. Yn 1912 yn *Special Reports on Educational Subjects*
beirniadodd y Bwrdd Addysg ysgolion merched am efelychu'n slafaidd y
cwricwlwm traddodiadol i fechgyn.

Roedd y Bwrdd Addysg (Adran Gymreig) a'r Bwrdd Canol Cymreig yn
arddel polisi o fforchio'r cwricwlwm gan roi mwy o sylw i bynciau yn
ymwneud â gwyddor tŷ yn y cwricwlwm i enethod. Trwy gyfrwng cylch-
lythyrau cyffredinol, rheoliadau yn 1904, 1908 a 1909, adroddiadau blyn-
yddol, arolygu ysgolion, a thrwy bwyllgor etholedig yn 1911 a phwyllgor
ymgynghorol yn 1913, tanlinellodd y Bwrdd Addysg bwysigrwydd celfydd-
ydau'r tŷ yn addysg y ferch yn y cyfnod Edwardaidd a'r blynyddoedd cyn y
rhyfel byd cyntaf. Yn yr un modd roedd y Bwrdd Addysg Cymreig yn
argymell sylw i rywogaeth wrth gynllunio'r cwricwlwm. Roedd fforchio a
gwahaniaethu a gynhwysai safle mwy canolog i gelfyddydau'r tŷ yn
arbennig, yn nodweddu'r drafodaeth ynglŷn ag addysg uwchradd i enethod.

Beirniadwyd ysgolion yn rheolaidd am sylw annigonol i bynciau yn
ymwneud â gwyddor tŷ. Yn 1904, disgrifiwyd absenoldeb economi'r cartref
ac addysg iechyd o gwricwlwm Ysgol Uwchradd y Merched Trefynwy fel
'esgeulustra difrifol'. Yn yr un modd, beirniadwyd Ysgol Ganolraddol y
Merched Abertawe yn 1908 am mai dim ond gwniadwaith ac addysg iechyd
oedd yn cael eu dysgu o blith celfyddydau'r tŷ ac a gyfyngwyd i'r ysgol isaf.
Mewn adroddiad ar ysgol Caergybi 1910, dywedwyd bod 'diwrnod yn yr
ysgol hon yn gadael yr argraff bod angen sicrhau cychwyn newydd a bywyd
ffres i ddosbarthiadau'r genethod a rhoi safle pwysicach i'w pynciau ar yr
amserlen.' Felly hefyd yn yr Wyddgrug lle'r oedd 'cwricwlwm y genethod
wedi ei wahaniaethu oddi wrth yr un i fechgyn mewn modd eithaf boddhaol,
er y buasai'n ddymunol os y gellid clustnodi mwy o amser i gelfyddydau'r tŷ.
Gyda dim ond hanner diwrnod pob pythefnos, ni all ymarfer achlysurol o'r
fath sicrhau ffurfio arferion trefnus'. Y flwyddyn ganlynol, tynnwyd sylw'r
llywodraethwyr at yr angen i roi mwy o amser ar gyfer dysgu rheolaeth tŷ.
Yn 1914 beirniadwyd Ysgol Sir y Merched Penarth am beidio â sefydlu
dosbarthiadau gwyddor tŷ na dosbarthiadau masnachol. Yn 1908 ac eto yn
1911, pwysleisiwyd yr angen i roi mwy o sylw i wniadwaith a choginio yn
Ysgol Uwchradd y Merched, Dinefwr. Yn 1912, anogwyd Ysgol Uwchradd
y Merched Canton i ddysgu crefft cadw tŷ i enethod yn eu blwyddyn olaf yn
yr ysgol nad oedd yn bwriadu mynd ymlaen i brifysgol. Yn 1911, cyngh-
orwyd Ysgol Sir Biwmares 'y byddai'n ddymunol i gryfhau gwyddor tŷ yn yr

ysgol'. Yn 1912, pwysleisiwyd 'bod angen llawer mwy o sylw i goginio' yn Ysgol Ganolraddol y Merched Abertawe.

Yn achlysurol, canmolwyd ysgolion am eu sylw i gelfyddydau tŷ. Yn 1913 yn y Trallwng ac yn Ysgol Uwchradd y Merched Trefynwy, rhoddwyd 'canmoliaeth uchel' i'r hyfforddiant mewn gwyddor tŷ. Erbyn 1914, roedd dysgu crefft cadw tŷ wedi gwella' yn Ysgol Howard Gardens, Caerdydd. Felly hefyd ynglŷn ag Ysgol Uwchradd Canton, mynegwyd boddhad yn 1914 fod mwy o sylw yn cael ei roi i grefft cadw tŷ. Yn Ysgol Fwrdeisiol y Merched Cyfarthfa a agorwyd yn 1913, croesawyd y bwriad i roi 'sylw arbennig' i grefft cadw tŷ. Dangosai Arolygwyr ei Mawrhydi eu dealltwriaeth yn glir o'r berthynas rhwng syniadau am fenywaeth ac addysg yng nghyd-destun ysgol lle roedd 58% o'r plant yn ferched i grefftwyr a llafurwyr. '... Gobeithir y bydd y genethod i gyd yn derbyn rhywfaint o hyfforddiant ymarferol yng nghelfyddydau'r tŷ. Beth bynnag a wna merch yn ddiweddarach, mae'r ffaith ei bod yn ferch yn gosod arni y cyfrifoldeb o fod â gwybodaeth ymarferol ynglŷn â sut i gadw tŷ a chario allan yr holl ddyletswyddau.'

Ond yn ogystal â beirniadu'r safle ymylol a roddid i bynciau yn ymwneud â'r cartref, roedd y Bwrdd Addysg (Adran Gymreig) a'r Bwrdd Canol Cymreig yn argymhell polisi effeithiol o fforchio a gwahaniaethu yn y cwricwlwm. Cefnogwyd safle mwy canolog i wyddor tŷ ar sail defnyddioldeb, syniadau am fenywaeth a hefyd ar sail eu natur fel pynciau gwyddonol cymhwysol. Byddai hyn yn cyfiawnhau eu dysgu yn lle ffiseg bur a chemeg i'r disgyblion hŷn a oedd eisoes â rhyw faint o ddealltwriaeth o egwyddorion gwyddonol sylfaenol. Yn 1913, cyhoeddwyd y *Report of the Consultative Committee on Practical Work in Secondary Schools*, Cadeirydd y pwyllgor oedd A H D Acland, ac roedd yr aelodaeth yn cynnwys y Prifathro H R Reichel. Argymhellwyd y dylid dysgu celfyddydau tŷ i enethod trwy gydol y pedair blynedd o addysg uwchradd. Ond yn ogystal, cydnabuwyd fod gwyddoniaeth yn cael ei ddysgu mewn llawer o ysgolion genethod mewn modd rhy academig ac heb ddigon o gysylltiad â gwyddor tŷ.

Amlygwyd agwedd y Bwrdd Canol Cymreig yn glir yn yr Adroddiadau yn dilyn arolygu'r ysgolion. Yn yr Adroddiad yn 1910 ar Ysgol Ganolraddol Penarlâg, lle'r oedd y merched wedi bod yn wan yn eu gwaith mewn cemeg safon hŷn, awgrymwyd y byddai'n fuddiol '... sicrhau mwy o wahaniaethu rhwng y cwrs addysg i fechgyn a genethod. Awgrymir sefydlu cwrs mewn economeg y teulu gyda sylfaen wyddonol gadarn iddo fel dewis yn lle'r dysgu mwy academig.' Yn 1912, rhoddwyd cymeradwyaeth i'r ffaith 'mai dim ond i fechgyn yn unig y byddai ffiseg yn cael ei ddysgu, tra byddai genethod yn dysgu, yn ei le, gwniadwaith, economi'r cartref a mwy o lenyddiaeth. Mae'r newid yma i'w gymeradwyo a bydd yn ysgafnhau'r cwricwlwm i enethod.'

Yn 1907, argymhellwyd yr angen i sicrhau mwy o wahaniaethu yn ysgol Llangefni '... ... Mae ychydig o wahaniaethu rhwng y cwricwlwm i enethod ac i fechgyn a thua diwedd y flwyddyn ysgol, mae rhai genethod yn rhoi'r gorau i rai agweddau o waith y dosbarth, yn arbennig mathemateg. Ond nid yw'r ddarpariaeth a wneir ar eu cyfer yn drefnus, a da o beth fyddai cychwyn cwrs mewn celfyddydau'r tŷ y gallai genethod ei ddilyn yn lle peth o'r gwaith gwyddonol a mathemategol sydd yn addas ar gyfer anghenion bechgyn.'

Yn 1910, argymhellwyd gwahaniaethu yn y cwricwlwm gwyddonol i fechgyn a genethod. Awgrymwyd dysgu crefft cadw tŷ yn lle cemeg. Beirniadwyd yr arfer o roi'r gorau i ddysgu coginio yn y dosbarthiadau uchaf. Yn 1907, awgrymwyd y dylai ysgol Glynebwy 'sicrhau bod mwy o gysylltiad rhwng y gwaith gwyddonol i enethod a'r astudiaethau mewn hylendid a chrefft cadw tŷ a oedd yn haeddu cryn sylw.'

Yn Nhredegar yn 1910, roedd y cwricwlwm gwyddonol wedi ei wahaniaethu gyda'r bechgyn yn astudio cemeg a ffiseg a'r genethod yn astudio llysieueg. Argymhellwyd 'mai da o beth fyddai ymestyn yr egwyddor ac roedd i'w ddymuno bod gwyddor tŷ safon uwch yn cael ei sefydlu fel dewis yn lle ieithoedd a mathemateg.' Yn yr ysgol isaf argymhellwyd gogwyddo addysg wyddonol genethod tuag at ddeall 'gwerth bwydydd a'r dulliau o goginio a treulio bwyd'. Yn yr un modd, pwysleisiwyd pwysigrwydd datblygu cyrsiau cyflawn mewn economi'r cartref i enethod yn Sir Feirionnydd.

Yn Ysgol Ganolraddol y Merched y Bont-faen, ym 1910, sylwyd bod yr ysgol wedi ei rhannu i ryw raddau yn ddwy adran o'r drydedd flwyddyn ymlaen. Y prif wahaniaeth oedd bod rhai disgyblion yn rhoi mwy o amser i bynciau yn ymwneud â chadw tŷ. Yn arwyddocaol, dywedwyd 'bod hyn yn cydymffurfio'n hollol â datblygiadau modern'.

Yn 1912, yn Ysgol Sir y Merched, y Barri, roedd 'rhaglen gyflawn o wahaniaethu yn y cwricwlwm yn cael ei ddatblygu. Roedd tair ffrŵd—cwrs cyffredinol neu academig, cwrs technegol a chwrs masnachu a chwrs gwasanaeth sifil. Roedd y datblygiad yma wedi digwydd mewn ymateb i'r gystadleuaeth a wynebai'r ysgol o gyfeiriad y 'Barry Secondary and Business School' a oedd yn cynnig paratoad ar gyfer y byd masnach. Yn ogystal, roedd galw am glercod mewn swyddfeydd a busnesau yng Nghaerdydd. Yn dilyn lleihad yn nifer y disgyblion yn yr ysgol ganolraddol, penderfynwyd dysgu teipio, llaw-fer a'r gwaith busnes.

Yn Ysgol Sir Biwmares, caniatawyd i enethod dosbarth pedwar yn 1912 i astudio economi'r cartref yn lle geometreg. Argymhellwyd 'bod datblygiad pellach yn y cyfeiriad hwn yn ddymunol iawn.' Awgrymwyd y byddai genethod a oedd ddim angen 'hyfforddiant academig galed' yn cael eu denu gan grefft cadw tŷ ac y byddent yn debygol o aros yn yr ysgol am gyfnod hirach. Yn 1909, sylwyd bod 'datblygiad newydd' yn Ysgol Ganolraddol y Merched y Bont-faen gyda dysgu 'pynciau technegol' yn cynnwys gwniadwaith a choginio fel dewisiadau yn lle mathemateg a Lladin yn yr ysgol ganol a'r ysgol uchaf.

Yn Ysgol y Sir i Ferched yn Wrecsam, barnwyd ei bod yn 'foddhaol iawn' bod 'cryn sylw' yn cael ei roi i ddysgu pynciau technegol—coginio a gwniadwaith—a bod disgyblion yn cael eu cymell i arbenigo ynddynt. Ers 1907, yn bennaf oherwydd arweiniad y brifathrawes, Miss Jones, roedd y 200 o enethod wedi eu rhannu'n ddau grŵp ar ôl 1907. Roedd genethod yn grŵp 'A' yn astudio Lladin a mathemateg lefel uwch a'r genethod yn grŵp 'B' yn astudio gwaith golchdy, crefft cadw tŷ, coginio a gwniadwaith. Derbyniwyd y trefniant hwn gan y Bwrdd Addysg ac roedd yn parhau i gael ei weithredu yn y 1920au. Cynhwyswyd elfen o waith masnach i rai disgyblion ac yn 1911 a 1912, Ysgol y Merched, Wrecsam, oedd yr unig ysgol yng Nghymru gyda ymgeiswyr yn Arholiad tystysgrif Dechnegol y Bwrdd Canol Cymreig. Yn 1912, croesawyd y tueddiad yma yn y cwricwlwm, a dywedwyd bod hyn 'yn arbennig o foddhaol mewn ysgol' lle mae gwaith academig o'r radd flaenaf yn draddodiad.'

Roedd safbwynt cyffelyb ynglŷn â'r cwricwlwm yn amlwg hefyd yn y Bwrdd Addysg (Adran Gymreig). Yn 1909 awgrymwyd ynglŷn ag ysgol Aberdâr bod angen 'rhaniad mwy pendant' rhwng y genethod oedd yn dyheu i fod yn athrawon a'r lleill oedd 'yn paratoi ar gyfer gwaith tŷ'. Yn 1914, sylwyd ei bod yn fwriad i ddilyn polisi o 'fforchio' yn Ysgol Uwchradd y Merched, Porth, a fyddai yn dechrau yn y drydedd flwyddyn lle byddai rhai disgyblion yn astudio gwyddor tŷ yn lle Lladin. Yn 1911, sylwyd mewn nifer o ysgolion uwchradd i enethod bod y disgyblion a ddangosai mwy o addasrwydd ynglyn â phynciau yn ymwneud â'r cartref yn hytrach na phynciau academig yn derbyn hyfforddiant ychwanegol mewn gwniadwaith, coginio ac addysg iechyd. Mewn rhai ysgolion i ferched, dysgid llysieueg yn lle cemeg, ond mewn mannau eraill, roedd genethod yn parhau ymlaen i astudio cemeg a ffiseg.

Felly, erbyn 1914, roedd rhywfaint o wahaniaethu yn y cwricwlwm ar sail rhywogaeth gyda'r bwriad o ddarparu ar gyfer anghenion genethod. Roedd ffiseg a chemeg yn cael eu hystyried yn fwy-fwy fel 'pynciau i fechgyn'. Yn 1910, dywedodd y Bwrdd Canol Cymreig bod llysieueg i bob pwrpas wedi disodli cemeg yn y cwricwlwm i enethod yn y dosbarthiadau uchaf. Serch hynny, ' . . . mae newid pellach yn y cwrs gwyddonol i enethod yn ymddangos yn ddymunol er mwyn sefydlu perthynas agosach rhwng gwaith labordy a'r cynlluniau hyfforddi mewn gwyddor tŷ.' Er bod mwy o enethod yn y mwyafrif o ysgolion yn astudio'r pynciau yn ymwneud â chrefft cadw tŷ, roedd y pynciau hyn yn aros o hyd ar ymylon cwricwlwm a oedd yn parhau yn un academig iawn.

Cydnabuwyd yr angen i sicrhau cwricwlwm cytbwys rhyddfrydig a fyddai'n ymgorffori elfen o addysg ddefnyddiol neu 'dechnegol' yn ogystal â phynciau academig i fechgyn a genethod gan y Bwrdd Canol Cymreig a chan O. M. Edwards a'r Bwrdd Addysg (Adran Gymreig) yn ystod y blynyddoedd cyn 1914 ' . . . Problem addysg uwchradd heddiw yw sicrhau bod addysg y plant yn baratoad ar gyfer dyletswyddau bywyd a hefyd yn parhau i fod yn addysg ryddfrydig. Mae'r berthynas rhwng y ddwy agwedd yn amrywiol mewn gwahanol ysgolion.'

Roedd fforchio a gwahaniaethu a oedd yn cynnwys llunio cwricwlwm a roddai sylw i rywogaeth wedi cael dylanwad mawr ar y drafodaeth ynglŷn ag addysg ganolraddol ac uwchradd i enethod yn nechrau'r ugeinfed ganrif. Yn y blynyddoedd cyn 1914 argymhellwyd yn rheolaidd swyddogaeth fwy canolog i astudiaethau yn ymwneud â'r cartref fel pynciau dilys i enethod yn lle ieithoedd tramor, mathemateg a gwyddoniaeth. Dadleuwyd hyn ar sail defnyddioldeb a'r agweddau cyfoes tuag at fenywaeth a rhagfarn rywiol. Ond ni chyflawnwyd llawer oherwydd credid y byddai gwahaniaethu sylweddol yn y cwricwlwm rhwng bechgyn a genethod ar sail gwyddorau tŷ yn groes i amcanion addysg uwchradd ac uwch i ferched. Roedd yr amcanion hyn yn ymwneud â sicrhau yr un statws deallusol i ferched ag i fechgyn. Roedd cydweddu'r cwricwlwm wedi llwyddo wrth i'r ysgolion canolraddol ac uwchradd i enethod efelychu'r cwricwlwm academig a farnwyd yn addas i fechgyn.

Yn 1923, yn Adroddiad y Pwyllgor Ymgynghorol—'*The Differentiation of the Curriculum for Boys and Girls Respectively in Secondary Schools*'—argymhellwyd na ddylai addysg genethod fod yn israddol i addysg bechgyn, ond ni ddylai fod yn union yr un fath. Beirniadwyd ysgolion a oedd yn gorbwysleisio gwaith academig ac yn efelychu cwricwlwm ysgolion bechgyn yn ormodol. Roedd adlais o agweddau Oes Fictoria a'r cyfnod Edwardaidd yn y syniad bod y ferch yn wannach na'r bachgen a'r pryder a fynegwyd ynglŷn â'r angen i warchod genethod rhag blinder corfforol a gormod o straen ar y nerfau drwy leihau'r gwaith cartref a'r oriau yn y sesiwn boreol yn yr ysgol. Yn ogystal, dylent eistedd yr arholiad cyntaf flwyddyn ar ôl y bechgyn. Fel ag y gellid disgwyl, mae'r argymhelliad bod angen dysgu genethod yn hytrach na bechgyn yn ogystal, ar gyfer 'cadw tŷ', yn ogystal ag ennill bywoliaeth, wedi ei ddehongli gan ffeministiaid yn ddiweddar fel enghraifft o'r rhagfarn rywiol ddiangen a oedd wedi bod yn nodweddiadol o bolisi swyddogol y llywodraeth tuag at addysg elfennol ac uwchradd am lawer o flynyddoedd.

Yng Nghymru, cafwyd erthygl—*Domestic Subjects in the Upper Forms of Welsh Intermediate Schools*—yn *The County Schools Review* yn 1923 yn croesawu argymhellion Adroddiad y Pwyllgor Ymgynghorol fel y cyfiawnhad o bolisi'r Bwrdd Canol Cymreig ers tro o wahaniaethu a chefnogi dysgu gwyddor tŷ yn nosbarthiadau uchaf ysgolion canolraddol Cymru. Ond roedd adroddiadau arolygwyr ysgolion yn nechrau'r 1920au yn tanlinellu sefyllfa 'ansicr' pynciau yn ymwneud â chadw tŷ.

Sut bynnag, yn ystod y blynyddoedd rhwng y ddau ryfel, rhoddodd addysgwyr a oedd yn galw am newidiadau mwy o sylw i'r gogwydd a'r anghyfiawnderau cymdeithasol ac economaidd a oedd yn dylanwadu ar fynediad i ysgolion uwchradd a cholegau yn hytrach nag ar ragfarn rhywogaeth a gwahaniaethu yn y cwricwlwm. Dim ond gyda thwf ffeministiaeth fodern yn nechrau'r 1960au a'r 1970au y gwelwyd unrhyw sylw o bwys i oblygiadau rhywogaeth yn y cwricwlwm.

Arweiniodd gweithredu argymhellion Deddf Addysg Ganolraddol a Thechnegol Cymru 1889 i newid mawr yn y ddarpariaeth o addysg uwch-radd i'r ferch yng Nghymru. Ar achlysur dathlu canmlwyddiant Deddf Addysg 1889 a sefydlu cwricwlwm cenedlaethol, mae llunio cwricwlwm cytbwys i enethod yn ogystal â bechgyn yn parhau yn un o'r materion addysgol i'w ystyried yn y Gymru gyfoes. Ymddengys apêl y Gymdeithas er Hyrwyddo Addysg Merched yng Nghymru yn 1894 dros gwricwlwm cytbwys i enethod a gynhwysai addysg ryddfrydig a hyfforddiant dechnegol, yn berthnasol iawn wrth inni gofio am ddeddfwriaeth 1889 fel un o brif lwyddiannau Cymru Oes Fictoria, ac wrth inni droi gyda rhywfaint o betruster tuag at werthuso goblygiadau Deddf Diwygio Addysg 1988:

'Gobeithio y gall Ysgolion Canolraddol Cymru gymhwyso eu cwricwlwm er mwyn sicrhau cyfaddawd cyfiawn rhwng y defnyddiol a'r dyniaethol, rhwng yr ymarferol ac amcanion eangach a mwy cyffredinol addysg, a thrwy hynny droi allan merched sydd nid yn unig yn ddysgedig, ond hefyd yn aelodau ymarferol a defnyddiol o'r teulu, o'r gymdeithas, ac o'r wladwriaeth.'

GWYDDONIAETH A THECHNOLEG YNG NGHWRICWLWM YR YSGOL UWCHRADD

IOLO W. WILLIAMS

VIII

Y CEFNDIR GWYDDONOL

ERBYN 1889 yr oedd seiliau gwyddoniaeth fodern wedi eu gosod yn ddiogel. Yr oedd William Grove, bargyfreithiwr a barnwr yn hanu o Abertawe a'r olaf ond odid o'r gwyddonwyr amatur athrylithgar, wedi dadlennu Egwyddor Cadwraeth Ynni: na ellir creu na difa ynni, dim ond newid ei ffurf, ym 1842, a James Prescott Joule a fu farw ganrif union yn ôl wedi rhoi seiliau meintiol iddi. Lluniodd William Thomson, Athro Athroniaeth Naturiol Prifysgol Glasgow ddwy ddeddf sylfaenol thermodynameg ym 1855, ganrif eto cyn i C. P. Snow orseddu'r Ail Ddeddf fel maen prawf diwylliant yn ei ddarlith enwog *The Two Cultures*. Gwnaed Thomson yn farchog ym 1866, nid ar sail ei ddeddfau ond am ei gyfraniad i osod cebl y telegraff ar draws môr Iwerydd. Efe oedd y gwyddonydd cyntaf i'w ddyrchafu i Dŷ'r Arglwyddi pan gymerodd deitl yr Arglwydd Kelvin, ac yn sicr ef oedd prif wyddonydd y dydd ym Mhrydain pan ddaeth i agor labordai'r Coleg newydd ym Mangor ym 1885 (Williams 1985).

Ar y pryd ystyrid y Deddfau Cadwraeth Ynni yn binacl gwyddonol y ganrif ond gwelwn bellach arwyddocâd dyfnach yn narganfyddiadau a dyfeisiadau Michael Faraday ym maes trydan a magneteg, ac yn hafaliadau Clerk Maxwell (Albanwr arall) a roes ffurf fathemategol i grebwyll gweledol Faraday. Dywedodd Einstein am Maxwell '*He changed the axiomatic nature of scientific thought*' ac yr oedd ei hafaliadau ef yn y bedwaredd ganrif ar bymtheg yr un mor chwyldroadol â rhai Einstein yn yr ugeinfed. Rhagwelodd Maxwell y tonnau electromagnetic y cadarnhawyd eu bodolaeth gan Hertz ym 1888 ac a arweiniodd yn fuan i ddatblygiad radio tan law Marconi.

Pwnc arall a arloeswyd gan Faraday oedd trosglwyddiad trydan trwy nwyon dan wasgedd isel, rhyfeddod a eglurwyd gan J. J. Thomson yn nhermau ionau a gwefrau. Penodwyd Thomson yn Gyfarwyddwr Labordy Cavendish Caergrawnt ym 1884 pan nad oedd ond 28 oed, yr hyn a arweiniodd ymhen amser i holl ddarganfyddiadau adeiladwaith yr atom. Pe byddai Viriamu Jones wedi aros gyda Thomson yn Labordy'r Cavendish yn hytrach na mynd yn brifathro i Goleg Sheffield ac, ym 1883, i goleg newydd Caerdydd hwyrach mai ef fyddai'r Cymro cyntaf i ennill Gwobr Nobel. Syrthiodd y llawryf hwnnw ymhen amser i Dr. Brian Josephson—cynddisgybl o Ysgol Uwchradd y Bechgyn, Caerdydd, yntau hefyd yn ffisegydd ac yn brif ddarlithydd yn y Cavendish.

Darwiniaeth ac Esblygiad oedd pynciau trafod mwya'r ganrif mewn bywydeg, wedi'r cyhoeddiad ar y cyd rhwng Darwin a Wallace ym 1858. Yr oedd T. H. Huxley, prif ladmerydd Darwin, yn parhau yn ffigwr nerthol ym 1889, a'i ddylanwad ar addysg yn bwysicach na'i gyfraniad personol i wyddoniaeth. Louis Pasteur oedd gwyddonydd mwya'r ganrif ar y cyfandir. Achubodd fywyd gŵr a frathwyd gan gi cynddeiriog ym 1885 ond yr oedd ei gyfraniad sylfaenol ef a Robert Koch yn yr Almaen i ddeall rôl bacteria mewn heintiau yn gweddnewid meddygaeth yn yr 1880au. Tua'r un pryd yr oedd yr Almaenwyr Schleiden a Schwann yn dadlennu natur a hanfod celloedd mewn organebau byw ac yr oedd prosesau rhannu celloedd wedi eu sefydlu erbyn 1880. Cyn hir byddai August Weismann yn llunio damcaniaeth y 'germ-plasm' i egluro etifeddiaeth, ond yr oedd Gregor Mendel eisoes yn ei fedd a'i arbrofion genetig yn aros i eraill eu hail-ddarganfod.

Yr oedd cemeg hefyd wedi brasgamu ymlaen, ar ôl i Gyngres Karlsruhe ym 1858 ddatrys problem ddyrys y pwysau atomig a dileu camsyniadau sylfaenol John Dalton. Yn Rwsia bell yr oedd y gŵr rhyfedd hwnnw Mendelieff gyda'i Dabl Cyfnodol wedi gosod trefn ar yr elfennau ym 1869, ac wedi rhagweld bodolaeth a nodweddion elfennau eraill y daethpwyd o hyd iddynt yn ddiweddarach. Mewn llyfr a gyfieithwyd gan yr Athro Humpidge o Aberystwyth ym 1884 y tynnwyd sylw gyntaf at y Tabl Cyfnodol yn Saesneg.

Yr oedd y syniad o 'adeiladwaith cemegol' tri-dimensiwn yn hysbys erbyn 1874 yn sgîl gwaith August Kekule (Almaen), J. H. Van't Hoff (Holand) a J. A. le Bel (Ffrainc). Ar yr ochr ymarferol yr oedd y diwydiant lliwiau cemegol yn ei anterth ac yr oedd *rayon*, y polymer synthetig cyntaf, wedi ei lunio gan un o gydweithwyr Pasteur ym Mharis.

Ymysg gwyddonwyr dylanwadol y dydd yr oedd Henry Roscoe, athro Cemeg Prifysgol Manceinion, yn flaenllaw yn ei bwnc ac ym myd addysg. Un o ddisgyblion yr Athro Bunsen yn Heidelburg ydoedd, ac ef yn anad neb a sefydlodd labordai ymchwil ym mhrifysgolion Prydain ar linellau'r rhai Almaenig. Ynghyd â'r nwy-losgwr Bunsen (a ddyfeisiwyd mae'n siŵr gan un o gynorthwywyr Bunsen) yr oedd offer gwyddonol y cyfnod yn llenwi catalogau cwmnïau megis Philip Harris, Griffin, Oertling a Sartorius sydd yn adnabyddus hyd heddiw. Prin y newidiodd y catalogau hyn tan y 1960au. Fel arloeswr spectroscopi y dylid cofio am Bunsen a diddorol sylwi fod J. J. Dobbie ym Mangor a W. N. Hartley yn Nulyn yn cydweithio ar arbrofion spectroscopig is-goch ac uwch-fioled yn y 1880au—technegau a ddaeth i amlygrwydd mawr wedi 1950.

Yn ystod y ganrif tyfodd gwyddoniaeth yn weithgarwch proffesiynol. Bu i William Grove, ym 1847, ran bwysig yn niwygio'r Gymdeithas Frenhinol gan weddnewid ei rheolau fel na allai gwyddonwyr amatur fel ef ei hun mwyach ddod yn aelodau. Erbyn 1880 yr oedd y rhan fwyaf o'r Cymdeithasau Dysgedig a'r Sefydliadau Proffesiynol mewn bod: Y Gymdeithas Linneaidd 1788, y Daeareg wyr 1807, y Seryddwyr 1820, y Cemegwyr 1841, y Ffisegwyr 1873, y Peirianwyr Sifil 1818, Mecanyddol 1847 a Thrydanol (yn wreiddiol y Peirianwyr Telegraff) 1871.

Yr oedd prifysgolion a cholegau hefyd wedi eu sefydlu led-led Cymru a Lloegr: Llundain (U.C.), 1828, Coleg y Brenin 1831, Durham 1833, Manceinion 1851, Southampton 1862, Newcastle 1871, Aberystwyth 1872, Leeds 1874, Bryste 1876. Sheffield 1880, Birmingham 1880, Nottingham 1881, Lerpwl 1882, Caerdydd 1883, Bangor 1884. Yr oedd yn yr Alban brifysgolion gwyddonol eu gogwydd yn llawer cynharach, ond dim ond ym 1850 a 1851 y dechreuwyd cynnig graddau gwyddonol yn Rhydychen a Chaergrawnt, ac yn wir hyd nes y sefydlwyd labordai'r Clarendon a'r Cavendish yn nechrau'r 70'au ychydig iawn o werth a gyfrannodd y ddwy hen brifysgol i dwf gwyddoniaeth (Argles 1964, Cardwell 1972).

Canrif ryfeddol oedd y bedwaredd ganrif ar bymtheg heb os, un a welodd dwf aruthrol ym maes gwyddoniaeth, a hynny ar sail addysgol fregus iawn. Yma y gosodwyd seiliau'r cwricwlwm gwyddonol a ddaeth i fod yn yr ysgolion canolraddol ac sydd yn parhau mewn bodolaeth.

RHAGFLAENWYR ADDYSG WYDDONOL

Mater o hap a damwain oedd addysg wyddonol cyn 1889 ond yr oedd modd, hyd yn oed yng Nghymru, i amaturiaid fel William Grove a gwŷr proffesiynol fel Viriamu Jones ymuno â'r rhengoedd gwyddonol.

Ymysg y sefydliadau cyntaf i gydnabod gwyddoniaeth fe geir amryw o golegau diwinyddol. Tystia D. Jacob Davies (1968) fod yn y Coleg Presbyteraidd yng Nghaerfyrddin ym 1938 gypyrddau caeëdig yn llawn o ysgerbydau ac offer gwyddonol yn perthyn i ganrif neu ddwy o hyfforddiant gwyddonol. Yn y bedwaredd ganrif ar bymtheg roedd yn rhaid i bob myfyriwr astudio '*Mathematics working up to Trigonometry and Quadratic Equations. Natural and Experimental Philosophy. An introduction to Physics, Chemistry and Astronomy*'. Awgrymwyd fod y derbyniad cymharol ddidramgwydd a gafodd Darwiniaeth yng Nghymru i'w briodoli i'r addysg eang a gyflwynwyd i ddarpar weinidogion. Rhyw dro yn ystod y 1960au symudwyd hen offer Caerfyrddin i Gaerdydd.

Ymgeisiai rhai o'r ysgolion a fyddai'n paratoi myfyrwyr ar gyfer y colegau diwinyddol ddarparu peth mathemateg a gwyddoniaeth. Yr oedd ysgol Dr. William Davies, Ffrwd-fâl, Sir Gaerfyrddin yn un o'r ychydig ysgolion yng Nghymru i dderbyn cymeradwyaeth Comisiynwyr Llyfrau Gleision 1847. Dywedodd ef wrthynt ei fod yn gresynu na allai, oherwydd lleoliad a maint ei ysgol, ddarparu cwrs gwyddonol cyflawn. Yr oedd ysgolion mathemategol a morwrol yn bod mewn amryw o drefi glan môr, ond ni wyddys fawr am eu gwaith.

Gwyddom ar y llaw arall fod y colegau hyfforddi athrawon cynnar yn cynnig rhywfaint o wyddoniaeth. Pan aeth Comisiynwyr 1847 i'r Coleg Normal yn Aberhonddu gwelsant wers ar y Pwmp yn cael ei dysgu gan un o'r myfyrwyr. Deunaw o fyfyrwyr oedd yn y coleg gwirfoddol anenwadol hwn—gweision ffermydd neu lowyr oll, rhwng 18 a 35. O chwech yn y bore tan chwarter i unarddeg yn y nos astudient fathemateg a gwyddoniaeth dan ofal eu Prifathro, a'u hunig athro, Evan Davies. Cyfiawnhâi ef y maes llafur hwn trwy ddadlau mai dyma'r unig bynciau yr oedd gan y bechgyn unrhyw grap arnynt ac mai dyma'r ffordd orau i hogi eu meddyliau, i'w hannog i ddarllen, ac i wella eu gramadeg. Tybiai'r Comisiynwyr fod Evan Davies, yn sgîl ei allu, a'i bersonoliaeth yn atebol i ddylanwadu ar dwf a datblygiad addysg yng Nghymru. Nid oedd ar y pryd ond un ar hugain oed, yn un o ddisgyblion Ffrwd-fâl ac yn raddedig o Brifysgol Glasgow lle daeth mae'n sicr dan ddylanwad gwŷr fel John Nicol, y seryddwr, Thomas Thomson, y cyntaf i ddwyn damcaniaethau John Dalton i sylw, a James Thomson y mathemategydd, tad yr Arglwydd Kelvin. Wedi i'r Coleg Normal gau ym 1851 agorodd Evan Davies ysgol yn Abertawe i feibion ffermwyr a swydd-ogion diwydiannol lle dysgid pynciau technegol a gwyddonol. Tystiodd gerbron Comisiwn Ymchwil yr Ysgolion ym 1865 fod mwy o'i gyn-ddisgybl-ion wedi matricwleiddio a graddio ym Mhrifysgol Llundain nag o weddill Cymru (Williams 1968a,b).

Yn y Coleg Normal, Bangor, oddeutu 1873 dysgai John Price beth llys-ieueg i'w fyfyrwyr. Daeth tri ohonynt yn Athrawon Bywydeg ym Mhrifysgol Cymru—R. W. Phillips ym Mangor, A. W. Trow yng Nghaerdydd a J. Lloyd Williams yn Aberystwyth. Treuliodd J. Lloyd Williams ddwy flynedd ar hugain yn brifathro yn ysgol gynradd Garndolbenmaen gan fynychu ysgolion haf yn y Coleg Brenhinol Gwyddonol yn Llundain ac ymchwilio i dyfiant gwymon, cyn cael ei benodi'n ddarlithydd ym Mangor ac yna'r Athro yn Aberystwyth. Enillodd D.Sc. Prifysgol Cymru ym 1908 am ei waith gwyddonol, ac ym 1936 dyfarnwyd gradd D.Mus. er anrhydedd iddo am ei waith yn sefydlu Cymdeithas Alawon Gwerin Cymru. Gyrfa ryfeddol i fachgen o Lanrwst cyn 1889.

Nid oedd *Mechanics Institutes* Cymru i'w cymharu â'r rhai yng ngogledd Lloegr ond blodeuodd rhai yng Nghasnewydd, Caerdydd a Chastell-nedd am gyfnod. Roedd yr olaf yn nodedig oherwydd fod Alfred Russel Wallace, cyd-ddarganfyddwr Darwin, ymysg y sefydlwyr a'r darlithwyr cynnar ym 1843.

Gwelwyd ymgais uchelgeisiol ond aflwyddiannus i sefydlu Prifysgol Dech-negol yn y Gnoll, Castell-nedd, ym 1857 (Williams 1966a,b) ond ffynnodd Sefydliad Brenhinol De Cymru yn Abertawe ar hyd y ganrif ar yr un llinellau â'r Sefydliad Brenhinol yn Llundain—lle bu Rumford, Davy a Faraday yn addysgu a difyrru'r aelodau (fel y gwna'r Athro John Meurig Thomas heddiw). Yr oedd yn Abertawe wyddonwyr blaenllaw megis Henry de la Beche, y daearegwr, a Gwyn Jeffreys, y casglwr cregyn, dau a ystyrai'r Sefydliad yn labordy ymchwil ac yn ganolfan i boblogeiddio gwyddoniaeth. Yma y dechreuodd William Grove ymddiddori mewn trydan gan greu batri mwyaf grymus yr oes, ac yma hefyd y creodd y cymeriad lliwgar hwnnw o Glydach, Benjamin Hill, y cwch modur trydan cyntaf ym Mhrydain os nad yn y byd, a'i hwylio ar lyn Penlle'r-gaer—y plasty lle bu John Dillwyn

Llewelyn a'i gefnder Henry Fox Talbot yn arbrofi â ffotograffiaeth ym 1839. Daeth y Gymdeithasfa Brydeinig er Hyrwyddo Gwyddoniaeth—eisteddfod flynyddol y gwyddonwyr a llwyfan dadleuon mawr y ganrif—i Abertawe ym 1848 a 1880, cyn mentro i Gaerdydd am y tro cyntaf ym 1891.

Yr oedd gwyddoniaeth yn destun chwilfrydedd ac yn faes cyhoeddiadau toreithiog trwy gydol y ganrif. Bu'r ymddiddanion Socrataidd megis Sgyrsiau ar Gemeg Mrs. Marcet (a fu'n fodd i gyfeirio Michael Faraday pan yn ifanc at wyddoniaeth) a llyfrau Jeremiah Joyce yn boblogaidd ar ddechrau'r ganrif ond pan ehangodd gwybodaeth daeth y gwyddoniadur gwyddonol i ateb y gofyn am wybodaeth ffeithiol. Cyfieithwyd rhai i'r Gymraeg, megis Addysg Chambers i'r Bobl, a Hanes y Ddaear a'r Creaduriaid Byw (Goldsmith) ynghyd â chyfrolau gwreiddiol megis Hanes y Nef a'r Ddaear (Josiah Thomas Jones 1848) a llawer o lyfrau cyffredin ar Fathemateg, Mesuroniaeth a Gwyddoniaeth (Williams ac Owain 1975).

Yn ysgolion elfennol diwedd y ganrif yr oedd Gwersi Gwrthrychol *(Object Lessons)* yn bur ffasiynol a digonedd o werslyfrau i athrawon eu defnyddio, ond er mai cyflwyno Gwyddoniaeth Pethau Cyffredin oedd pwrpas y gwersi hyn rhyw ymddiddanion ffurfiol a di-fflach ydynt ar bapur. Ar lafar y mae'r ymadrodd Saesneg *'Let that be an object lesson to you'* yn cwympo rhywle rhwng rhybudd a cherydd—tybed ai felly y cwympai'r gwersi gwrthrychol ar glustiau disgyblion yr oes?

Aeth rhai Byrddau Ysgol ati i benodi athrawon gwyddonol teithiol. Un ohonynt oedd H. R. Wakefield a benodwyd yn Brif Arddangosydd Gwyddonol Bwrdd Ysgol Abertawe ym 1889, gyda'r hawl i brynu offer a throl i'w cario o ysgol i ysgol, gan gyflogi gwas i'w gwthio. Aeth Wakefield, y drol a'r gwas yn rhan o lên gwerin Abertawe. Yr oedd yn naturiaethwr o fri ac yn gyd awdur cyfrol boblogaidd ar Ffisiograffi—testun y cyfeiriaf ato yn nes ymlaen.

ADRAN GWYDDONIAETH A CHELF

Wedi crybwyll yr amryw ragflaenwyr hyn rhaid cydnabod mai'r dylanwad pwysicaf ar addysg wyddonol a thechnegol yn y bedwaredd ganrif ar bymtheg, ac felly yn anorfod ar yr Ysgolion Canolraddol newydd, oedd yr Adran Gwyddoniaeth a Chelf a'i harholiadau. Sefydlwyd yr Adran hon o'r Llywodraeth wedi i Arddangosfa Fawr y Palas Grisial ym 1851 ddatgelu pa mor ddiffygiol oedd addysg wyddonol, dechnegol, gelfyddydol a masnachol Prydain o'i chymharu â gwledydd y cyfandir. Sefydlwyd Colegau ac amgueddfeydd sy'n parhau hyd heddiw yn South Kensington, Llundain, a chynigiwyd grantiau i sefydlu ysgolion ond ni fu fawr lewyrch arnynt hyd nes sefydlu'r gyfundrefn arholiadau a thaliadau ym 1861. Arholiadau gwyddonol a thechnegol i weithwyr a fwriadwyd ac nid yw'n rhyfeddod felly mai gwyddonol a thechnegol iawn eu natur oeddent er fod y pynciau sylfaenol megis mathemateg a chemeg yn llawer iawn mwy poblogaidd na'r pynciau technegol. Bu mwy nac ugain o bynciau ar y rhestr arholi, a thair lefel: elfennol, uwch ac anrhydedd, a chan mai prif wyddonwyr y dydd oedd yr arholwyr sicrhawyd fod y gyfundrefn yn rhan o wyddoniaeth broffesiynol yr oes. Ym 1880 ar oedd 59 o ganolfannau yng Nghymru yn darparu dosbarthiadau ar gyfer arholiadau'r Adran, rhai ohonynt mewn sefydliadau preifat ac eraill mewn ysgolion elfennol uwch ac ysgolion gwyddonol dan nawdd y Byrddau Ysgol.

Y gwŷr academaidd a weithredai fel arholwyr oedd awduron gwerslyfrau'r cyfnod hefyd a gwelwyd cyhoeddwyr megis Macmillan, Longmans a Collins yn blodeuo. Llyfrau megis *Lessons in Elementary Physiology* (Huxley, 1868), *Lessons in Elementary Chemistry* (Roscoe, 1866), ac *Elementary Lessons in Electricity and Magnetism* (Silvanus Thompson 1881) (Macmillan bob un) osododd y patrwm ar gyfer cenedlaethau o werslyfrau. Nid llyfrau elfennol mohonynt chwaith ond llyfrau manwl yn cyfeirio at ddarganfyddiadau diweddar a adolygid yn gyson. Tebyg mai dyma werslyfrau sylfaenol y prifysgolion newydd. Yn y 1870'au cyhoeddodd Macmillan gyfres wirioneddol elfennol, y *Science Primers* ond yr oedd y rhain eto gan yr un awduron, Roscoe, Huxley, Balfour Stewart (Ffiseg), Hooker (Botaneg), Lockyer (Seryddiaeth), Geikie (Daeareg a Daearyddiaeth Ffisegol), Jevons (Logic)—prif wyddonwyr y dydd yn ateb y galw am addysg wyddonol sylfaenol. Yr oedd arholiad Cemeg cyntaf Bwrdd Canol Cymru ym 1897 yn gofyn am wybodaeth o '*Roscoe's Primer*', dim mwy!

Cyn dyddiau'r Ysgolion Canolraddol felly yr oedd eisoes mewn bodolaeth gyfundrefn gref o feysydd llafur, arholiadau a gwerslyfrau dan reolaeth gwŷr proffesiynol y sefydliad gwyddonol, yn adlewyrchu twf y gwyddorau sylfaenol yn y bedwaredd ganrif ar bymtheg. Yr oedd y prifysgolion a'r Colegau yng Nghymru a Lloegr wedi mabwysiadu strwythur gyffelyb ar gyfer eu harholiadau mynediad, ac nid yw'n anodd deall sut y bu i'r Ysgolion Canolraddol ddilyn yr un patrwm. Mae llawer o feysydd llafur cynnar Bwrdd Canol Cymru yn cynnwys neu yn cyfeirio at feysydd llafur yr Adran Gwyddoniaeth a Chelf yn South Kensington, sy'n awgrymu fod y rhain eisoes yn rhan o gynlluniau gwaith rhai o'r ysgolion a ddaeth yn Ysgolion Canolraddol.

Yn ei lyfr *Science for the People* mae David Layton (1973) wedi trafod datblygiad addysg wyddonol mewn ysgolion gan dynnu sylw yn arbennig at dyfiant a methiant dysgu Gwyddoniaeth Pethau Cyffredin yng ngwydd ymchwydd y wyddoniaeth broffesiynol sefydliadol. Un eithriad a ffynnodd am gyfnod sylweddol oedd Ffisiograffi, pwnc a boblogeiddiwyd neu a grewyd gan T. H. Huxley yn y 1870au. Cyhoeddwyd ei werslyfr *Physiography* yn y gyfres *Manuals for Students* gan Macmillan ym 1877. Cyfeiriais eisoes at H. R. Wakefield fel cyd-awdur gwerslyfr elfennol ar y pwnc mewn dwy gyfrol: *Earth Knowledge* (Blackie 1887 gydag amryw o argraffiadau wedyn). Dywed ef 'nad astudiaeth o un pwnc ydyw, megis Seryddiaeth, Daeareg neu Ddaearyddiaeth Ffisegol, Cemeg neu Drydan, Mwynau neu Fotaneg ond cynhwysiad o'r cyfan i egluro'r phenomenau naturiol sy'n ein hamgylch-ynu'. Bu ar restr arholiadau'r Adran Gwyddoniaeth a Chelf ar bob lefel ac ymysg y pynciau mwyaf poblogaidd. Felly hefyd yn arholiadau cynnar Bwrdd Canol Cymru ond am resymau nad ydynt yn hysbys diflannodd o'r tir yn fuan wedyn; i ail ymddangos ganrif yn ddiweddarach yn y Cwricwlwm Cenedlaethol ar ffurf Gwyddorau'r gofod, y tywydd a'r ddaear.

Nid oedd y Cymry ar ei hôl hi yn y fenter gyhoeddi. Athro Ffiseg Coleg Aberystwyth oedd D. E. Jones, awdur *Examples in Physics (1988)* ac *Elementary Lessons in Heat, Light and Sound* (1891) ac er iddo fynd yn gyfarwyddwr addysg dechnegol swydd Stafford ym 1891 yr oedd Macmillan yn parhau i gyhoeddi'r cyfrolau ym 1945 fel pe bai D.E.J. newydd ymadael ag Aberystwyth. Cyn ei benodi yn brifathro Ysgol Ramadeg Abertawe ym 1895 yr oedd Dr. G. S. Turpin wedi astudio cemeg ym mhrifysgolion Caergrawnt, Llundain a Berlin, wedi bod yn ddarlithydd yn Lloegr ac yn awdur dwy gyfrol *Organic Chemistry for Beginners (1894)* a *Practical Inorganic Chemistry* (1895). Yr oedd yn aelod o Bwyllgor gwaith Bwrdd Canol Cymru ym 1897 pan oedd yr Athro Snape o Aberystwyth—gŵr arall a hyfforddwyd yn yr Almaen—yn arholwr cemeg. Dyma'r dynion a lywiai addysg wyddonol ysgolion Canolraddol Cymru yn y cyfnod cynnar—pa ryfedd fod cymaint o fri ar wyddoniaeth. (Aeth Turpin yn brifathro i'w hen ysgol: Nottingham High School ym 1907; mae ei gerflun i'w weld yno o hyd yn fawr ei barch). Athro Cemeg arall yn Ysgol Ramadeg Abertawe oedd R. H. Spear awdur *A Junior Inorganic Chemistry* (1920 a 1926) ond yr oedd *A Junior Chemistry* gan E. A. Tyler o'r Coleg Technegol yn Abertawe yn fwy llwyddiannus gyda phymtheg argraffiad rhwng 1902 a 1933 (Methuen). Yn y deuddegfed argraffiad (1921) dywedir fod y gyfrol yn cael ei defnyddio yn Abergele, Bangor, Llanfair-ym-Muallt, Caerdydd, Caerfyrddin, Blaenllecha, Tregŵyr, Llanelli, Castell-Nedd, Casnewydd, y Drenewydd, Pont-y-pwl, Pwllheli ac Abertawe heb son am ysgolion megis King Edward's, Bath; Hele's, Exeter; Latymer Upper a Merchant Taylors', Llundain.

Rhoddwyd lle anrhydeddus i wyddoniaeth naturiol a chymwysedig ym maes llafur Deddf Addysg Ganolraddol Cymru, 1889, ochr yn ochr â Mathemateg, Lladin a Groeg, Cymraeg, Saesneg a ieithoedd modern. Gwelsom fod rhai ysgolion dan ddylanwad cyfundrefn South Kensington yn barod i dderbyn y sialens ond mae'n sicr fod y newid yn fawr i rai o'r hen ysgolion gramadeg bychain fel ysgol y Bala lle 'roedd y maes llafur tua 1890 yn cynnwys: '7.30-8.30 y pynciau dibwys, Saesneg, Hanes a Daearyddiaeth, 9.30-12.30 Lladin, 1.30-3.30 Mathemateg' (Jenkins 1968). Er hynny, fe roddwyd lle amlwg i'r Gwyddorau yn yr ysgolion a phan arholwyd hwy gyntaf gan y Bwrdd Canol ym 1897 rhif yr ymgeiswyr yn y pynciau gwyddonol oedd: Mecaneg 209, Ffiseg 541, Cemeg 1,189, Botaneg 671, Ffisioleg 325, Ffisiograffi a Daearyddiaeth Ffisegol 4,549 (Stone 1983).

Ysgrifennwyd nifer o draethodau ymchwil ar waith y Bwrdd Canol a'r meysydd llafur gwyddonol ym mlynyddoedd cynnar yr ysgolion newydd

(Jones 1974, Brain 1976, Thomas 1979, Stone 1983). Byddai astudiaeth o gyfleusterau dysgu gwyddoniaeth yr ysgolion yn ychwanegiad gwerthfawr i'r traethodau hyn. Yr oedd darparu labordai gyda holl beirianwaith dŵr, nwy a siamberi awyru ac offer arddangos, yn rhyfeddol ac yn creu delwedd bwysig a dylanwadol i wyddoniaeth.

Y MUDIAD HEURISTIG

Dylanwad arall pell-gyrhaeddol ar addysg wyddonol fu'r mudiad heuristig a arweiniwyd gan yr Athro H. E. Armstrong o 1884 hyd 1937 yn bennaf trwy bwyllgorau'r Gymdeithasfa Brydeinig er Hyrwyddo Gwyddoniaeth (Brock 1973). Athro cemeg pur amlwg yn y Coleg Technegol Canolog yn South Kensington oedd Armstrong, a oedd wedi diflasu ar y dysgu ffurfiol diystyr a nodweddai lawer o ddosbarthiadau'r Adran Gwyddoniaeth a Chelf. Galwai yn daer am ddysgu mwy ymarferol, mewn labordai addas, a chan fod ei bwyllgor wedi adrodd yn 1888 fod ysgolion yn ei chael hi'n anodd i ddysgu cemeg yn effeithiol oherwydd diffyg labordai addas mae'n bur debyg fod y neges wedi dylanwadu ar lunwyr Deddf 1889.

Mynnai Armstrong y dylai'r gwaith ymarferol fod yn arbrofol ac yn ymchwilgar yn hytrach nag yn fater o ddilyn cyfarwyddiadau ffurfiol. Lluniodd y pwyllgor feysydd llafur heuristig: 'i arddangos y dull gwyddonol o weithio trwy arsylwi, arbrofi, a rhesymu trwy ddamcaniaethu; dylai'r dysgwyr fod hefyd yn ddarganfyddwyr, ac fe ddylent gyflawni llawer o'r arbrofion . . .'.

Cafodd syniadau Armstrong lawer o gefnogaeth, hyd yn oed gan awduron gwerslyfrau. Yn ôl W. H. Perkin a B. Lean (prifathro Ysgol Didcot oedd yn adnabyddus am ddilyn dulliau heuristig) 'Prif werth Gwyddoniaeth yn y maes llafur ydyw bod yn gyfrwng i ddiwyllio, gan fod rhai agweddau ar y meddwl dynol, sef y gallu i arsylwi yn gywir, i arbrofi, ac i ddychmygu achosion anweledig phenomenau gweladwy, nas gellir eu datblygu ond trwy gwrs gofalus yn y gwyddorau ffisegol. Yr ydym yn ymboeni mwy am y dulliau a ddefnyddir i gasglu gwybodaeth nag am y wybodaeth ei hun . . .' (*Introduction to the Study of Chemistry* Macmillan 1898). Dywed G. S. Newth, awdur y llyfr poblogaidd *Elementary Practical Chemistry* (Longmans Green & Co. 1896) 'Ysgrifennwyd y llyfr hwn i gwrdd â'r newid yn nulliau dysgu gwyddoniaeth a awgrymir gan addysgwyr gwyddonol, ac a adlewyrchir ym maes llafur newydd yr Adran Gwyddoniaeth a Chelf. Hyd yn ddiweddar dysgwyd cemeg mewn ystafell ddarlithio . . . tuedd heddiw yw gwneud y myfyriwr, o'r dechrau, yn ymchwiliwr; i'w drwytho mewn arsylwadau, i'w alluogi i ddarganfod ffeithiau a darganfyddiadau drosto'i hun; mewn geiriau eraill i wneud iddo feddwl yn hytrach na gosod ar gof feddyliau pobl eraill.' Yn y gyfrol y cyfeiriwyd ati eisoes awgryma Tyler 'na ddylid gosod y llyfr hwn yn nwylo'r disgybl hyd nes iddo weithio am ddau dymor neu fwy ar y cwrs ymarferol a gynhwysir ynddo.'

Mabwysiadwyd meysydd llafur heuristig gan yr Adran Gwyddoniaeth a Chelf (y 'maes llafur newydd' y cyfeiria Newth ato), byrddau Lleol Rhydychen a Chaergrawnt, a Bwrdd Canol Cymru. Dywed Arolygwr y Bwrdd Canol am waith yn Ysgol Uwchradd Casnewydd ym 1898:

'Mae'r cwrs yn un gwreiddiol. Daw gwybodaeth y disgyblion yn gyfangwbl o'u harbrofion a'u harsylwadau eu hunain. Mae'n anodd, dan yr amgylchiadau hyn, i gymharu'r gwaith â gwaith ysgolion eraill, ond ymddengys fod canlyniadau'r arbrawf yn foddhaol. Yr hyn a wyddai'r disgyblion, fe'i gwyddent yn drwyadl; ac yr oedd papurau gwael iawn yn brin. Mae'r dull yn siwr o fod yn un rhagorol i gyflwyno'r pwnc i'r disgyblion. Ond fe all fod yn rhwystr i gamu'n fuan i astudiaeth mwy trylwyr a ffurfiol o'r pwnc, ac yr oedd gwaith safon Matric yr ysgol yn is na'r safon gyffredinol trwy'r wlad. Eto fe dderbyniwyd rhai papurau o safon uchel iawn ac yr oedd yr ymgeiswyr yn iau nag sy'n arferol yn y pwnc'. (Stone 1983).

Fel y dengys yr adroddiad hwn roedd hi'n hawdd rhag-weld na fyddai'r dulliau heuristig yn cydweddu â threfn arholiadol. Roedd amrywiaeth barn ynglŷn â'i effeithiolrwydd hyd yn oed ym mysg y sawl a'i mabwysiadodd ac fe fu pwyllgor dylanwadol J. J. Thompson (*Natural Science in Education* 1918) yn feirniadol o'r syniad y gallai disgybl ddarganfod drosto'i hun mewn oriau ysgol y cyfan o'r hyn y gellid disgwyl iddo ei wybod—syniad, gyda llaw, nad oedd Armstrong erioed wedi ei arddel. Erbyn canol y dau-ddegau yr oedd ef ei hun yn cydnabod fod y mudiad wedi methu. Er hynny fe ysbrydolwyd digon o athrawon i sicrhau na fyddai'r egwyddor yn mynd yn angof. Fe'i ceir yn brigo i'r wyneb mewn trafodaethau ar addysg wyddonol yn gyson, ac nid gormodiaith yw honni mai dyma egwyddor gwricwlaidd bwysicaf y ganrif. Yn ysgol *Christ's Hospital*, ysgol y bu Armstrong yn llywodraethwr arni, defnyddiwyd y dulliau heuristig yn ddi-dor ac o'r ysgol honno y daeth peth o ysgogiad y cynlluniau Nuffield yn y 1960'au. Hyn sy'n cyfrif am destun llyfr rhagorol Edgar Jenkins ar ddatblygiad addysg wyddonol yn yr ugeinfed ganrif: *From Armstrong to Nuffield* (John Murray 1979). Daeth amcanion heuristig yn ôl i'r brig eto yng Nghydran Broffil cyntaf Gwyddoniaeth yn y Cwricwlwm Cenedlaethol.

Dengys y *School Science Review*, cylchgrawn y cymdeithasau athrawon gwyddonol o 1919 ymlaen, ymlyniad athrawon i'r ddelfryd o ddysgu ymarferol er mai offer arddangos a dulliau arddangos a amlygir amlaf (sy'n esbonio'r gwahaniaeth cyffredin rhwng gwersi 'prac', lle nad oedd y disgyblion yn gwneud dim byd ymarferol, a gwersi 'theori', nad oeddent a wnelo fel arfer ag unrhyw beth damcaniaethol, ond yn hytrach â disgrifiadau moel ar y bwrdd du o phenomenau). Byddai astudiaeth fanwl o waith ymarferol mewn ysgolion yn ystod hanner cynta'r ganrif hon yn fuddiol iawn.

Yn y dauddegau gwelwyd Gwyddoniaeth Gyffredinol ar gynnydd, yn rhannol oherwydd gogwydd arbenigol y pynciau traddodiadol. Hyd at y pumdegau bu'n uchel ar agenda'r Cymdeithasau Athrawon ac Athrawesau Gwyddonol (oedd bellach yn cydweithio â'i gilydd fwyfwy). Pethau cyffredin, awyr, dŵr, peiriannau, pethau byw, ac yn y blaen oedd hanfodion gwyddoniaeth gyffredinol, gyda dulliau arddangos a darlunio ar waith ond heb fawr ddim son am ddulliau heuristig ac arbrofol. Ychydig iawn o ysgolion a roes y gorau i ddysgu'r pynciau arbenigol, a gedwid ran amlaf ar gyfer y plant mwy galluog. Olrheiniodd Edgar Jenkins (1979) hynt a helynt gwyddoniaeth gyffredinol yn fanwl; ar sail ei waith ef gellid cyflawni astudiaeth ddiddorol o dwf addysg wyddonol yng Nghymru, a'r frwydr rhwng gwyddoniaeth gyffredinol a'r pynciau arbenigol, rhwng y ddau ryfel. (Dau bwnc arall cyffelyb fyddai addysg wyddonol i ferched, a bywydeg fel pwnc).

DATBLYGIADAU WEDI 1944

Neidiaf yn awr i'r cyfnod wedi'r ail ryfel byd pan oedd datblygiadau ynni atomig yn uchel ar restr blaenoriaethau gwyddonwyr, a chenhedlaeth o Gymry ifanc yn heidio i'r prifysgolion (ac i Brifysgol Cymru yn anad un yr adeg honno) i ymgymhwyso'n wyddonwyr ac athrawon. Agorodd Deddf 1944 ddrysau addysg uwchradd i lawer, a'r hen ysgolion sir yn chwithig braidd yn adfer yr hen deitl o ysgol ramadeg er mwyn caniatáu sefydlu ysgolion technegol ac ysgolion modern. Daeth arholiadau Lefel O a Lefel A i gymeryd lle'r hen *School Cert* ond heb effeithio llawer ar gynnwys pynciau na dulliau dysgu ac arholi.

Ymhen deng mlynedd wedi diwedd y rhyfel yr oedd cryn bwysau am ddiwygio meysydd llafur. Un ysgogiad yn yr Unol Daleithiau oedd fod Rwsia wedi ennill y blaen yn y ras i'r gofod; ym Mhrydain yr oedd delwedd gwyddoniaeth yn loyw iawn yn y cyfnod wedi'r rhyfel ac yr oedd C. P. Snow wedi mynnu na ellid ystyried neb yn ddiwylliedig yn yr oes newydd heb ddealltwriaeth o wyddoniaeth; tybiaf hefyd fod athrawon yn anesmwytho wedi ail gydio yn yr awenau ar ôl cyffro blynyddoedd y rhyfel. Gosododd Dogfen Bolisi Cymdeithas yr Athrawon Gwyddonol (1958) ddelfrydau newydd yr athrawon yn glir: cynnwys cyfoes, dulliau dysgu i adlewyrchu natur gwyddoniaeth ei hun, ac arholiadau i ategu'r newidiadau hyn.

Yn y lle cyntaf roedd hi'n amlwg nad oedd meysydd llafur wedi newid fawr ddim er troad y ganrif. Mae'r ffaith fod gwerslyfrau D. E. Jones yn dal i werthu yn profi hynny ac nid oedd Deddf Gyfnodol Mendelieff eto yn ddim mwy nag atodiad ar ddiwedd cwrs Lefel A. Yn yr ymdrech i gynnwys deunydd modern mewn meysydd llafur, bu anghytuno mawr pa gynnwys i'w adael allan ac yn y bôn fe ychwanegwyd at y llwyth gwaith yn hytrach na'i ysgafnhau. Ar yr ail gyfri galwai'r Athrawon Gwyddonol am lai o bwyslais ar ddysgu ffeithiau a mwy ar ddealltwriaeth, ac y dylid canolbwyntio ar ymchwilio, dyfalu a phrofi dyfaliadau, ar agweddau creadigol gwyddoniaeth. Mewn geiriau eraill ar heuristiaeth unwaith eto.

Cyhoeddwyd meysydd llafur newydd i atgyfnerthu'r Ddogfen Bolisi: Cemeg i Ysgolion Gramadeg, Ffiseg i Ysgolion Gramadeg a Bywydeg i Ysgolion Gramadeg (1961) teitlau hunanddinistriol fel y gwelwyd yn ddiweddarach. Yn fuan wedyn daeth Ymddiriedolaeth Nuffield i'r adwy gydag adnoddau hollol newydd i ddatblygu'r meysydd llafur hyn yn ganllawiau gweithredol; a gwawriodd oes gwyddoniaeth Nuffield. Un egwyddor anghofiedig a lywiai argymhellion y Ddogfen Bolisi oedd mai rhan o gwricwlwm cytbwys i bob disgybl ddylai gwyddoniaeth fod gyda thair gwers yr wythnos i bob pwnc. Ar y sail hon y cynlluniwyd gwyddoniaeth Nuffield ond bu'r gofynion cryn dipyn yn drymach, yn galw am bedair neu bump gwers yr wythnos. Collwyd cyfle i lunio maes llafur cytbwys.

Roedd oes Nuffield yn un gynhyrfus, a bod yn rhan o'r cynlluniau, hyd yn oed yn ymylol, mor wefreiddiol â bod yn rhan o gynllun ymchwil gwyddonol. Datblygwyd offer gwreiddiol a daeth gwaith ymarferol yn dra chyffredin. Blodeuodd yr egwyddorion heuristig, a chydiwyd yn eiddgar yn Nhacsonomi Bloom fel fframwaith i arholiadau a amcanai'n uwch na threthu'r cof yn unig. Yn anad dim blodeuodd y pynciau gwyddonol arbenigol. Gwnaed ymdrech i gadw elfen o wyddoniaeth gyffredinol trwy gyfuno'r cynlluniau ar gyfer y ddwy flynedd gyntaf (y cynllun *Combined Science*) ond fel gyda'r cynllun cyfatebol yn yr Alban (a ymddangosodd yn ddiweddarach ar ffurf Gymreig: 'Y Gwyddonydd Ifanc') o safbwynt y pynciau ar wahân y cychwynwyd. Pan roddwyd sylw i'r pynciau Lefel A gwnaethpwyd ymdrech i gyfuno i ddau faes: Bywydeg (Botaneg a Swoleg oedd y ddarpariaeth arferol ar y pryd) a Gwyddoniaeth Ffisegol, ond dan bwysau fe gytunwyd i ariannu datblygiadau mewn Cemeg a Ffiseg hefyd, ac fe welwyd yn ddiweddarach fod Gwyddoniaeth Ffisegol yn opsiwn anodd ac amhoblogaidd. Felly hefyd Gwyddoniaeth Integredig y Cyngor Ysgolion (pwnc dwbl ar gyfer Lefel O). O holl gynnyrch y prosiectau newydd mae'n siŵr mai'r dulliau arholi a newidiodd fwyaf gyda chwestiynau byrion, amlddewis a strwythuredig yn disodli'r hen bapurau traethodol traddodiadol.

Yn sicr fe ddiweddarwyd meysydd llafur. Gwelwyd mwy o waith ymarferol. Peidiodd dysgu ffeithiol a llwytho'r cof â bod yn ddull dibynnol o baratoi ar gyfer arholiadau, ac yn sgîl hynny tybiai llawer fod yr arholiadau newydd yn anoddach. Ni lwyddwyd yn hollol i gyfuno dulliau heuristig â meistroli'r cysyniadau a'r cynnwys newydd.

Rhan fechan iawn a chwaraeodd Cymru yn natblygiadau Nuffield— pedair ysgol yn unig a gafodd gyfle i gyfrannu yn natblygiad defnyddiau lefel O Cemeg, a dim un yn unrhyw un o'r cynlluniau eraill. Ychydig iawn o ysgolion hefyd a fabwysiadodd y cynlluniau wedi iddynt gael eu cyhoeddi er fod llyfrau'r athrawon i'w gweld ar silffoedd amryw o athrawon. Mae'n anodd egluro pam. Roedd arian yn brin ar gyfer yr offer a'r llyfrau newydd, ac yr oedd prinder ymgynghorwyr gwyddonol yn siroedd Cymru i hybu'r fath ddatblygiad. Tebyg hefyd fod pellter o'r canolfannau datblygu yn peri fod athrawon yn ansicr ynghylch mentro. Ar y llaw arall ni ellir anwybyddu'r canlyniadau anuniongyrchol. Mabwysiadodd y Cyd-bwyllgor Addysg a'r Byrddau Arholi eraill y rhan fwyaf o gynnwys a dulliau arholi cynlluniau Nuffield ac yn sicr fe welwyd mwy o waith ymarferol mewn ysgolion ledled Cymru.

Wrth edrych yn ôl gwelwn mai cam gwag oedd ymgyrch Nuffield. Roedd addysg gyfun wrth law, yn wir mewn bod yn rhai o siroedd Cymru, tra'r oedd projectau Nuffield yn dwyshau gofynion cyrsiau Lefel O ac A. Yr oedd cyfran helaethach o'r boblogaeth mewn ysgolion gramadeg yng Nghymru nag yn Lloegr eisoes ac fe all fod athrawon Cymru yn fwy ymwybodol o gymhlethdod y cyrsiau newydd a'r problemau a ddeilliai o geisio'u mabwysiadu ar draws ystod gallu. Dangosodd Shayer ac Adey (1981) yn ddiweddarach fod disgwyliadau cyrsiau Nuffield yn rhy uchel i fwyafrif mawr disgyblion yr ysgol gyfun.

Gresyn felly na chyfeiriwyd ymdrech ac adnoddau Nuffield i gyfeiriad yr ysgol gyfun. Ar y pryd wrth gwrs roedd hynny'n amhosibl gan mai breuddwyd annelwig oedd yr ysgol gyfun yr adeg honno. Ni chafwyd ymdrech wirioneddol i ystyried gofynion addysg wyddonol mewn ysgolion cyfun tan yn ddiweddar. Araf hefyd fu'r Gymdeithas Addysg Wyddonol i ymateb i her yr ysgol gyfun ond erbyn diwedd y saithdegau yr oedd wedi gosod o'r neilltu ei delwedd elitaidd.

Yn Ebrill 1961, ar drothwy oes Nuffield, gofynnodd y Gweinidog Addysg, yr Arglwydd Eccles, i'r Cyngor Ymgynghorol Canol ar Addysg (Cymru) baratoi adroddiad ar le gwyddoniaeth a Mathemateg mewn cyfundrefn addysg gytbwys yng Nghymru. Gwnaeth y Cyngor hynny dan gadeiryddiaeth yr Athro Frank Llewellyn-Jones, Athro Ffiseg Coleg Abertawe, a chyflwynwyd yr adroddiad ym Mawrth 1964, er na chyhoeddwyd mohono, yn ddwyieithog, tan 1965. Teitl y fersiwn Gymraeg oedd *Gwyddoniaeth ac Addysg yng Nghymru*. Gan na chomisiynwyd adroddiad cyffelyb yn Lloegr, mae'n ddogfen arbennig o ddiddorol.

Rhaid cyfaddef fy mod yn siomedig pan ddarllenais yr adroddiad ym 1965 gan nad oedd yn adlewyrchu, na phrin yn crybwyll datblygiadau cyffrous cynlluniau Nuffield, nac yn wir y datblygiadau cyfatebol oedd ar droed yn yr Alban gyda chyhoeddiadau megis *Physics is Fun, Chemistry Takes Shape*, a *Biology by Enquiry*. O ail-ddarlen yr adroddiad, chwarter canrif yn ddiweddarach, gwelwn er hynny fod ynddo elfennau diddorol a phell-gyrhaeddol.

Mae'r bennod ragorol ar Addysg Haelfrydig yn Oes Gwyddoniaeth a Thechnoleg yn argymell maes llafur sylfaenol i ddisgyblion pob math ar ysgol uwchradd sydd, ar wahân i Dechnoleg, yn union yr un fath â Chwricwlwm Cenedlaethol Deddf Addysg 1988. Dadleuir dros gyfyngu'r amser a ganiateir i wyddoniaeth i ddeg gwers yr wythnos allan o 35 (sef yr hyn y mae'r Cwricwlwm Cenedlaethol yn ei argymell gogyfer â Gwyddoniaeth a Thechnoleg), ond y mae argymhelliad na ddylid dysgu mwy na dau bwnc yn yr amser hwn gan y gellid yn hawdd adael bywydeg i ddisgyblion y chweched dosbarth, yn un chwithig iawn. Nid ystyrid Gwyddoniaeth Gyff-redinol yn foddhaol fel sail ar gyfer gwaith y chweched dosbarth. Pwysleis-iwyd—nid am y tro cyntaf na'r tro olaf—fod rhaid ysgafnhau baich cynnwys ffeithiol y meysydd llafur, ac y dylid cyfyngu dosbarthiadau ymarferol i 20 disgybl cyn gynted ag y caniatâi staffio.

Ymysg y materion a drafodwyd yn yr adroddiad yr oedd prinder ath-rawon cymwys neu agos-gymwys, a phrinder cymorth technegol mewn labordai ysgol. Er nad yw'n gydnabyddedig yn y teitl rhoddwyd cryn ofod i drafod lle mathemateg yn y maes llafur a rhoddwyd cefnogaeth frwd i'r argymhelliad y dylid gwneud mwy o ddefnydd o'r Gymraeg i ddysgu gwyddoniaeth a mathemateg—rhywbeth oedd yn anarferol iawn ar y pryd ond a ddaeth bellach yn fwy cyffredin.

Gan ragweld cynlluniau A.D.A.G. ein hoes ni tynnir sylw at y newidiadau mewn cyflogaeth o'r diwydiannau trwm i'r diwydiannau gwyddonol, ynghyd â newid swyddi mewn gyrfa, a'r angen felly am addysg sylfaenol well mewn gwyddoniaeth a mwy o hyblygrwydd mewn gweithwyr, gan nodi y byddai ar ysgolion angen llawer mwy o adnoddau ac athrawon da i wynebu'r sialens newydd.

Datblygiad pwysig arall yn y 1960au oedd dyfodiad yr arholiad T.A.U. Arweiniodd Bwletinau Arholiadau'r Cyngor Ysgolion i ddulliau newydd o asesu ac arholi llafar, ymarferol ac ysgrifenedig, ac i feysydd llafur lleol dan y rheoliadau Modd III. Ymhlith yr holl gynlluniau Nuffield hwyrach mai'r Cynllun Gwyddoniaeth Uwchradd *(Nuffield Secondary Science)* oedd y mwyaf arloesol, ac wedi ei anelu at y disgybl T.A.U. cyffredin. Ceisiwyd datblygu adnoddau newydd ar gyfer Gwyddoniaeth Gyffredinol ond yr oedd y ffram yn rhy wan i gynnal yr arbrawf. Am resymau amryfal bu Cymru eto yn amharod i fentro, ac fe ddatblygodd T.A.U. yn gysgod llwydaidd o'r arholiad Lefel O, sefyllfa nas newidiwyd llawer arni hyd yn oed wedi dyfodiad T.G.A.U. yn y 1980au.

Erbyn diwedd y chwedegau yr oedd y pynciau arbenigol gwyddonol ar y brig unwaith eto fel yr oeddynt ar ddechrau'r ganrif. Ar gyfer plant galluog tebyg mai felly y bu hi hyd yn oed yn oes Gwyddoniaeth Gyffredinol. Bellach yr oedd yr adnoddau a'r dulliau dysgu yn fwy addas ac yn fwy deniadol ond yr oedd y pynciau eu hunain yr un mor arbenigol a chymhleth. Pan ddaeth yr arholiad T.G.A.U. i fod gwelwyd peth llacio ac ysgafnhau ar y baich ffeithiol a chysyniadol, a gwelwyd hefyd asesu sgiliau ymarferol mewn cyrsiau gwyddonol.

Datblygiad arall yn y chwedegau fu'r tuedd i gefnu ar wyddoniaeth a throi at y pynciau cymdeithasegol. Nid oes neb wedi dehongli'r newid hwn ond trwy ddweud mai trai anorfod ydoedd yn dilyn pen llanw'r diddordeb mewn gwyddoniaeth yn dilyn yr Ail Ryfel Byd. Oddi ar y chwedegau bu adrannau gwyddonol a thechnolegol y prifysgolion yn brin o fyfyrwyr. Un rheswm ydoedd yr ehangu mawr ar addysg uwchradd yn sgîl Adroddiad Robbins, adroddiad a luniwyd tra oedd genedigaethau yn parhau ar gynnydd. Rheswm arall ydyw'r cynnydd eithriadol a welwyd mewn pynciau y gellir eu hastudio—lefel bellach o arbenigo. Y pynciau sylfaenol traddodiadol sydd wedi dioddef fwyaf, gan arwain i gau adrannau megis Cemeg yn Aberystwyth a Ffiseg ym Mangor. Canlyniad arall fu'r problemau recriwtio athrawon yn y pynciau hyn a phan geir graddedigion i'w hyfforddi'n athrawon mae eu graddau yn aml mewn disgyblaethau megis biocemeg neu wyddor môr, nad ydynt yn rhoi'r sylfaen academaidd draddodiadol sydd ei hangen ar gyfer dysgu cemeg neu ffiseg yn y chweched dosbarth. Mae lle i gredu y bydd y newid hwn yng nghefndir a chymwysterau athrawon yn ddylanwad cryfach ar addysg wyddonol yn yr ysgolion na dim arall.

I grynhoi. Gwelsom ar ddechrau'r ganrif gwricwlwm gwyddonol arbenigol yn datblygu yn yr ysgolion canolraddol, yn seiliedig ar adnoddau a ddatblygwyd ar gyfer addysg dechnegol. Atgyfnerthwyd y maes llafur arbenigol hwn gan genedlaethau o raddedigion a roes wasanaeth gwych i genedlaethau o ddisgyblion ysgolion gramadeg. Gwelwyd penllanw'r berthynas symbiotig hon yn natblygiadau cwricwlaidd y chwedegau ac ni phallodd ei grym eto. Cwestiwn arall ydyw priodoldeb yr addysg hon i'r plentyn cyffredin—neu Wyddoniaeth i Bawb yn nhermau Adroddiad 1918. Ymateb seithug fu'r mudiad Gwyddoniaeth Gyffredinol, ond gyda dyfodiad yr ysgolion cyfun gofynnwyd yr un cwestiwn eto. Y Cwricwlwm Cenedlaethol yw'r cynnig diweddaraf i ddylanwadu ar y traddodiad arbenigol, gyda holl rym stadudol ac anstadudol y ddeddf tu ôl iddo. Cawn weld beth ddigwydd y tro hwn.

Prin iawn oedd dylanwad y gyfundrefn addysg ar wyddoniaeth yn y bedwaredd ganrif ar bymtheg ond mae'n amhosib dychmygu am ddatblygiadau'r ugeinfed ganrif heb sylfaen addysgol ysgolion uwchradd o bob math. Mae'r traddodiad yn un anrhydeddus, yn arbennig yng Nghymru, a'r llif o wyddonwyr a gynhyrchwyd yn ein hysgolion yn rhan nodedig o'r gymuned broffesiynol. Gwelwn yn awr y Cwricwlwm Cenedlaethol yn ymdrechu i sicrhau fod pob disgybl yn hyddysg mewn gwyddoniaeth a thechnoleg, a bod y llwybrau i gymwysterau a swyddi gwyddonol a thechnolegol yn agored i bawb.

CYFEIRIADAU

Argles, M. (1964) *South Kensington to Robbins: An Account of English Technical and Scientific Education since 1851*. Longmans.

Brain, N. R. (1976), *The development of examinations and the curriculum by the Central Welsh Board from its inception until 1948*. Traethawd M.Add. heb ei gyhoeddi (Abertawe).

Brock, W. H. (1973). *H. E. Armstrong and the teaching of Science 1880-1930*. Cambridge U.P.

Cardwell, D. S. L. (1972). *The Organisation of Science in England*. Heinemann.

Central Advisory Council for Education (Wales) 1965 *Science in Education in Wales Today*. HMSO.

Davies, D. Jacob, (1968). 'Y Gwyddonydd a'r Diwinydd' *Y Gwyddonydd* VI, 74-75.

Jenkins, E. W. (1979). *From Armstrong to Nuffield. Studies in Twentieth Century Science Education in England and Wales*. John Murray.

Jenkins, R. T. (1968). *Edrych yn Ôl*. Clwb Llyfrau Cymraeg Llundain.

Jones, D. W. (1074). *The background and development of Science teaching in Welsh Intermediate Schools* 1897-1916. Traethawd M.Add. heb ei gyhoeddi (Bangor).

Layton, D. (1973). *Science for the People*. George, Allen & Unwin.

Science Masters Association (1958). *Science and Education Policy Statement*. John Murray.

Shayer, M. & Adey, P. (1981), *Towards a Science of Science teaching*. Heinemann.

Stone, P. J. (1983). *A Study of the Early Development of Chemistry Teaching and Examinations in Secondary Schools in Wales after 1889*. Traethawd M.Add. heb ei gyhoeddi (Abertawe).

Thomas, J. P. (1979). *A Consideration of Technical Education in the Swansea District 1850-1900*. Traethawd M.Add. heb ei gyhoeddi (Abertawe).

Thomson, J. J. (1918). *Natural Science in Education*. (Report of a Committee Chaired by J.J.T.). H.M.S.O.

Williams, I. W. (1966a). *The Western University of Great Britain. Swansea Collegiate Faculty of Education Journal* 32-40.

Williams, I. W. (1966b). Coleg y Gnoll 1857. *Y Gwyddonydd* IV 152-157.

Williams, I. W. (1968b). Evan Davies Arloeswr Addysg Wyddonol yng Nghymru. *Y Gwyddonydd* VI, 142-6.

Williams, I. W. (1968a). *Evan Davies and Science Teaching at the Normal College for Wales. Swansea Collegiate Faculty of Education Journal* 10-13.

Williams, I. W. & Owain, O. (1975). Llyfrau Gwyddonol Cymraeg Cyn 1940. *Y Gwyddonydd* XIII i-x.

Williams, I. W. 'Cefndir ein Canrif' yn A. R. Owens (Gol.) *Canrif o Wyddoniaeth*. Trafodion y Gymdeithas Wyddonol Genedlaethol 8, 3-24.

Y CWRICWLWM YNG NGHYMRU:

Dirnadaeth o
'Gymreigrwydd' Addysg

GARETH ELWYN JONES

Mae testun y papur hwn yn fy ngorfodi i edrych ar dair thema. Yn gyntaf, yn ddigon beiddgar, beth a olyga i fod yn Gymro? Yn ail, beth fu'r persbectif Cymreig ar gwricwlwm yr ysgol yn y gorffennol? Yn drydydd, sut y gallai'r perspectif hwn ddylanwadu ar ein syniadau ynglŷn â chwric- iwlwm yr ysgol yng Nghymru ar hyn o bryd?

I

Beth a olyga i fod yn Gymro? I leiafrif dylanwadol yr iaith sy'n cael y flaenoriaeth ar bopeth arall. Mae'r dimensiynau eraill—crefyddol, cym- deithasol, esthetig a bywyd cymunedol y bobl—yn israddol. Mae hwn yn safbwynt sy'n cario cryn berswâd gan na ellir gwadu naill ai arwyddocâd hanesyddol yr iaith a'i llenyddiaeth, na'r ffaith fod y ddwy elfen hon yn sail cadarnhaol i genedlaetholdeb. Ceir un safbwynt sy'n credu mai mewn undod ieithyddol y gorwedd yr unig ddyfodol i unaniaeth Gymreig. Mae'n dilyn cynsail ddiamwys R. S. Thomas:

> *When I am asked what is a Welshman? I unfailingly answer: a man who speaks Welsh . . . we have nothing to distinguish us from other people except Welsh.*[1]

Yr unig ddyfodol i genedl heb ei hiaith ei hunan, fe ddadleua, yw eiddo Cernyw "ysbryd yn hofran uwchben mynwent". Ac eto, hyd yn oed i R. S. Thomas, nid yw mor syml. Rhan o'i syniadaeth eang ynglŷn â chymdeithas yw ei weledigaeth ynglŷn â'r iaith Gymraeg—barn sy'n herio uchafiaeth y cwmni amlgenedlaethol, sy'n amau'r foeseg gyfalafol a'i phwyslais ar uchaf- swm elw, sy'n drwgdybio safbwynt a chanlyniadau gwleidyddol com- iwnyddiaeth (a wêl yn llethu'r ysbryd dynol), sy'n bleidiol i achosion amgylchol cyfoes gan ledaenu'r gred ddwys mewn undod ysbrydol y ddynol- iaeth yn y diwedd. Yn y cynllun hwn i Thomas mae Cymreigrwydd yn un agwedd fach ar rinwedd ac unoliaeth y byd a unwyd i weithio er lles pawb, byd sy'n ymestyniad ar Dduw ei hun:

> *a great organism in which everything cooperates for the good of the whole; the material, the psychological the cultural, the social, and so on, as things which are linked together and which influence one another.*[2]

1. R. S. Thomas, *Unity* yn *Planet*, 70, 1988, t. 40.
2. *Ibid.*, tt. 39, 40.

Mae cynllun Thomas gogyfer ag iachawdwriaeth Cymru yn glir a diamwys:

> *the first task of the concerned people within our nation is to unite Welsh-speaking Welshmen by virtue of their common tongue. Then let us try to attract the others in our midst and to wean them from the British milk which is by now old and sour. First, we have to win over the English-Welshman, who have Welsh blood in their veins, always remembering that Britishness is something comparatively new. Less than a century ago, most of Wales was a Welsh-speaking country. Then we must turn to the immigrants, the newcomers, convincing them politely but proudly of the existence of an identity that perhaps they were not too conscious of when they moved to live here.*[3]

Deniadol iawn yw canlyniadau addysgol safbwynt o'r fath. Dysgu'r iaith yn yr ysgol i bob plentyn fel y gall gyfathrebu ynddi yw un dull derbyniol all arwain i adfer a chynnal ymwybyddiaeth a hunaniaeth Gymreig.

Tuedd tuag at bwyslais gwahanol a mwy cymhleth a wnaeth eraill fu'n dadansoddi'r gymdeithas Gymreig a Chymraeg. Dyma farn Raymond Williams:

> *two truths are told, as alternative prologues to the action of modern Wales. The first draws on the continuity of Welsh language and literature: from the sixth century it is said, and thus perhaps the oldest surviving poetic tradition in Europe. The second draws on the turbulent experience of industrial South Wales over the last two centuries, and its powerful political and communal formalities.*[4]

Pwysleisia fod cysylltiadau yn bodoli, fod dwy ochr mewn helbul . . . yn siarad â'i gilydd trwy ffyrdd newydd ond heb geisio cuddio chwerwder yr anghydfod. Arweinia hyn at ddealltwriaeth ganolog ynglŷn â'r perspectif o edrych ar Gymreigrwydd:

> *perhaps the least known fact, by others, about contemporary Welsh culture and politics is that there are harsh and persistent quarrels within a dimension which is seen from outside as unusually singular.*[5]

Beth bynnag yw ein hymwybyddiaeth o'r gwahaniaethau yng Nghymru mae bodolaeth yr unigolyddiaeth yn nodwedd sy'n bwysig i'r Cymry ei phwysleisio iddynt eu hunain ac i'r byd y tu allan er mwyn anelu at

> *some version of a unifying identity, within and across some of the most radical differences of condition which can be found anywhere in Europe.*[6]

Goblygiadau hyn yw y bydd llawer amlygiad o'r hunaniaeth Cymreig yng nghymuned y genedl a fydd yn clymu'r cymunedau llai a'r teyrngarwch

---

3. *Ibid.*, t. 42.
4. Raymond Williams, *Community*, yn *London Review of Books*, 21 Ionawr, 1985, t. 14. Gweler hefyd Dai Smith *The Welsh Identity of Raymond Williams* yn *Planet*, 76, tt. 88-89.
5. Williams, *op.cit.*
6. *Ibid.*

sy'n bodoli o fewn i ffiniau Cymru yn uned. Mae ystod eang o ffyddlondeb yn amlwg ymhlith y rhai hynny, er enghraifft, sy'n ystyried yr iaith yr amlygiad eithaf o genedlaetholdeb, y rhai hynny sy'n gweithio yn gyntaf tuag at annibyniaeth wleidyddol, y rhai hynny a hoffai ymneilltuo i loches wledig, y rhai hynny sy'n uniaethu eu hunain yn bennaf â'r traddodiad diwydiannol, y 70 y cant hynny sy'n galw eu hunain yn Gymry. Mae'r nodweddion hynny yr hawlia Rees Davies a berthyn i'r drydedd ganrif ar ddeg yng Nghymru yr un mor wir am ein sefyllfa bresennol:

> countries and peoples which lack a common policy and the institutions of unitary governance are not thereby disqualified from developing a sense of national identity. For national identity, like class, is a matter of perceptions as much as institutions. The institutions of centralised authority are by no means its only or most powerful focus. In medieval society, it could also manifest itself in an awareness of the common genealogical descent of a people, in a shared belief in a particular version of historical mythology and prophecy, in an emotional attachment to the geographical boundaries of a county, in a heightened awareness of the distinctiveness of a common language and of common customs, in the yearning for the prospect of unitary rule, in the articulation of a 'we-they' dichotomy to express the distinction between natives and aliens.[7]

Ffynhonnell o gryfder i Gymry, sy'n ymdrechu i ddatrys ei hunaniaeth, yw fod y nodweddion hyn o'r gymdeithas ganoloesol yn taro tant cryfach ar draws Ewrop heddiw nag a wnaeth ers cenedlaethau. Ar Hydref 1 1989 nododd Neal Ascherson:

> every day this week, a European Nation has asked for more liberty. East Germans marched in Leipzig, Kasakhs brawled with Russians, Slovenes demanded the right of secession, Ukranians asked for their Uniate church to be legal once more. The Basques went on bombing, the Montenegrins brought home the bones of their last king and buried them in Cetinge, the Scottish National Party held their conference at Dunoon.[8]

Dyfynna eiriau Erhard Eppler o Ddemocratiaid Cymdeithasol Gorllewin yr Almaen:

> national identification no longer necessarily connects to nation-States or even aims at the creation of a nation-State, but often roots itself in far older associations . . .

7. R. R. Davies, *Law and National Identity in Thirteenth Century Wales* yn R. R. Davies et.al., gol., *Welsh Society and Nationhood. Essays presented to Glanmor Williams*, Caerdydd 1984, t. 52.
8. Neal Ascherson. *The Obeserver*, 1 Hydref, 1989, t. 15.

you belong to a nation if you acknowledge that you do—but only so long as you do acknowledge it.[9]

Yn groes i'r hyn a ddisgwylid yn y gymuned Ewropeaidd mae'n bur debyg mai'r cenhedloedd llai fydd yn ei chael hi'n haws i sefydlu eu hun-aniaeth—y cenhedloedd hynny y bu i'w diffyg cymhwyster gwleidyddol greu problemau iddynt hyd yn hyn. Nid cyd-ddigwyddiad yw mai un o'r seiliau angenrheidiol i'r honiadau hyn, sef hanesyddiaeth ffyniannus a llewyrchus, yw un o'r cyraeddiadau yr ymfalchïa Cymru ynddynt yn ystod y degawdau diweddar.

Dangosodd Keith Robbins yn ddiweddar fod gofal am fanylion yn cael ei adlewyrchu yng ngwaith haneswyr trwy Ewrop.[10] Ymhlith eraill cyfeiria at waith yr hanesydd Ffrengig galluog, Fernand Braudel:

> *even Braudel has not been able to distil the essence of France. There are many Frances . . . we learn, perhaps without great surprise, that France is a country of diversity and that conventional criteria, such as 'natural boundaries' or language, do not explain the 'unity of France'.*

Rhaid i ni ganiatáu i lif presennol gwleidyddiaeth a hanesyddiaeth drei-ddio trwy fywyd Cymru oherwydd, am unwaith, nid oes angen i ni frwydro yn erbyn y tueddiadau cyfoes.

Cryfhau yn hytrach na gwanhau dan yr amgylchiadau newydd a wna'r awydd i fynegi ein gwahaniaethau cenedlaethol trwy syfydliadau cened-laethol gan greu amrywiaeth mewn mesur o ymreolaeth, ac yn ei dro gall hyn fod yn gyfrwng i gynrychioli a chanoli unigolyddiaeth y gymdeithas. Dadleuwyd yn ddiweddar fod y sefydliadau hyn yng Nghymru yn anaddas o'u cymharu â'r rhai yn yr Alban er enghraifft, ei llysoedd, ei heglwys a'i chyfundrefn addysg. Perthyn i Ogledd Iwerddon ei *"ludicrously impressive array of institutions"*[11]. O'i chyferbynnu nid oedd gan Gymru ddim fffram-waith o sefydliadau gwahanol tan ddiwedd y bedwaredd ganrif ar bymtheg, ond ers hynny crewyd amrywiaeth o gyrff yn ymwneud â materion addysg-iadol, diwylliannol a chymdeithasol. Mae'n arwyddocaol fod mesurau tros-glwyddiadol yn parhau i ddwyn ffrwyth. Cyfloga'r Swyddfa Gymreig dros 2000 o weision sifil sydd â chyfrifoldeb am redeg 11 adran, ac mae addysg yn un o'r rhai pwysig, a 47 is-adran o'r adrannau hyn i weithredu polisïau manwl. Gellir dylanwadau ar y polisïau hyn gan garfanau annog allanol. Mewn mater mor arwyddocaol â lle Hanes yn y Cwricwlwm Cenedlaethol gwelsom fod grŵp sy'n cynnwys cynrychiolaeth eang megis Cymdeithas

9. Erhard Eppler, dyfynwyd *ibid.*.

10. Keith Robbins, *National Identity and History: Past, Present and Future*, papur heb ei gyhoeddi wedi ei seilio ar anerchiad a roddwyd i Sefydliad Brenhinol Materion Rhyngwladol, Mawrth 1989. Rwyf yn hynod ddiolchgar i'r Athro Robbins am ganiatáu i mi ei ddyfynnu.

11. Barry Jones, *The Development of Welsh Territorial Institutions. Modernization Theory revisited* yn *Contemporary Wales*, cyf 2, 1988, tt. 47, 48.

Athrawon Hanes yng Nghymru yn gallu cyflwyno achos dros i Gymru gael triniaeth wahanol, ac i hyn gael gwrandawiad caredig a gwelwyd sefydlu Pwyllgor Cymru o'r Cwricwlwm Cenedlaethol Hanes. Mae'n wir fod nifer o esiamplau mewn addysg o'r modd y bu i bolisi Eingl-ganolig drechu dymuniadau'r Cymry—er enghraifft buasai'r rhan helaeth o Gymru wedi sefydlu ysgolion amlochrog, yn y 1950au petai buddiannau Cymru heb wrthdaro gyda rhai'r llywodraeth yn Llundain.[12] Ar yr un pryd fe ategwyd y farn yr ymddengys fod y Swyddfa Gymreig 'mewn meysydd penodol . . . yn berchen ar radd arwyddocaol o ymreolaeth'[13] fel y gwelwyd mewn rhai datblygiadau diweddar ym myd addysg. Fel y tyf y tueddiadau i ganoli pethau ym maes addysg y wladwriaeth felly hefyd y datblygodd Adran Addysg y Swyddfa Gymreig a hefyd, er enghraifft, Cyngor Cwricwlwm Cymru i fod yn gyfryngau pwysig i weithredu'r hyn a ddymunwn i'r dimensiwn Cymreig yn ein hysgolion fod.[14]

II

Fy ail gwestiwn. Beth fu'r perspectif Cymreig ar y cwricwlwm yn y gorffennol?

Ymylol yn unig fu perspectif Cymreig yn y bedwaredd ganrif ar bymtheg, yn bendant hyd nes y ddau ddegawd olaf y ganrif. Ni thalwyd sylw i Gymru yn y trafodaethau ynglŷn â'r hyn y dylai addysg ei gynnig i'r gwahanol ddosbarthiadau cymdeithasol, er fod llawer o drafod wedi digwydd ynglŷn â faint o addysg a ddylid ei gael a phwy ddylai dalu amdano ar ôl 1847. Âi'r boneddigion a'r uchelwyr—er mai prin oeddynt yng Nghymru—i'r ysgolion bonedd a'r hen brifysgolion. Ideoleg lywodraethol addysg yn y sefydliadau hyn oedd addysg er ei mwyn ei hun: a'r prif gynnwys yn glasurol a mathemategol. Addysg i wŷr bonheddig oedd, gyda'r pwyslais yn newid yng nghanol y ganrif o'r delfryd Arnoldaidd o dduwioldeb ac addysg dda[15] i'r math o fachgen allai feistroli Groeg a dyfynnu Fyrsil yn ddidrafferth. Trwy gydol y ddeunawfed ganrif yng Nghymru a Lloegr roedd bwlch pendant rhwng addysg glasurol a phreifat yr *elite*, y troglwyddid diwylliant uchel-ael o genhedlaeth i genhedlaeth, ac addysg gwbl ddefnyddiol (gallwn eu galw'n sgiliau byw a marw) a roddid i drwch y boblogaeth gan yr ysgolion elusennol, crefyddol a gwladwriaethol. Parhaodd tueddiadau clasurol yr ysgolion preifat hyd yr ugeinfed ganrif yn ogystal â'r agwedd a'r rhaniadau a

12. Mae hanes gweithredu Deddf Addysg 1944 yng Nghymru, yr ymddangosodd y dystiolaeth hon ynddo, yn cael ei adrodd gan yr awdur yn *Which Nation's Schools? Direction and Devolution in Welsh Education in the Twentieth Century*, Gwasg Prifysgol Cymru, sydd ar fin ymddangos.

13. Barry Jones, *op.cit.*, t. 54.

14. Gweler isod.

15. David Newsome, *Godliness and Good Learning: four studies on a Victorian ideal*, Llundain 1961, ailgyhoeddwyd, 1988.

gynrychiolent.[16] Dyma'r cefndir hanesyddol i'n holiadau ynglŷn â'r modd y bu i unrhyw ddirnadaeth o Gymreigrwydd ddylanwadu ar ddatblygiadau mewn cyrsiau addysg o'u cymharu â datblygiadau trefniadol. Mae dau brif bwynt yn amlwg yn y cwricwlwm ysgol yng Nghymru hyd at 1944. Yn gyntaf, ychydig iawn o ddadansoddi manwl a fu arno, dim ond newid rhyw ychydig trwy ddatblygiad a chynnydd. Yn ail gosododd y wladwriaeth, y byrddau arholi a'r prifysgolion ffiniau i'r cwricwlwm hwnnw. O 1862 ymlaen sefydlodd y Cod Diwygiedig pa destunau oedd yn teilyngu derbyn grant yn yr ysgolion elfennol, ac o 1904 ymlaen penderfynwyd cynnwys cwrs gwaith yr ysgol uwchradd gan y Bwrdd Addysg. Ffenomenon o'r 1960au a'r 1970au oedd rhyddid theoretig yr athro i reoli'r cwricwlwm; a chymryd golwg hanesyddol eang arno gellid honni mai llithriad diweddar oddi ar y prif lwybr a gafwyd.[17]

Gan dderbyn rhan y wladwriaeth yn penderfynu beth ddylid ei ddysgu nid yw'n syndod fod diddordeb cynnar yng Nghymreigrwydd cwricwlwm yr ysgol wedi ei fynegi yn nhermau ymdrechion carfanau annog i ddylanwadu ar y llywodraeth i roi rhyw gymaint o statws i'r iaith Gymraeg. O'r 1880au ymlaen cafwyd adfywiad mewn cenedlaetholdeb Cymreig a oedd yn ddiwylliannol ac weithiau'n wleidyddol ei naws, a chafodd gryn ddylanwad ar adegau. Amlygwyd ef yng Nghymdeithas er Defnyddio'r Iaith Gymraeg a sefydlwyd gan Beriah Gwynfe Evans a weithiodd yn galed o 1885 ymlaen i annog defnyddio'r Gymraeg yn yr ysgolion. Bu ymateb y wladwriaeth yn gymharol ffafriol gan ddylanwadu ar bolisïau yn yr ysgolion elfennol ac uwchradd. Daeth y Gymraeg yn bwnc allai dderbyn grant dan y Cod Elfennol o 1890 ymlaen, ac o'r dechrau fe gynhwyswyd yr iaith Gymraeg yn rhestr testunau cwriciwlwm yr ysgolion canolraddol yn 1889 yn y Ddeddf Addysg Ganolraddol. Fel y tystiodd David Allsobrook, rhaid rhoi llawer o'r clod i agwedd gefnogol Mundella a roddodd grynodeb o syniadau cyfamserol ynglŷn â'r elfen Gymreig yn yr ysgolion. Dylai athrawon ysgolion canolradd, meddai, gydymdeimlo â phobl Cymru a meddu ar 'wybodaeth eang o'r iaith Gymraeg'.[18]

Roedd gan O. M. Edwards, prif arolygwr Adran Gymreig y Bwrdd Addysg o 1907 hyd ei farwolaeth yn 1920, ddirnadaeth ehangach o swyddogaeth yr ysgolion canolradd ym mywyd Cymru gan iddo bwyso am ddatblygiadau cwricwlaidd oedd o flaen ei oes. Tarddodd ei syniadau ynglŷn â maes llafur ysgolion uwchradd o'i ddadansoddiad arbennig o anghenion y gymdeithas Gymreig.[19] Dadleuais ar achlysur arall[20] fod arlliw

16. Peter Gordon, *Purpose and Planning in the Humanities Curriculum*, Llundain 1984, tt. 8, 9.
17. Denis Lawton, *The end of the secret garden*, Llundain 1979, t. 6, dadleuir fod nifer o gyfyngiadau enfawr yn parhau ar athrawon, yn enwedig y gyfundrefn arholi.
18. David Allsobrook, 14 *A Benevolent Prophet of Old ... Reflections on the Welsh Intermediate Education Act of 1889* yn *The Welsh Journal of Education*, cyf. 1, rhif 1, 1989, tt. 1-9.
19. Gareth Elwyn Jones, *Those who can, teach: the achievement of O. M. Edwards* yn *Planet*, 76, 1989, tt. 82-87. Gweler hefyd Hazel Davies, *O. M. Edwards*, Caerdydd, 1988.
20. Gareth Elwyn Jones, *Controls and Conflicts in Welsh Secondary Education*, 1889-1944.

o ramantiaeth yn rhan o'i agwedd nad oedd yn cydweddu â realiaeth y gymdeithas Gymreig na gyda nod polisïau'r Bwrdd Addysg, i'r fath raddau nes y cafodd ei wrthwynebu gan brifathrawon ysgolion canolradd Cymru a gan weision sifil dylanwadol Lloegr. Serch hynny, Edwards oedd y peth agosaf a gafodd Cymru at brif newidiwr y cwricwlwm.

Roedd yn rhaid i Edwards dderbyn, a bod yn gyfrifol yn swyddogol am weinyddu yn y sector uwchradd, addysg oedd yn ddibynnol ar wyrdroi'r traddodiad Platonaidd o oruchafiaeth y deall, gan arddangos hyder eithafol y statws annibynol a gwerth cynhenid y wybodaeth a drosglwyddid.[21] Yn yr ysgol gellid canfod hwn gan amlaf ym mhwysigrwydd ffeithiau a'i bwyslais ar ddysgu ar y cof a llyfrau dosbarth megis "taflenni rheilffordd". Roedd yn rhaid i Edwards dderbyn hyn gan ystyried ei safbwynt personol a ddylanwadwyd gan Ruskin a Rousseau a'i ddaliadau rhamantaidd a gredai mai'r synhwyrau oedd tarddiad pob gwybodaeth a deallftwriaeth.[22] Yn ddiau fe gredai ym mhwysigrwydd y ffaith fod disgyblion yng Nghymru yn dysgu am eu gwlad trwy bynciau megis Hanes, Daearyddiaeth a Llenyddiaeth ond gyda'r wybodaeth honno yn rhan o addysg gyfan y plentyn a gynhwysai sgiliau crefftol ac ymenyddol. Yn anad dim dylai addysg fod yn greadigol, ei brif gŵyn yn erbyn cyfundrefn o arholiadau anhyblyg oedd ei bod yn llesteirio creadigrwydd. I Edwards dylid mynegi Cymreigrwydd ysgolion uwchradd trwy drosglwyddo gwybodaeth am Gymru yn ogystal â thrwy ysgogi cynnyrch yr ysgolion i chwarae eu rhan ym mywyd econom- aidd a diwylliannol cymunedau lleol a gwledig yng Nghymru. Roedd ei athroniaeth addysg yn rhan allweddol o'i syniad arbennig am y gymdeithas yng Nghymru:

> Our educational system should strengthen our national life in every direction; it should produce good handicrafts men as well as learned men . . . We owe much to the influence of England . . . But the belief in personal wealth as against public wealth has come from England also . . . If our rich men do what our poor men are doing—the farm labourer gives a day's wage to a missionary society and another towards a school—we can teach England that it is more important to have a rich people than a collection of rich individuals.[23]

Er y gellid cyhuddo Edwards o fod yn rhagrithiol, gan ystyried ei batrwm byw, nid yw hynny'n negyddu ei ddelfryd o gyfundrefn addysg fyddai'n adlewyrchu gwerthoedd y gymdeithas a'r genedl.[24] I Edwards dylid mynegi'r dimensiwn Cymreig yn yr ysgolion uwchradd trwy ddysgu'r iaith

---

21. Gweler A. V. Kelly, *The Curriculum. Theory and Practice*, trydydd argraffiad, Llundain, 1989, tt. 29, lle mae'n tynnu sylw at waith R. S. Peters, Paul Hirst a G. H. Bantock.
22. G. E. Jones, *Those who can, teach*, tt. 84, 85.
23. Dyfynnwyd gan O. G. Jones, Sylwadau Owen Morgan Edwards ar Addysg, traethawd M. Add., nas cyhoeddwyd, Prifysgol Cymru, 1976, t. 37.
24. Gweler Hazel Davies, *Divisions: the private and public lives of O. M. Edwards* yn *Planet* 76, 1989, t. 77. am gipdrem ar ddull Edwards o fyw.

Gymraeg i bob dosbarth ysgol, trwy astudio Hanes trwy gydol cwricwlwm yr ysgol, a thrwy gynnwys pynciau crefft, amaethyddiaeth a morwriaeth i gwrdd ag anghenion y gymdeithas—y cyfan mewn cyd-destun o gymdeithas fyddai'n pwysleisio rhinweddau'r gymuned fel rhan o'r genedl yn hytrach na gwerthoedd cyfoeth yr unigolyn.

Pan benodwyd Edwards yn Brif Arolygwr Adran Gymreig y Bwrdd Addysg y cwriciwlwm mewn grym oedd yr un a sefydlwyd gan y Bwrdd yn 1904 yn y rheolau a osodwyd i weinyddu'r cwricwlwm yn yr ysgolion uwchradd. Ar ôl creu'r Adran Gymreig yn 1907 addaswyd y rhain gogyfer â Chymru gan gynnwys dysgu'r iaith Gymraeg. Yna, ym 1908, am resymau gweinyddol yn unig, dywedodd A. T. Davies, Ysgrifennydd Parhaol Adran Gymreig y Bwrdd Addysg:

> *in future years the variations between the Welsh and English regulations will be restricted to such slight differences as may be necessary to meet the special educational requirements for Wales.*

Y gwahaniaethau bach hyn oedd:

> *in districts where Welsh is spoken, the language, or one of the languages, other than English, should be Welsh. Any of the subjects of the curriculum may (where the local circumstances make it desirable) be taught partly or wholly in Welsh.*[25]

Ni allai dim ddangos yn gliriach y ddau rym oedd wrth eu gwaith ym maes addysg yng Nghymru na safbwynt y ddau gydweithiwr yma. Wedi marwolaeth Edwards yn 1920 gwanhau wnaeth y weledigaeth a daeth materion gweinyddol yn fwy i'r amlwg; blaenoriaethau A. T. Davies ac nid O. M. Edwards oedd yn cael sylw. Methu wnaeth ymgais Edwards i greu cydweithrediad rhwng yr ysgolion a'r gymuned. Rheolau ac arholiadau oedd yn bwysig. Er i'r hen gyfundrefn o dalu yn ôl canlyniadau ddiflannu o'r ysgolion elfennol, ac er i haneswyr addysg ganmol agwedd fwy goleuedig Adroddiad Hadow 1931 yn ei berthynas â'r disgyblion iau, parhau wnaeth gormes profion yn ffurf y gyfundrefn ysgoloriaeth. Rheolwyd gweinyddiaeth y gyfundrefn gan yr awdurdodau addysg lleol ac nid gan y Bwrdd Addysg na'r Adran Gymreig. Yn ystod degawd cyntaf yr ugeinfed ganrif gwein-yddid arholiadau'r ysgoloriaeth yn gyfan gwbl yn y Saesneg yn Sir Gaernarfon Gymraeg, ar wahân i'r ffaith fod Cymraeg yn destun dewisol.[26]

O 1920 ymlaen ychydig o ddadansoddi effeithiol a wnaed o natur addysg yng Nghymru, ar wahân i drafod problemau'r iaith Gymraeg mewn addysg. Ar ôl cyfrifiad 1921 gellid deall paham y bu'r gofid. Roedd y cyfrifiad blaenorol wedi dangos fod nifer y rhai a siaradai Gymraeg wedi cynyddu. Dangosodd ffigyrau 1921 fod lleihad o dros 47,000 wedi digwydd. Dim ond

---

25. *Regulations for Welsh Secondary Schools in Force 1 August 1909 in Wales and Monmouthshire.* Cd.4696 *British Sessional Papers House of Commons*, cyf. LXVII, tt. 509.
26. G. E. Jones, *Controls and Conflicts*, tt. 32, 33.

39 y cant o boblogaeth Cymru oedd yn siarad Cymraeg. Mynegodd yr Adran Gymreig eu pryder ond parhaodd yr ysgolion uwchradd i roi'r dewis rhwng Cymraeg a Ffrangeg ac yr oeddynt yn ddibryder ynglŷn â thynged yr iaith, yn enwedig yn y bwrdeistrefi sirol a Seisnigeiddiwyd. Nid ymddangosodd y Gymraeg yn y cwricwlwm craidd dewisol a gymeradwyai'r B.C.C. yn 1916.[27] Problemau trefniannol a gafodd y sylw pennaf yr Adroddiad Bruce yn 1920. Yn fuan wedyn trychinebau economaidd y cyfnod rhyngryfeloedd a'u dylanwadau cymdeithasol a ddylanwadodd ar ddarpariaethau addysgol yn faterol ac yn gwricwlaidd. Anogwyd disgyblion o Gymru gan eu teuluoedd i edrych i gyfeiriad Lloegr am swyddi, ac fe hyrwyddwyd y llif allan o Gymru gan eu Tystysgrifau Ysgol, yn enwedig y rhai a dderbyniodd gredyd. Gallai Walter Jones, Prifathro Ysgol y Sir Castell-nedd, ddadlau yn 1926 yn achos yr ysgolion uwchradd o leiaf, fod

> *it was to English that all the glory, the culture, the intelligence, the influence, the power, the prestige, belonged.*[28]

Credai y dylai ysgolion Cymru adlewyrchu nodweddion y siroedd y lleolid hwynt. Pryderai ynglŷn â'r iaith Gymraeg, ond nid hi oedd ei unig bryder:

> *The curriculum of the school should contain more Welsh, ability to speak Welsh or [and that is surely a highly significant qualification] a real sympathy with the Welsh outlook would be regarded as a distinct qualification for any post in a Welsh school. The History, Literature, Traditions and Songs of Wales would be made familiar to the school, and become part of that school life which would inevitably impress every pupil who spent any time on it.*[29]

Rhoddodd y pwyllgor Adrannol, a sefydlwyd yn 1925 i edrych i mewn i ddysgu'r Gymraeg yng Nghymru, ac a gyflwynodd ei adroddiad yn 1927, ei bwyslais ar yr iaith gan hawlio mai 'hanes Cymru yw hanes yr iaith' a'u bod yn credu 'fod yr iaith Gymraeg, llenyddiaeth Cymru, hanes Cymru yn uno â'i gilydd i ffurfio etifeddiaeth unigryw'r Cymry yn ferched a dynion'.[30] Gan ystyried maes yr ymchwiliad (enw'r Adroddiad oedd Y Gymraeg mewn Addysg a Bywyd), ac o dderbyn y ffaith nad oedd y Gymraeg yn iaith bob dydd mewn unrhyw ysgol yng Nghymru, gellir deall nad oedd unrhyw drafodaeth ynglŷn â'r dimensiwn Cymreig ar wahân i'r iaith. O edrych yn ôl gellir gweld fod y maes yn rhy gyfyngedig. Ymatebodd Undeb Athrawon Gymreig i'r adroddiad trwy fynegi eu pryder fod grymoedd sylfaenol yn dylanwadu ar y sefyllfa ac yn peri fod y bywyd gwledig Cymreig, er

27. Bwrdd Canol Cymru, *Today and Tomorrow in Welsh Education*, Caerdydd, 1916.
28. *Welsh Secondary Schools Review*, cyf. XIII rhif 1. t. 8.
29. *Ibid.*
30. Bwrdd Addysg, *Y Gymraeg mewn Addysg a Bywyd*, Adroddiad y Pwyllgorau Adrannol, H.M.S.O. 1927, t. 5

enghraifft yn ymddangos yn llai deniadol ac yn israddol yng ngolwg y Cymry. Nid oedd i freuddwyd O. M. Edwards ynglŷn â'r gymuned Gymraeg unrhyw le yn y darlun, ac nid yr ateb syml oedd pwyso am bolisi o ddysgu Cymraeg i bawb.

Ceir gwrthgyferbyniad diddorol i'n goleuo ynglŷn â'r sefyllfa yng Nghymru yn yr 1920au. Ar un llaw ceir tri adroddiad swyddogol—*Y Gymraeg mewn Addysg a Bywyd (1927)*, *Dysgu Iaith yn Ysgolion Cymru (1929)* ac *Entrance Tests for Admission to Secondary Schools (1930)*, y cyfan yn anelu at gynyddu statws yr iaith Gymraeg yn yr ysgolion. Ar y llaw arall, ceir dull addysgiadol *Urdd Gobaith Cymru*, gyda'r nod yn ôl ei sylfaenydd, o hybu 'llenyddiaeth, traddodiadau, crefydd a'r iaith yng Nghymru'.[31] Erbyn 1929 roedd mudiad yr Urdd wedi cyfuno ei gyfundrefn o ganghennau gyda gwersyll haf ac eisteddfod flynyddol. Yr hyn oedd yn gyffredin rhwng y tri adroddiad a mudiad yr Urdd oedd mai'r unig amgyffrediad o Gymreigrwydd oedd mai'r iaith Gymraeg oedd yr allwedd i'r disgyblion i dderbyn hanes, llenyddiaeth, crefydd a thraddodiadau eu gwlad. Y gwahaniaeth oedd fod yr Urdd yn cyflwyno rhaglen addysgiadol yn y Gymraeg oedd yn rhan hanfodol o fywyd cymunedol Cymru a atgyfnerthid gan raglen lawn o ddigwyddiadau cymdeithasol a diwylliannol. Fel y gweddai i fudiad a sefydlwyd gan Ifan ab Owen Edwards roedd yr Urdd yn nes at ddelwedd O. M. Edwards o Gymreigrwydd y gymdeithas na'r adroddiadau swyddogol a ganolbwyntiai ar yr ochr ysgolheigaidd ac academaidd. Pwyslais yr adroddiadau oedd ar y Gymraeg yn y bywyd addysgiadol ffurfiol yn hytrach nag mewn bywyd. Sail llwyddiant oedd uno'r ddau fel y tystia gweithgarwch yr Edwardiaid.

Ar ôl yr ail ryfel byd daeth Cymru'n rhan o'r mudiad i ddadansoddi'r cwricwlwm yn fanylach. Daeth deuoliaeth ymdrech yn amlwg a bu hyn yn rhan o'r ddadl ers hynny. I'r rhai a gredai fod hanfod Cymreigrwydd ar gael i'r rhai a siaradai Gymraeg yn unig rhoddwyd y pwyslais ar sefydlu ysgolion Cymraeg o'r oedran iau i fyny. Bu'r mudiad yn llwyddiannus iawn er na chafodd y rhesymau allanol sy'n rhannol gyfrif am hyn—megis gwerth economaidd cynyddol y Gymraeg er mwyn gweithio yn y cyfryngau a'r sector cyhoeddus a'r elfen arbenigol sy'n gynhenid yn hyn—y sylw dyladwy a haeddent. Ond daeth elfen arall i'r amlwg i raddau helaeth oherwydd cwymp yn y nifer a siaradai Gymraeg. Gellir ei weld yn y prif asesiad diweddaraf o'r berthynas rhwng yr ysgol a'r gymuned yng Nghymru, a gyhoeddyd gan yr Adran Gymreig yn 1952, gyda'i bwyslais ar 'edrych ar broblem dysgu iaith yn ysgolion Cymru benbaladr gan gysylltu hyn â dysgu hanes, daearyddiaeth ac astudiaethau cymdeithasol, yn enwedig yn yr ardaloedd mwy Saesneg eu hiaith'.[32] Roedd y ddogfen bwysig *Yr Ysgol a'r Gymdeithas yng Nghymru* yn gryf ei chymhelliant ond yn wan ar y theori

---

31. Gweler Gwennant Davies, *Hanes yr Urdd*, Aberystwyth. 1973.
32. *The Curriculum and the Community in Wales*, Adran Gymreig y Weinyddiaeth Addysg, pamffled 6, rhif 6, H.M.S.O. 1952, t. 3.

addysg oedd i newid cyd-destun y ddadl gwricwlaidd o ddiwedd y pum-degau ymlaen.

Yn ystod pumdegau a chwedegau'r ganrif hon y cyd-destun 'Cymru a Lloegr' oedd i osod y sail i drafodaethau ynglŷn â'r cwrs gwaith. Bu newid yn natur a chyfeiriad dadansoddi'r cwricwlwm am ddau brif reswm. Yn gyntaf, am 45 blynedd wedi 1944 diflannodd reolaeth ganolog ar y cwric-iwlwm. Oherwydd hynny symudodd y pwysau ar addasu'r cwrs gwaith yn ganolog. Canolbwyntiodd dadansoddwyr y cwriciwlwm eu hynni ar annog athrawon i dderbyn dulliau dysgu arbennig gan gyrraedd ei uchafbwynt yn y ddelwedd o'r athro fel yr un sy'n newid pethau ac yn ymchwilio iddynt.[33] Yn yr ail le, ac nid yw mor baradocsaidd ac yr ymddengys, bu ffrwydriad yn y maint o ddadansoddi'r cwricwlwm a gafwyd yn yr Amerig ac ym Mhryd-ain. Ysgrifenwyd cyfrolau enfawr ar natur gwybodaeth, cymdeithaseg gwybodaeth, nodau ac amcanion dysgu, asesiadau a thestunau newydd (neu gyfuniadau o hen rai). Nid oedd i lawer o hyn ddimensiwn Cymreig, yn wir sianelwyd gweithgarwch Cymru i gyfeiriad mudiad yr ysgolion Cymraeg.

Yn y cyfamser parhau wnaeth bywyd yr ysgol, saith neu wyth gwers y dydd ohono. Beth ddigwyddodd? Seiliwyd cynllunio'r cwricwlwm ysgol ar gyfuniad o draddodiad ac ymateb *ad hoc* i'r sefyllfa. Dylanwadwyd arno gan garfanau annog a ffasiwn yr oes. Yn ystod y chwedegau fe geid yr argraff fod y gwyddorau cymdeithasol yn rheoli'r byd gyda'i gefnogwyr yn cael eu hysgogi gan gyfuniad o ddelfrydiaeth ymarferol wedi'r ail ryfel byd, anghydfod ynglŷn â'r ddau ddiwylliant, ac athrawiaeth berswadiol *The History Man*. Nid oedd yr un o'r rhain yn creu blaengynllun i gwrs gwaith yr ysgolion. Yr unig beth a ddigwyddodd oedd i gymdeithaseg gael lle ar amserlenni'r ysgolion, ychydig cyn i'r adwaith ddigwydd yn adrannau'r brifysgol. Sylweddolodd y cymdeithasau pynciol y perygl a ddoi yn sgîl hyn—ac mae hanes yn esiampl dda—ac fe ddechreuasant wrth-ymosod gyda'r ffug-ddadl gyffredinol ynglŷn â 'phridolder' a 'pherthnasedd'. Beth bynnag oedd natur y cyrsiau a gynigid yn adrannau addysg y brifysgol, gyda Peters a Piaget yn cael eu cyflwyno, roedd y chwedegau yn gyfnod y garfan annog yn hytrach na'r athronydd addysg. Ni bu gwirioneddau newydd ers hynny—yn wir i'r gwrthwyneb fel y buom yn ymgodymu â phroblem cyfle addysgiadol lletach ac eangach. Roedd gan yr ysgolion gramadeg ar ôl 1944 draddodiad i'w gynnal ac ni wnaethant gyfaddawdu mewn unrhyw fodd â'r economi cymhleth a ddatblygodd. Ni wyddai neb yn iawn beth i'w ddysgu yn yr ysgolion uwchradd modern. Y tu allan i'w muriau a chartrefi eu disgyblion mae'n amheus a oedd neb yn malio. Creodd yr ysgolion cyfun argyfwng gwirioneddol wrth gynllunio'r cwrs gwaith gan eu bod yn hollol wrthgyferbyniol i bopeth a nodweddai addysg ysgol yng Nghymru a Lloegr dros y canrifoedd. A ddylai fod, a allai fod cwrs gwaith cyffredinol mewn un math ar ysgol gyda phob plentyn yn dysgu'r un peth yn union? Ni bu syniad

---

33. Un o'r cefnogwyr cryfaf oedd Lawrence Stenhouse a alwodd un o'i benodau yn ei *Curriculum Research*, '*The Teacher as Researcher*'.

tebyg erioed o'r blaen. Gwnaed gosodiadau gan athronwyr addysg, yn enwedig *Hirst*, ac fel bu i'r ddadl gryfhau yn ystod saithdegau'r ganrif ceisiodd yr AAG ac AEM ddygymod â'r sefyllfa newydd. Ni chafwyd cytundeb. Ni ddywedyd llawer am Gymru.

Cafwyd enillion a cholledion fel y bu i gynlluniau cwricwlar, yn enwedig rhai'r Cyngor Ysgolion, gwrdd â graddau gwahanol o lwyddiant. Bu ymdrechion i ddod i gwrdd ag anghenion cymdeithas ysgolion cyfun oedd yn uwch-dechnegol ac aml-ethnig. Ond yn absenoldeb polisïau cydradd i'r cwrs gwaith daeth y wladwriaeth i'r adwy unwaith eto. Yn awr mae gennym gwricwlwm cyffredin mewn grym sydd yn annibynnol ar unrhyw athroniaeth addysg benodol, o leiaf nid un sydd yn ffrwyth rhesymu manwl, o'i gymharu â gosodiadau *ex cathedra* ynglŷn â'r hyn sy'n llesol i ni. Ac eto mae grymoedd rhyfedd ar waith. Un o'r nodweddion mwyaf diddorol ynglŷn â'r Cwricwlwm Cenedlaethol yw fod y rhestr testunau ynddo yn debyg iawn i'r rhai a gafwyd yn rheolau uwchradd 1904.

Tyfodd dadansoddiad y cwriciwlwm yn fwy soffistigedig ers 1904. I Skilbeck mae'n ffaith sylfaenol y dylai'r cwriciwlwm gyflwyno gwerthoedd a dulliau byw'r gymdeithas i'r disgyblion yn ogystal â rhoi iddynt yr wybodaeth, sgiliau a dealltwriaeth i hyrwyddo eu datblygiad cymdeithasol a phersonol.[34] Mae'r ddogfen gan AEM Cwricwlwm 11-16[35] yn dadlau y dylid cyflwyno'r disgyblion i'w hetifeddiaeth ddiwylliannol a'u byd ei hunan o ran cymdeithas a gwaith. Mae honiadau o'r fath yn arwyddocaol. Yn y lle cyntaf fe canolbwyntir ein sylw ar y meysydd hynny yng Nghymru, sy'n benodol Gymreig oherwydd ni all neb wadu fod un math o brofiad yn arbennig i Gymru sef y gwahaniaeth diwylliannol rhyngddo a Lloegr—ac fe adlewyrchir hynny ym mhrofiadau'r Cymro Cymraeg a Saesneg ei iaith fel ei gilydd. Yr ail bwynt yw fod yn rhaid i'r cwricwlwm, yn y pen draw, ymgorffori gwerthoedd y rhai a'i creodd. Nid ymarferiad gwrthrychol, yn y ystyr y gellir ei bwyso a'i fesur yn wyddonol, yw dod i benderfyniad ynglŷn â'r hyn a dylid ei ddysgu. Mae hyn hefyd yn arwyddocaol i Gymru. Ni allwn ddysgu pob gwybodaeth yn yr ysgolion nag hyd yn oed y dulliau i astudio pob gwybodaeth. Hyd yn oed pe gallem mae cyrhaeddiadau plentyn i feistroli deunydd a'r dulliau yn amrywio'n fawr. Gan na ellir gwneud popeth, rhaid dewis. Mae natur y dewis hwn yn fater trafod dibendraw ac felly y bydd. Nid yw cyflwyno'r Cwricwlwm Cenedlaethol yn rhoi diwedd ar y drafodaeth, i'r gwrthwyneb, fe fydd yn creu carfanau annog gyda'i nod o'i newid.

Parhau wna'r dadleuon i gadw mewn golwg y ffaith fod yna, gan orsymleiddio'r sefyllfa, ddwy farn am addysg. Yn gyntaf ceir y farn fod addysg wedi ei ganoli ar y plentyn, yn tynnu ar brofiad, yn broses barhaol a chynyddol ac mai cam yn ôl yw cwricwlwm a orfodir o'r tu allan i'r ysgol

34. M. Skilbeck, dyfynnwyd yn Gordon *op.cit.*, t. 22.
35. Adran Addysg a Gwyddoniaeth, *Curriculum 11-16: towards a statement of entitlement*, H.M.S.O. 1984.

gan mai sail dealltwriaeth i'r plentyn yw profiad personol pob plentyn mewn sefyllfa unigryw. Yn ail, ceir yr addysgwyr sy'n edrych ar ddysg fel offeryn. Gallant seilio'i barn ar y cymhelliant uchaf—er enghraifft rhoi profiadau byw i'r plant sydd o werth cynhenid. Cysylltir yr agwedd hon heddiw gan amlaf â gwleidyddwyr, Llafur a Cheidwadwyr, sy'n ystyried addysg yn llwybr i gyrraedd rhyw nod annheilwng, fel arfer nod economaidd. Mae'r nod allanol penodedig hwn yn arwain yn rhesymol at gyflwyno rhaglen addysg a osodir o'r tu allan ac sy'n cynnwys profion.

I raddau helaeth yr addysgwyr sy'n ystyried dysg fel offeryn a gafodd yr oruchafiaeth yn Neddf Addysg 1988 ac, yn gyffredinol, mae gwleidyddio addysg yn amlwg. Ond yma mae gennym le i fod yn ddiolchgar fod gan Gymru fframwaith annibynnol i sefydlu addysg ac sydd, fel y dadleuais yn gynt, yn amlygiad pwysig o unaniaeth y Cymry. Tra gwleidyddiwyd addysg yn gynyddol rhoddodd bodolaeth y Swyddfa Gymreig a'i hadran addysg sianelau effeithiol i fynegi gobeithion Cymru am gael cwricwlwm gwahanol.

III

Ac felly cyrhaeddaf fy nghwestiwn olaf: pa orwelion newydd a ddaw i'r golwg yn y Gymru gyfoes wrth i ni edrych yn ôl ar ein gorffennol?

Nid wyf yn argyhoeddedig o allu'r ysgolion i fod yn brif rym er newid mewn unrhyw gymdeithas. Credaf mewn ysgolion cyfun, ond amheuaf a allant gynhyrchu cydraddoldeb. Elfen yw ysgolion mewn cyfundrefn o gyflyru cymdeithasol a fu mor gymhleth fel na allai llu o haneswyr a chymdeithasegwyr ei dadansoddi. Os yw'r ysgolion yn fwy o greaduriaid y gymdeithas na'u beirniaid rhaid i ni fod yn ofalus rhag gorliwio'r dylanwad a gaiff Cwricwlwm Cymreig ar genedlaethau'r dyfodol.

Ni all proses addysgol effeithiol, boed yng Nghymru neu rhywle arall, dan y Cwricwlwm Cenedlaethol neu unrhyw gyfundrefn arall, weithredu trwy orfodaeth. Rhaid i addysg, mewn teuluoedd neu mewn ysgolion, ganiatáu i'r rhai sy'n cael eu haddysgu wneud eu dewis eu hunain. Rhaid cadw'r cydbwysedd rhwng yr hyn a ddymuna'r rhai sydd mewn grym yn y gymdeithas ei drosglwyddo i'r genhedlaeth nesaf ac i ddiogelu hawliau'r plentyn a'i rieni. Ni allwn fyw bywydau cenedlaethau'r dyfodol drostynt, ond mae gan addysgwyr gyfrifoldeb i geisio rhoi gwybodaeth am y gymdeithas y megir pobl ifanc ynddi a'r dulliau a ddatblygwyd i ddosbarthu a gwneud synnwyr o'r wybodaeth. Un o'r dulliau mwyaf arwyddocaol o wneud hyn yw yn nhermau'r testunau a gynhwyswyd yn y Cwricwlwm Cenedlaethol. Yn ei hanfod ceisiwn drosglwyddo, trwy addysg ffurfiol, elfennau a enillwyd o brofiad cynyddol, a'r gallu i drefnu ac ymestyn y profiad hwnnw. Os yw'r addysg yn rhyddfrydig, os mai dysgu yw'r nod yn hytrach na thrwythiad, rhaid cynnwys profiadau y gellir eu derbyn neu'i gwrthod. Mae'r derbyn neu'r gwrthod, yn gyfangwbl neu yn rhannol, yn deillio o ddilysrwydd y dewis, ar sail fod digon o wybodaeth ar gael. Rhaid i bob unigolyn ddeall y gymdeithas i raddau. Mae addysg yn debyg i gof personol, hebddo buasem ar goll. Mae'n amlwg ei fod yn fwy na'r gallu i alw i gof brofiadau personol; mae'n brofiad sy'n dibynnu ar ddysgu am brofiadau eraill yn y gymdeithas, y genedl a'r byd. Gorau fo ansawdd yr addysg, mwyaf o wybodaeth fydd gennym i wneud y dewis cywir.

Cyflyrir profiadau cynyddol y rhai ohonom sy'n Gymry gan ein Cymreigrwydd. Dadleuais yn rhan gyntaf y papur hwn fod amryfal ffurf i'n profiadau Cymreig, rhai yn gyffredin a rhai'n unigryw. Mae hyn yn parhau'n wir ond ni ellir dadlau y gellir ei fynegi'n eglur a phendant mewn ffurfiau gwyddonol, ac felly dibwynt fuasai creu dimensiynau Cymreig ffug mewn addysg wyddonol a thechnegol.

Beth, felly, sydd yn rhoi nodweddion arbennig i'r profiad Cymreig? Yn gyntaf, mae ymdeimlad o le. Ers yr oesoedd tywyll datblygodd hanes Cymru i'r gorllewin o Glawdd Offa. Mae ffurf ddaearyddol y wlad wedi dylanwadu, ac yn dylanwadu, ar batrwm byw, ar y ffyrdd o ennill bywoliaeth a geir yng Nghymru, boed mewn amaethyddiaeth neu ddiwydiant, ar y bryniau neu yn y dyffrynnoedd. Mae llinellau cysylltu, neu ddiffyg rhai, yn dylanwadu ar y cysylltiad rhwng gogledd a de Cymru, ac ar y cysylltiad rhwng yr ardaloedd hyn a'r ardaloedd cyfagos yn Lloegr, er enghraifft, Bryste a Lerpwl. Mae daearyddiaeth yn dylanwadu ar y berthynas economaidd a gyrfaol yng Nghymru a'r tu hwnt fel y gwnaeth ers canrifoedd. Perthyn y dimensiwn hwn o'r profiad Cymreig, fe gredaf, i Ddaearyddiaeth a dylai fod yn rhan o arolwg disgyblion Cymru, ac yn rhan o'r testun hwnnw yn y Cwricwlwm Cenedlaethol.

Prif gyfrwng mynegiant y profiad Cymreig dros fil o flynyddoedd, ac felly'r elfen gryfaf ynddo, ond nid yr unig elfen yn fy marn i fu'r iaith Gymraeg. Mae'n anochel fod yr iaith yn rhan ganolog o addysg y bobl ifanc hynny sydd yn cyfathrebu'n naturiol yn y Gymraeg. Ond bu'r iaith yn rhan annatod o'r profiad Cymreig, fel y dylai pob plentyn yng Nghymru gael y cyfle i'w dysgu, er na ellir ei dysgu'n effeithiol fel ail-iaith nes iddi gael lle mwy blaenllaw nag iaith dramor megis Ffrangeg. Cyfrwng yw iaith i gyrraedd nod arbennig. Rhan o'r nod yw cyrraedd safon cyfathrebu bob dydd, sef hanfod bywyd y genedl. Mae'r iaith yn allwedd i feysydd helaethach o brofiad y genedl trwy bapurau newyddion a theledu, er enghraifft. Mae'n agor y ffordd i elfennau dyfnach ym mhrofiad y genedl trwy lenyddiaeth, traddodiadau a gwyliau. Gellir dadlau fod ychydig o wybodaeth o'r Gymraeg yn well na dim. Mae pob gwybodaeth yn cyfoethogi. Ond nid yw elfen o ymgyfoethogi yn cymharu â'r trysor a ddaw yn sgîl y gallu i gyfathrebu â phobl yn eu hiaith pob dydd ac a rydd fynediad i ddiwylliant y Cymry Cymraeg; boed trwy'r eisteddfod neu 'Bobl y Cwm'. Rhaid i ni fod yn realistig yn wyneb yr ewfforia a ddaeth yn sgîl cyhoeddi addroddiad terfynol Gweithgor Cwricwlwm Cenedlaethol Cymraeg—ac nid yn unig yn

nhermau goblygiadau ariannol ac adnoddol. Wedi'r cyfan faint o'r plant
sy'n astudio'r Gymraeg ar hyn o bryd am dair blynedd yn yr ysgol uwch-
radd sy'n gallu ei siarad a'i darllen yn ddigon da i'w defnyddio? Faint
ohonynt fuasai'n hoffi gallu gwneud hynny? Mae dysgu'r iaith i blant o
bump oed ymlaen yn creu rhagolwg gwell o allu cyfathrebol mwy rhugl yn y
pen draw; ond ni ddylem gael ein camarwain ynglŷn â'r nifer o ddysgwyr y
Gymraeg a fydd, er enghraifft, yn darllen yr iaith yn rheolaidd. Ar y llaw
arall mae gennym sianel deledu sy'n cynnig amrywiaeth helaeth o raglenni
Cymraeg a'r teledu, er gwell neu er gwaeth, yw'r cyfenwadur yn ein cym-
deithas a'n diwylliant. Os na all y cyfrwng ddarparu rhaglenni sy'n apelio at
bobl ifanc yna mae'n fethiant. Os na all ein cyfundrefn addysg roi i'r
dysgwyr yr adnoddau a'r anogaeth i'w gwylio yna mae'n fethiant. Mae'n
arwyddocaol iawn y lle blaenllaw a roddwyd i 'wylio' yn y targedau cyr-
haeddiad yn adroddiad terfynol y Gweithgor Cwricwlwm Cenedlaethol
Cymraeg. Fel y tystia'r dysgwyr, *'language is always a social construction, not a mere
mechanical aid. It has to be connected up with the meanings of everyday experiences and ways
of seeing the world around us.'*[36] Ble mae dimensiwn allanol Cymraeg ysgol?

Mae'n ffaith na fynegwyd profiadau am Gymru yn unig ac yn gyfan gwbl
yn y Gymraeg. Mae hyn yn arbennig o wir am brofiadau diwydiannol y
Cymry yn Ne Cymru, ffrwyth un o'r newidiadau cyflymaf a mwyaf cyffrous
yn hanes unrhyw genedl pan drawsffuriwyd rhannau o Gymru o fod yn
blwyfi gwerinol prin eu poblogaeth yn drefi poblog cynhyrfus yn gorfod
ymdopi â phroblemau trefi newydd yn gymdeithasol, economaidd ac ieith-
yddol. Mae rhai yn dal i ategu barn Saunders Lewis ac yn holi a oes, neu a
all fod, y fath beth â llenyddiaeth Eingl-Gymreig, ac a all Cymru fod yn
ddeuddiwylliant heb son am aml-ddiwylliant. Er nad wyf yn gymwys i
ddilyn y ddadl hon, fe ymddengys i mi ei bod yn gwbl eglur fod rhai
agweddau ar y diwylliant trefol diwydiannol wedi ei fynegi'n anghymarol o
glir yng ngwaith beirdd a nofelwyr sy'n ysgrifennu yn Saesneg. Mae hyn yn
ffaith ddiddadl am y blynyddoedd rhwng y ddau ryfel byd pan ddylanwad-
wyd ar enaid ein cenedl i'r fath raddau fel y bu i rai gymharu dylanwad
hanesyddol y Dirwasgiad yn ne Cymru gyda'r newyn yr Iwerddon. Cofnod-
wyd y profiadau erchyll hyn yng Nghymru gan haneswyr, ond hwy fyddai'r
cyntaf i gytuno i'r profiad ysgogi ymateb llenyddol gwerthfawr gan Idris
Davies, Lewis Jones, Jack Jones, Gwyn Thomas a Raymond Williams.
Genedigaeth—fraint disgyblion Cymru yw llenyddiaeth o'r fath. Mae'n
ganolog i holl brofiadau diwylliannol y genedl, mae'n taflu goleuni ar
gysylltiadau cymunedol tyngedfennol, ar ddosbarthiadau cymdeithasol, ar
ddiddordebau amser hamdden gwleidyddiaeth yng Nghymru heddiw.
Dyma un maes lle'n siomwyd ni yn y Cwricwlwm Cenedlaethol gan na cheir
cyfeiriad yn adroddiad y Gweithgor Cenedlaethol Saesneg at y

36. Noragh Jones. *Blod and the Brush Salesman*, yn *Planet*, 76, 1989, t. 12.

posibilrwydd y gellid defnyddio llenyddiaeth Eingl-Gymreig i fynegi'r prof-iad Cymreig. Mae'n gyfrwng cydnabyddedig a dylid cydnabod ei bwys-igrwydd mewn rhaglenni astudio i ddisgyblion Cymru.

Mae llai o anghytundeb ynglŷn ag agweddau eraill ar y diwylliant Cym-reig. Er enghraifft, perthyn i Gymru draddodiad cerddorol cryf sy'n ymestyn dros y canrifoedd. Er efallai ei fod yn draddodiad cyfyng dylid ei adlewyrchu ym maes llafur cerddoriaeth yr ysgol, er mor gyffredin yw traddodiad cerddorol y gorllewin. Dylid talu sylw iddo yn y Cwricwlwm Cenedlaethol ond yn y fath fodd fel iddo apelio at bobl ifanc, ac er mwyn adlewyrchu'r dimensiwn Cymreig rhaid iddo fod yn eang ei orwelion.

Sail dealltwriaeth yr holl agweddau hyn ar y profiad Cymreig yw peth gwybodaeth am brif ddatblygiadau hanesyddol y genedl. Mae diddordebau eang yr haneswyr Cymreig wedi'r rhyfel, a gyd-ddigwyddodd a ffasiwn hanesyddol sy'n annog canolbwyntio sylw ar hanes cymdeithasau a diwyll-iannau yn hytrach nag ar uwchwleidyddiaeth, wedi creu gwaith sydd iddo arwyddocâd Prydeinig ac Ewropeaidd. Am resymau sy'n hysbys i ni roedd yn rhaid talu sylw i athrawon hanes Cymru, ac nid yn unig yng Nghymru. Daeth cydnabyddiaeth yn ffurf creu Pwyllgor Hanes dros Gymru i gynllunio Cwriciwlwm Cenedlaethol yn y pwnc. Mae ei fodolaeth yn holl-bwysig, a'i arwyddocâd yn cymharu'n ffafriol â'r pwyllgor a sefydlwyd i'r iaith Gym-raeg. Gan dderbyn sail destunol strwythur y Cwricwlwm Cenedlaethol rhaid iddo gynnig cymaint o gyd-destun i'r dimensiwn Cymreig â thestunau eraill.

Ni chefais yr amser i ddadansoddi'r dadleuon tros ac yn erbyn cwric-iwlwm testunol ei sail. Mae wedi cyrraedd, pa un a hoffwn ef ai peidio. Yn nhermau Cymreigrwydd y cwricwlwm rhoddod gyfle i'r arbenigwyr pync-iol roi cynnig ar gynnwys dimensiwn Cymreig yn eu pynciau. Ond mae hyn yn creu problem gan nad yw'r profiad Cymreig yn rhannu'n ddestlus i bynciau gwahanol. Er enghraifft, yn y gorffennol, mynegwyd y profiad trwy grefftau, arbenigrwydd cymdeithasol, ymlyniadau crefyddol, chwaraeon, gwleidyddiaeth a'r cyfryngau. Yr haneswyr sydd yn y sefyllfa i weld y darlun cyfan, ond un o'r pryderon ynglŷn â'r Cwricwlwm Cenedlaethol yw mai safbwynt sefydliedig ar destunau yn unig a geir i edrych ar y byd o'n cwmpas. Ar wahân i hynny nid oes gennyf gymaint o wrthwynebiad i'r cwricwlwm testunol â rhai awduron diweddar. Teimlaf pan bolareiddir y ddwy farn am addysg sef 'gwybodaeth trwy reswm' a 'gwybodaeth trwy'r synhwyrau', fel mewn un llawlyfr dylanwadol ar y cwriciwlwm yn ddi-weddar[37], ceir tueddiad i anwybyddu'r chwyldro mewn dysgu'r pynciau hyn yn yr ysgolion yn ystod y ddwy ddegawd ddiweddar. Ni ellir meddwl am y pynciau a restrwyd yn Rheolau 1904 bellach yn nhermau gwirioneddau i'w derbyn a'u dysgu ar y cof. Disgyblaeth y pynciau hyn yw cyflwyno'r plentyn i ddulliau o ddarganfod pethau am y byd a'u sail yw damcaniaethau

37. Kelly, *op.cit.*, tt. 30 ff.

epistemegol a methodolegol grymus. Yn wir, fe'n hatgoffir mai annigonol yw'r ddadl dros edrych ar y cwriciwlwm fel offeryn pan edrychir ar y ddadl dros ddimensiwn Cymreig y cwrs gwaith, a bod pwyslais ar asesu yn unig yn gamarweiniol ac yn arwain i raniadau. Yn y pen draw, ni ellir mewn unrhyw ffordd ystyrlon asesu'r dimensiwn Cymreig, ac ni ddylai rannu pobl. Os oes gwerth iddo rhaid iddo danlinellu undod ac amrywiaeth—undod sy'n ymestyn tu hwnt i'r iaith yn unig ac yn ymhlyg yn hawliau rhydd a democrataidd mewn diwylliant cyffredin ac etifeddiaeth y gymdeithas; ac amrywiaeth sy'n adlewyrchu haenau gwahanol ein diwylliant cenedlaethol.

Mae perygl a chyfle newydd yn dod ynghyd wrth gyflwyno'r cwricwlwm cyffredin i ysgolion Cymru. Yn aml yn hanes addysg ni ellir rhag-weld canlyniadau penderfyniadau'r llywodraeth. Roedd hyn yn wir yn achos llawer agwedd ar Ddeddf Addysg 1944, neu gyda gweithredu, bron trwy ddamwain, yr arholiad safon 'O'.[38] Ni fydd Deddf Addysg 1988 yn wahanol. Un o'r agweddau eironig sydd eisoes yn dod i'r amlwg yw y bydd ceisio creu unffurfiaeth yn cynnwys rhai o elfennau gorau amrywiaeth. Cryn orchest yw creu, am y tro cyntaf erioed, gwricwlwm i ysgolion y wladwriaeth sy'n unigryw i Gymru—o ran cynnwys a chyd-destun. Mae'n gamp genedlaethol cyn bwysiced â'r un yn ein hymchwil am 'annibyniaeth greadigol'.[39] Yn ddiddadl i mi mae'r fath amrywiaeth o ddiwylliant, o iaith, o hunaniaeth, o gymdeithas, o werth amhrisiadwy a difesur mewn Ewrop sy'n tueddu i symud i gyfeiriad unffurfiaeth yn ei threfn economaidd, cwmnïau rhyng-genedlaethol a diwylliant torfol trwy deledu. Ni allwn ddweud wrth y byd am aros er mwyn i ni gael gadael, ond mae llawenhau yn ein gwahaniaethau yn rhan hanfodol o'i ymgyfoethogiad. Os gellir derbyn yr honiad yna fel cynsail mae'n dilyn fod ymgorffori amrywiaeth yn y cwricwlwm ysgol yn weithred gwbl bendant, ac yn addysgiadol yn ystyr ddyfnaf y gair. Yn fwy na dim mae'n cynnig i bob cenhedlaeth newydd o Gymry y posibilrwydd y cânt yr hawl i wneud dewis deallus ynglŷn â'r math o Gymru fydd yn hawlio eu teyrngarwch.

Nodyn: Yr wyf yn wir ddyledus i Rees Davies a Richard Daugherty am eu beirniadaeth adeiladol ar ddrafft cynnar y papur hwn. Wrth gwrs nid ydynt yn gyfrifol am unrhyw farn a fynegir ynddo.

---

38. P. Fisher, *External Examinations in Secondary Schools in England and Wales 1944-1964*, Amgueddfa Hanes Addysg, Prifysgol Leeds, 1982, t. 1.
39. Ymadrodd Ned Thomas yw yn *Sponsors and Subversives*, *Planet*, 76, 1989, t. 8.